Die modulare Fabrik

Fachtagung

22.–23. November 1988
Arabella Hotel München

Kundennahe
Produktion
durch
Fertigungssegmentierung

gfmt
Gesellschaft für
Management und Technologie

Herausgeber:
Prof. Dr. Horst Wildemann
Lehrstuhl für Betriebswirtschaftslehre
mit Schwerpunkt Logistik
Technische Universität München

DIE MODULARE FABRIK
Fachtagung
22. - 23. November 1988, München

ISBN 3-924483-85-X

2. Auflage

Verlag:
gfmt - Gesellschaft für Management und Technologie - Verlags KG
Lothstr. 1 a, D-8000 München 2

Druck:
Hudak-Druck, München

DIE MODULARE FABRIK

ALPHABETISCHES AUTORENREGISTER

DIE MODULARE FABRIK:
Kundennahe Produktion durch Fertigungssegmentierung

Prof. Dr. Horst Wildemann
Lehrstuhl für Betriebswirtschaftslehre mit Schwerpunkt Fertigungswirtschaft
Universität Passau

Fabrikorganisation: Kundennahe Produktion durch Fertigungssegmentierung

Horst Wildemann /1/

In der Praxis zeigt sich, daß eine drastische Senkung der Durchlaufzeiten nur durch Strukturveränderungen im Produktionsbereich herbeigeführt werden kann, die eine Entflechtung der Produktionsbeziehungen mit dem Ziel einer stärkeren Produktorientierung beinhalten. Diese Strukturveränderungen führen zu Fertigungssegmenten. Unter Fertigungssegmenten werden produktorientierte Organisationseinheiten der Produktion verstanden, die mehrere Stufen der logistischen Kette eines Produkts umfassen und mit denen eine spezifische Wettbewerbsstrategie verfolgt wird. Darüber hinaus zeichnen sich Fertigungssegmente auch durch die Integration planender und indirekter Funktionen aus und sind in der Regel als Cost-Center organisiert.

Die Steigerung der Effizienz durch Fertigungssegmentierung, wie Durchlaufzeitreduzierung um 60 %, Produktivitätssteigerungen von 20 - 30 %, Flächenreduzierungen von 5 - 15 %, Senkung der Qualitätskosten von 20 - 25 % und eine Reduzierung des Umlaufvermögens von 40 %, ist auf folgenden Wirkzusammenhang zurückzuführen:

* Strukturveränderungen in der Fabrik implizieren eine Verhaltensänderung der Mitarbeiter;
* Veränderungen der Struktur und des Verhaltens führen gemeinsam zu einer Steigerung der Effizienz.

Aufbauend auf der empirischen Untersuchung von 32 Fertigungssegmenten werden in diesem Beitrag Gestaltungsprinzipien erarbeitet und Einführungsempfehlungen formuliert.

/1/ Prof. Dr. Horst Wildemann, Lehrstuhl für Betriebswirtschaftslehre mit Schwerpunkt Fertigungswirtschaft, Universität Passau, Innstr. 22, 8390 Passau
An der Durchführung und Auswertung der Studie war mein wissenschaftlicher Mitarbeiter Herr Dipl.-Kfm. Christof Schulte beteiligt. Ihm danke ich herzlich für seine Mithilfe.

A Ansatzpunkte zur Fertigungssegmentierung

Die in der Vergangenheit zu beobachtende Zergliederung des Produktionsprozesses, hat in vielen Bereichen zu einer Bürokratisierung, zu komplexen Systemen und Strukturen mit einer Vielzahl von Schnittstellen geführt. Derartige Organisationen sind nicht hinreichend flexibel, um auf kurzfristige Marktanforderungen zu reagieren. Hinzu kommt, daß der Mitarbeiter häufig die Gesamtzusammenhänge des Wertschöpfungsprozesses nicht mehr erkennen kann und damit den Bezug zum angestrebten Arbeitsergebnis verliert.

Angesichts der veränderten Ausgangslage stellt sich für viele Unternehmen die Planung der Fertigungsstruktur in einer neuen Weise dar, sie läßt sich mit den traditionellen Ansätzen oftmals nicht zufriedenstellend durchführen. Hier setzt das Konzept der Fertigungssegmentierung an, das die Schaffung kleiner, autonomer, produktorientierter Einheiten in der Produktion ("Fabrik-in-der Fabrik"-Konzept) zum Inhalt hat. Ziel der Fertigungssegmentierung ist es, ein spezifisches Produktionssystem zu organisieren, das innerhalb definierter Grenzen unterschiedliche Fertigungsaufgaben lösen kann.

Für das Konzept der Fertigungssegmentierung liegen in der Literatur bislang nur Aussagen zu einzelnen Elementen vor. Hierzu gehören

- aus dem Bereich der strategischen Planung die Bildung strategischer Geschäftseinheiten, Aussagen zum Zusammenhang zwischen dem Fertigungsbereich und der Wettbewerbsstrategie, das Focused Factory Konzept sowie die Merkmale erfolgreicher Unternehmen,
- aus dem Bereich der Personal- und Organisationslehre Aussagen zur Personal- und Organisationsentwicklung sowie zur Gruppenorientierung in der Produktion und
- aus dem Bereich der Ingenieurwissenschaften das Konzept der Gruppentechnologie, Fertigungsinseln und Fertigungszellen sowie Arbeiten zur Integration von Fertigungssystemen.

I. Ansätze aus der strategischen Planung

Ausgehend von einer dezentralen Ausrichtung der strategischen Planung bei Multiprodukt-Unternehmen wird versucht, den jeweils unterschiedlichen Unternehmungsaktivitäten gerecht zu werden. Dazu werden strategische Geschäftseinheiten gebildet, die sich durch eine spezielle Produkt-Markt-Kombination auszeichnen (vgl. z.B. Dunst 1979, Hinterhuber 1984). Charakteristisch für die strategischen Geschäftseinheiten sind folgende Merkmale:

- unabhängige Zielverfolgung,
- spezifische Wettbewerbssituation,
- Auftreten als Wettbewerber am Markt (nicht vorwiegend interner Zulieferer),
- Ressourcen in den Bereichen F + E, Fertigung und Marketing für unabhängige strategische Planung.

Das Konzept der strategischen Geschäftseinheit berücksichtigt bislang kaum den Fertigungsbereich.

Den Zusammenhang zwischen dem Fertigungsbereich und der Wettbewerbsstrategie einer Unternehmung greift Skinner auf. Skinner stellt fest, "that a company's competitive strategy at a given time places particular demands on its manufacturing function, and, conversely, that the company's manufacturing posture and operations should be specifically designed to fulfill the task demanded by strategic plans" (Skinner 1969, S. 138f.). Er wendet sich gegen ein konventionelles Produktionsmanagement und schlägt eine Vorgehensweise vor, die ausgehend von der Wettbewerbsstrategie in einem mehrstufigen Prozeß produktionspolitische Leitlinien formuliert. Besondere Bedeutung in diesem Prozeß hat die Festlegung, welche Anforderungen an die Produktion hinsichtlich Kosten, Lieferfähigkeit und Qualität aus der Unternehmensstrategie und der Marktsituation heraus gestellt werden müssen. Bei Entscheidungen über das Produktionssystem gibt es oftmals Ziele, die sich gegenseitig weitgehend ausschließen. Skinner schlägt deshalb das Konzept der "focused factory" vor, das die Fabrik genau auf eine begrenzte, handhabbare Gruppe von Produkten, Technologien, Stückzahlen und Märkten als Fertigungsaufgabe ausrichtet (vgl. Skinner 1974, S. 113 ff.).

Aus einer empirischen Untersuchung bei 50 Firmen in 6 Industriezweigen leitete er eine Strategie zur Behebung der während der 70er Jahre in den USA zunehmenden Produktivitätsprobleme ab. Da er als deren Ursache ein unstrukturiertes Wachstum in den betroffenen Unternehmen erkannte, schlug er folgende Änderungen im Fertigungsbereich vor:

- Anlagen und Prozeßpolitik
  Trennung der Fertigung in Bereiche für standardisierte Produkte und solche für Produkte mit Kundenspezifikation. Daraus entstehen zwei "Fabriken in der Fabrik", wobei der letztgenannte Bereich mit Universalmaschinen, zeitweiser Bearbeitung und leichten Überkapazitäten bei einem produktorientierten Layout arbeitet.
- Personalpolitik
  Schaffung vielseitiger Tätigkeiten; Bezahlung nach Qualifikationen; mehr Vorarbeiter zur Reparatur und Instandhaltung.
- Produktionsplanung und -kontrolle
  Herstellung von Spezialerzeugnissen auf Bestellung, von Nicht-Spezialerzeugnissen auf Lager.
- Qualitätskontrolle
  Qualitätsingenieure und umfangreiche Inspektionsgruppen in jeder Abteilung.
- Organisationsstruktur
  Organisation mit dem Ziel, die Tätigkeiten zur Erstellung einer Produktpalette zu konzentrieren.

Skinners Ansatz bezieht sich auf die strategische Ebene, es fehlen Kriterien zur Operationalisierung. Eine Betrachtung der gesamten logistischen Kette findet nicht statt.

Als weiterer Ansatz sind die Ergebnisse einer Studie von Peters und Waterman zu nennen (vgl. Peters/Waterman 1984). Ziel der Untersuchung war es herauszufinden, wodurch sich besonders erfolgreiche Unternehmen in den USA auszeichnen. Aus einem Pool von 62 Unternehmen wurden diejenigen ausgewählt, die vorher definierte Kriterien für Spitzenleistungen (so mußte z.B. die durchschnittliche Gesamtkapitalrendite der letzten 20 Jahre in der oberen Hälfte des entsprechenden Industriezweiges liegen) erfüllten. Bei den dabei ermittelten Merkmalen läßt sich bei folgenden ein Bezug zur Fertigungssegmentierung herstellen:

- Nähe zum Kunden
  Die Kundennähe zeichnet sich hier durch Ambivalenz aus: Einmal Nähe zur bestmöglichen Befriedigung der Kundenwünsche, zum anderen Nähe, um Anregungen für Produktideen und Innovationen zu erhalten.

- Produktivität durch Menschen

  Die Mitarbeiter werden nicht als Werkzeug betrachtet, sondern als Ausgangspunkt für Produktivitäts- und Qualitätssteigerungen und Ideenquelle.
- Einfacher, flexibler Aufbau

  Einfache klare Organisationstrukturen - häufig produktorientiert - dominieren.
- Straff - lockere Führung

  Die betrachteten Unternehmen weisen nach außen eine straffe zentralistische Führung auf. Nach innen wird jedoch versucht, dem einzelnen Mitarbeiter größtmögliche Freiheit zur Entfaltung seiner Kreativität zu gewähren.

Diese Erkenntnisse werden mehr mit Plausibilitätsüberlegungen als mit wissenschaftlichen Methoden gewonnen (vgl. Frese 1985, S. 604), haben aber dennoch eine plausible Begründung.

Aus der Literatur zur strategischen Planung lassen sich folgende segmentierungsrelevante Erkenntnisse ableiten: Die Fertigung stellt eine strategische Ressource der Unternehmung dar und ist in Abstimmung mit der Wettbewerbsstrategie zu gestalten. Da die gleichzeitige Verfolgung mehrerer gleichrangiger Ziele dazu führt, daß letztlich kein Ziel realisiert wird, ist ein Produktionssystem so auszulegen, daß spezifische Ziele gut erfüllt werden. Erfolgreiche Unternehmen sind durch Kundennähe, Mitarbeiterorientierung, einfache und flexible Strukturen sowie eine straff-lockere Führung gekennzeichnet.

II. Ansätze aus der Organisationstheorie

Die zu beobachtende zunehmende Arbeitsteilung führte in vielen Fällen zu einseitigen Belastungen am Arbeitsplatz und geringerer Arbeitszufriedenheit. Die von Taylor propagierten Prinzipien und die damit erreichten Produktivitätseffekte wurden häufig aufgrund hoher Abwesenheitsraten, starker Fluktuation, hoher Fehlzeiten und Ausschußquoten unterlaufen. Bereits seit den 30er Jahren verweisen deshalb zahlreiche Verhaltenswissenschaftler auf den Einfluß des Arbeitsinhalts und des Handlungsspielraumes für die Arbeitseffizienz. So zeigten die Hawthorne-Experimente, daß ein verstärktes Gruppen- und Zusammengehörigkeitsgefühl zu einer größerern Zufriedenheit der Mitarbeiter und auch zu nennenswerten Produktivitätssteigerungen führen können.

Seit 1974 werden von der Bundesregierung im Rahmen des Forschungsprogramms "Humanisierung des Arbeitslebens" Projekte gefördert, die Untersuchungen und eine praktische Umsetzung von Maßnahmen verfolgen, die einer Erhöhung der Qualität des Arbeitsinhalts dienen. Es haben sich vier Verfahren zur Arbeitsstrukturierung herauskristallisiert:

- Job rotation; bei der ein systematischer Aufgabenwechsel erfolgt.
- Job enlargement; wobei der Arbeitsumfang auf gleicher sachlicher Ebene erweitert wird.
- Job enrichment; Ansatzpunkt ist eine qualitative Aufgabenausweitung.
- Autonome Arbeitsgruppen; hier wird eine komplexe Arbeitsaufgabe mehreren Mitarbeitern übertragen, die diese selbständig verteilen und organisieren.

Zur Anwendung einer stärker eigenverantwortlichen Fertigung werden auch zeitlich befristete spezifische Problemlösungsgruppen, wie Lernstattzentren, Werkstattzirkel und Quality Circles eingesetzt. Diese Konzepte dienen insbesondere der Verbesserung der Kommunikation und Information und wirken darüberhinaus als Fortbildungsinstrumente.

Problemlösungsgruppen stellen eine temporäre Organisationsform zur Erkennung und Beseitigung von Fehlern dar. Durch die Arbeit in Gruppen wird das Problemlösungspotential mehrerer Mitarbeiter vernetzt. Die Einbindung von Mitarbeitern in Problemlösungsgruppen führt zu einer Arbeitsbereicherung aufgrund stärkerer Mitwirkung und Mitgestaltung bei der Prozeßplanung, einer höheren Arbeitsidentifikation aufgrund eines besseren Verständnisses für die eigene Aufgabe sowie zu einer Höherqualifizierung. Die neuen Formen der Arbeitsstrukturierung in Verbindung mit Job-Rotation erfordern eine erheblich höhere Qualifikation der Mitarbeiter (vgl. Walther 1985). Die Anforderungen an das systematische, technische Grundwissen wurden mehrfach an konkreten Fallbeispielen ermittelt (vgl. Müller 1985; KfK 1982; Linke 1980). Die Qualifikationsanforderungen und Qualifizierungskonzepte wurden in der Regel an einzelnen Fallbeispielen erarbeitet, es fehlen häufig Entscheidungshilfen zur Planung und inhaltlichen Gestaltung von Schulungsmaßnahmen. Aus der Sicht der Praxis besteht eine Qualifikationslücke für die Planer neuer Fertigungsstrukturen (vgl.

Walther 1985). Der im Vergleich zu anderen Planungsaufgaben deutlich höhere Planungsaufwand erfordert hochqualifizierte Experten im Projektteam (vgl. Burdach 1986; Fröhlich 1981).

Ansatzpunkte zur Übertragung japanischer Führungsmethoden auf deutsche Unternehmen liegen vor allem in Form einer Förderung des Gruppengedankens vor. Hierfür sind als Voraussetzungen erforderlich die Überschaubarkeit der auf solche Gruppen übertragungsfähigen Aufgaben, vereinbarte Produktionsziele, ein Dispositionsspielraum für das Team, ein arbeitsablaufbezogener Zusammenhang der Gruppenarbeitsplätze sowie die Existenz von generellen organisatorischen Regeln.

Es zeigt sich, daß in der Literatur empfohlen wird, ein höheres Maß an Einbeziehung der Mitarbeiter anzustreben, der formalen Hierarchie und den generellen Regeln, geringere Bedeutung für die Effizienz beizumessen, und größere Kommunikation der Mitarbeiter untereinander sowie eine stärkere Dezentralisierung anzustreben.

III. Ansätze aus den Ingenieurwissenschaften

Die Strategie der Gruppentechnologie wurde in den 30er Jahren entwickelt und weist im wesentlichen drei Phasen auf (vgl. Warnecke et.al. 1980). Die erste Phase ist gekennzeichnet durch Teile- und Fertigungsfamilienbildung. Dabei wurden Cluster-Methoden angewandt, um gleiche oder ähnliche Formen bzw. Bearbeitungsverfahren zu Gruppen zusammenfassen. Durch die Nutzung von Ähnlichkeiten sollten die Einsatzmöglichkeiten bestehender Anlagen erhöht werden. Die zweite Phase, die um 1960 einsetzte, basiert auf der Erkenntnis, daß ähnliche Teile nicht nur in der Art der Bearbeitung, sondern auch in der Bearbeitungsfolge Gemeinsamkeiten aufweisen, die Optimierung des Materialflusses rückte in den Vordergrund. Um Produkte in einem kontinuierlichen Fluß zu fertigen, wurden Fertigungszellen gebildet, die auf die Fertigung einer oder verschiedener Teilefamilien ausgerichtet sind. Nachteilig war allerdings eine relativ große Starrheit dieser Fertigungseinheiten, so daß sie häufig kapazitative Unter- und Überbelastung aufwiesen. Die dritte Phase beschränkte sich nicht nur auf Anpassungen im Fertigungsbereich, sondern das gesamte Informations- und Steuerungssystem galt es zu organisieren. So wird beispielsweise bei der Bildung einer Fertigungsinsel das Ziel verfolgt, möglichst viele betriebliche Aufgaben auf eine Arbeitsgruppe zu übertragen (vgl. Mönig 1985; Ahlmann 1980). Angestrebt wird eine Selbststeuerung. Von einer zentralen Arbeitssteuerung werden nach Vornahme eines groben Kapazitätsabgleichs lediglich Ecktermine für ein komplettes Teil zugeteilt. Somit wird nicht mehr jede einzelne Phase des Fertigungsprozesses überwacht und gesteuert, was den Handlungsspielraum der Mitarbeiter erhöht (vgl. AWF 1984). Zwar liegen für das Konzept der Fertigungsinsel eine Reihe von Fallbeispielen aus der betrieblichen Praxis vor, doch fehlen bislang abgesicherte Gestaltungsempfehlungen.

Ein weiterer Ansatz, der die Präferierung kleiner organisatorischer Einheiten zum Gegenstand hat, ist das Konzept der Fertigungszellen. Hierunter werden automatisierte, technologisch autonome Produktionsmittel verstanden, die sich für eine Verkettung zu höhergeordneten Produktionssystemen eignen (vgl. Spur 1983). Die Frage, ob hochintegrierte Produktionssysteme, in denen der Mensch nur noch in der Gestaltung, Steuerung und Instandhaltung des Fertigungssystems tätig wird (sog. "factory for the future"), realisierbar sind, wird seit langem gestellt (vgl. Knolmayer 1984).

Zusammenfassend zeigen gruppentechnologische Überlegungen und das Konzept der Fertigungsinseln die Notwendigkeit auf, das gesamte Informations- und Steuerungssystem im Fertigungsbereich neu zu strukturieren. Ziel sollte es danach sein, im Rahmen zentral vorgegebener Eckdaten möglichst viele betriebliche Aufgaben durch die Arbeitsgruppen eigenverantwortlich wahrnehmen zu lassen. Das Konzept der Fertigungszellen behandelt die Problematik der dezentralen Funktionsausübung insbesondere unter dem Aspekt der Automatisierung. Durchgesetzt hat sich also mittlerweile die Erkenntnis, daß aufgrund der hohen Komplexität und der erforderlichen Veränderungen im Bereich der Datenverarbeitung die Integration der CIM-Komponenten nur stufenweise erfolgen kann. Hierzu ist die schrittweise Kombination der einzelnen technologischen Bausteine erforderlich.

B Definition von Fertigungssegmenten

Ausgehend von den in der Literatur empfohlenen Gestaltungsprinzipien und dem Erfordernis einer ganzheitlichen Betrachtung des Wertschöpfungsprozesses in der Praxis lassen sich Fertigungssegmente definieren:

Unter Fertigungssegmenten werden produktorientierte Organisationseinheiten der Produktion zusammengefaßt, die mehrere Stufen der logistischen Kette eines Produktes umfassen und mit denen eine spezifische Wettbewerbsstrategie verfolgt wird. Darüber hinaus zeichnen sich Fertigungssegmente auch durch die Integration planender und indirekter Funktionen aus und sind in der Regel als Cost-Center organisiert.

Damit lassen sich Fertigungssegmente durch fünf Definitionsmerkmale kennzeichnen:

- Markt- und Zielausrichtung

  Fertigungssegmente zielen also auf eine Bildung von Produkt - Markt - Produktion - Kombinationen ab. Es sollen nicht mehr alle Produkte eines Unternehmens mit ihren in der Regel unterschiedlichen wettbewerbsstrategischen Schwerpunkten durch ein und dieselbe Fertigung laufen, sondern Fertigungsbereiche, die auf spezifische Wettbewerbsstrategien ausgerichtet sind, aufgebaut werden. Während die Verfolgung der Kostenführerschaftsstrategie in der Regel durch spezialisierte Fertigungseinrichtungen, z.B. den Aufbau von Rennerlinien, unterstützt werden kann, stehen bei der Verfolgung einer Differenzierungsstrategie eher höchste Qualität oder kurze Durchlaufzeiten im Vordergrund, und damit beispielsweise die Notwendigkeit hochflexible Fertigungssegmente aufzubauen. Fertigungssegmente müssen ihre Produkte nicht zwingend an den Endkunden liefern, möglich ist auch die Lieferung an weiterverarbeitende Kunden, wobei letztere auch im eigenen Unternehmen angesiedelt sein können. Damit können z.B. auch Komponentenwerke von Automobilherstellern als Fertigungssegmente aufgebaut werden.

- Produktorientierung

  Die Schaffung produktorientierter Fertigungsbereiche setzt ein heterogenes Leistungsprogramm voraus. Durch die Produktorientierung soll der Koordinationsaufwand reduziert werden. Bei der Bildung der produktorientierten Fertigungssegmente ist darauf zu achten, daß innerhalb der einzelnen Segmente Synergie- und Spezialisierungsvorteile realisiert werden und zwischen den Segmenten möglichst wenige Leistungsverflechtungen bestehen. Neben den Abhängigkeiten im Erstellungsprozeß beeinflussen auch die benötigten unternehmerischen Fähigkeiten die Effizienz der Produktorientierung. Je stärker die Anforderungen an die Sachkenntnisse und

Führungsqualitäten zwischen den Produktbereichen differieren, desto sinnvoller ist eine Produktorientierung.

Die Ausrichtung der Fertigungssegmente auf spezifische Produkte hat eine geringe Fertigungsbreite zur Folge. Gleichzeitig resultiert aus der angestrebten Komplettbearbeitung eine relativ hohe Fertigungstiefe.

- Mehrere Stufen der logistischen Kette eines Produktes
  Fertigungssegmente umfassen stets mehrere Stufen der logistischen Kette eines Produktes. In der Maximalausprägung würde dies die Integration aller unternehmensinternen Wertschöpfungsstufen für ein Produkt oder Produktionsprogramm beinhalten. Damit heben sich Fertigungssegmente von Fertigungszellen, Flexiblen Fertigungssystemen und Fertigungsinseln ab. Diese Konzepte beinhalten in der Regel nur eine Stufe der logistischen Kette.

- Übertragung indirekter Funktionen
  Die Taylorisierung der Arbeitsprozesse hat in der Vergangenheit in vielen Bereichen zu einer Vielzahl von Schnittstellen in Form einer Trennung von planenden und ausführenden sowie von direkten und indirekten Funktionen geführt. Diese Schnittstellen führen zu langen Durchlaufzeiten, hohen Gemeinkosten sowie häufig mangelnder Akzeptanz von Planzielen. Durch die Übertragung indirekter Tätigkeiten auf Fertigungsmitarbeiter sowie die Integration planender Aktivitäten in das Segment sollen diese negativen Konsequenzen vermieden werden. Es wird ein möglichst hoher Autonomiegrad der Segmente angestrebt.

- Kostenverantwortung
  Aus den beiden vorgenannten Dimensionen ergibt sich unmittelbar die Möglichkeit, Fertigungssegmente als "Cost Center" auszulegen. Durch die im Vergleich zu traditionellen Fertigungsstrukturen höhere Integration von Stufen der logistischen Kette und planender sowie indirekter Funktionen ergibt sich ein hohes Maß an Kostenverantwortlichkeit, die es durch eine entsprechende Ausgestaltung des Controlling-Instrumentariums abzubilden gilt. Wegen des ex definitione fehlenden Einbezugs der Absatzaktivitäten kommt die Auslegung als "Profit Center" nur selten in Frage, zu denken wäre bei größeren Segmenten an die Ausgestaltung als "Investment Center".

C Ergebnisse der empirischen Erhebung

I. Erhebungsmethode und Untersuchungsfeld

In der empirischen Untersuchung wurden Führungskräfte von 32 Unternehmen befragt, die über realisierte (n = 28) oder geplante (n = 4) Fertigungssegmente berichteten. Die Mehrheit dieser Unternehmen sind Mitglied des Arbeitskreises "Einführungsstrategien neuer Technologien in Produktion und Logistik", der seit April 1987 vom Verfasser durchgeführt wird.

Auf der Basis von Literaturanalysen wurde ein Fragebogen entwickelt, mit dem zunächst ein Pre-Test in vier Unternehmen durchgeführt wurde. Anschließend fand im Zeitraum zwischen Mai und September 1987 die Datenerhebung in Form persönlicher Interviews und einer Dokumentenanalyse statt.

Die untersuchten Unternehmen gehören folgenden Branchen an:

- Elektrotechnik/Elektronik	(n = 12)
- Maschinenbau	(n = 6)
- Metallverarbeitung	(n = 4)
- Nutzfahrzeuge	(n = 4)
- Kunststoffverarbeitung	(n = 2)
- Wehrtechnik	(n = 2)
- Kosmetika	(n = 1)
- Preßwerk	(n = 1)

Durch die unterschiedlichen vertretenen Branchen wurde eine empirische Basis geschaffen, um branchenunabhängige Ergebnisse zu gewinnen. Es ist allerdings davon auszugehen, daß es keine für alle Unternehmen gültigen optimalen Handlungsalternativen geben kann, sondern lediglich situationsbezogen angemessene. Die empirischen Ergebungen mußten deshalb notwendigerweise von einer situationsbezogenen Sicht ausgehen.

Die Befragten gehörten zu folgenden Fachabteilungen in den Unternehmen: Fertigung (n = 13), Arbeitsvorbereitung (n = 8), Werksplanung (n = 5), Materialwirtschaft (n = 5), Qualitätswesen (n = 1).

Die verdichteten Merkmalsausprägungen der erfaßten Fertigungssegmente sind in Abb. 1 im Überblick dargestellt. Es wird deutlich, daß in 78,1 % der Segmente eine Differenzierungsstrategie verfolgt wird. 93,7 % der Segmente fertigen zwischen 1 und 100 Produkttypen. Es dominiert die kundenauftragsorientierte Fertigung. Kein Segment ist nach dem Werkstattprinzip organisiert. In der Regel sind sowohl Universal- als auch Spezialanlagen im Einsatz. Jeweils ein Drittel der Segmente weist bis zu 30 bzw. zwischen 101 und 500 Mitarbeitern auf. In 25 % der Segmente sind 31 - 100 Mitarbeiter beschäftigt, in den übrigen mehr als 500.

II. Anlässe der Fertigungssegmentierung

Der von außen auf die Unternehmen einwirkende Konkurrenzdruck, die Änderung der Marktverhältnisse sowie die damit einhergehende Änderung der Unternehmensziele sind als die wichtigsten Anlässe für die Fertigungssegmentierung anzusehen. Eine untergeordnete Rolle spielten die Änderung der Technologie, spezifische Aktionen der Konkurrenten, eine Änderung der Wertvorstellungen bei den Mitarbeitern sowie die Einführung neuer Produkte.

Die empirischen Befunde ergaben die in Abbildung 2 zusammengefaßten Resultate.

Die Analyse der von den untersuchten Fertigungssegmenten verfolgten Wettbewerbsstrategien ergab, daß
- 3 Fertigungssegmente eine generelle Kostenführerschaft,
- 27 Fertigungssegmente eine Differenzierungsstrategie und
- 2 Fertigungssegmente eine Konzentrationsstrategie

verfolgen.

Durch eine Clusteranalyse über die kritischen Erfolgsfaktoren im Wettbewerb konnten zwei Unternehmensgruppen unterschieden werden, die sich hinsichtlich der Bedeutung der Erfolgsfaktoren signifikant voneinander unterscheiden. Bei der ersten Gruppe dominieren eindeutig die Erfolgsfaktoren Qualität, Flexibilität und Liefertreue, während bei der zweiten Gruppe die Preise von sehr hoher Bedeutung sind, gefolgt von Qualität und Liefertreue. Aufgrund der dominanten Bedeutung des Erfolgsfaktors Preis wurde die zweite Gruppe als preisorien-

Merkmal	Merkmalsausprägung			
Wettbewerbsstrategie	Kostenführerschaft (9,4%)	Differenzierung (78,1%)	Konzentration (12,5%)	
Typenvielfalt	1 Typ (9,4%)	2–10 Typen (56,2%)	11–100 Typen (28,1%)	> 100 Typen (6,3%)
Variantenvielfalt	Bis 30 Varianten (43,8%)	30–100 Varianten (25,0%)	100–1500 Varianten (31,2%)	
Teilevielfalt	Bis 10 Teile (53,8%)	10–50 Teile (23,1%)	50–500 Teile (15,4%)	2500 Teile (7,7%)
Auftragstyp	Programmorientiert (6,25%)	Überwiegend programmorientiert (6,25%)	Überwiegend kundenauftragsorientiert (6,25%)	Kundenauftragsorientiert (81,25%)
Fertigungstiefe	Bis 25% Fremdbezug (25%)	25,1%–50% Fremdbezug (31,3%)	50,1%–75% Fremdbezug (28,1%)	75,1%–100% Fremdbezug (15,6%)
Fertigungsart	Einzelfertigung (16,7%)	Kleinserienfertigung (39,8%)	Großserienfertigung (33,4%)	Massenfertigung (10,1%)
Fertigungsablaufart	Werkstattfertigung	Gruppenfertigung (50 %)	Fließfertigung (50 %)	
Betriebsmittelstruktur	Spezialanlagen (11,8%)	Universal- und Spezialanlagen	Universalanlagen (17,6%)	
Anzahl der Mitarbeiter	Bis 30 Mitarbeiter (31,25%)	31–100 Mitarbeiter (25,0%)	101–500 Mitarbeiter (31,25%)	> 500 Mitarbeiter (12,5%)
Qualifikationsstruktur	Ausschließlich Angelernte (50%)	Überwiegend Angelernte (14,4%)	Überwiegend Facharbeiter (28,6%)	Fast ausschließlich Facharbeiter (7,1%)

Abb. 1: Charakterisierung der untersuchten Fertigungssegmente

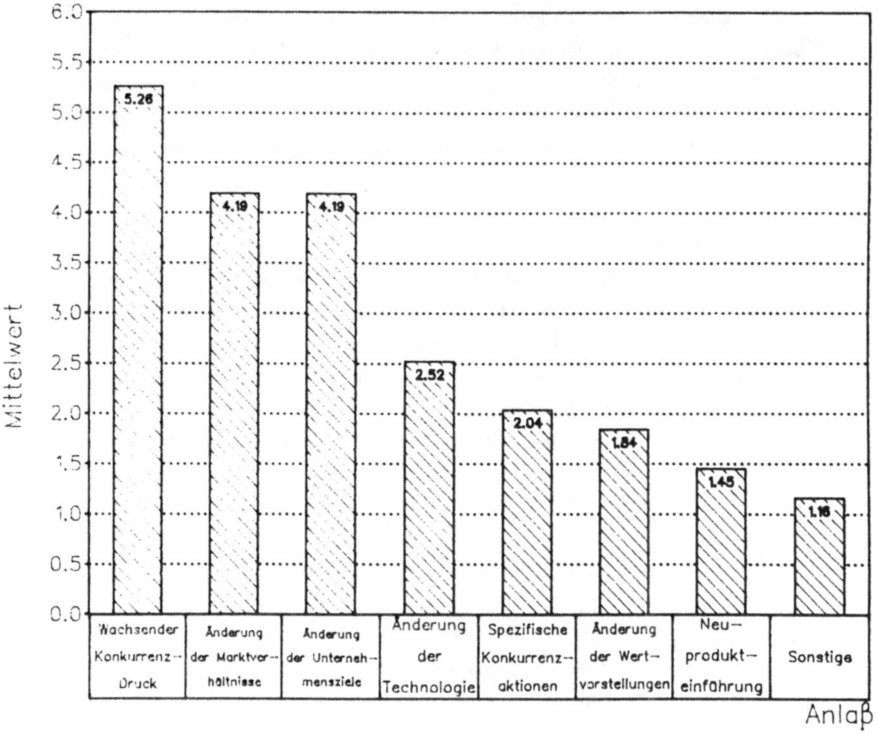

Abb. 2: Anlässe der Fertigungssegmentierung

tierte Segmente bezeichnet, die erste Gruppe als produktorientierte Segmente. Diese Segmente unterscheiden sich auch deutlich hinsichtlich ihrer Anforderungen an die Produktion. Während produktorientierte Segmente insbesondere hohe Qualitäts- und Flexibilitätsanforderungen haben, steht bei den preisorientierten das Ziel geringer Herstellkosten an erster Stelle.

Die schwerpunktmäßig verfolgten Ziele der Entscheidungsträger lassen sich jeweils mit einer bestimmten Wettbewerbsstrategie verknüpfen. Während die Wettbewerbsstrategien die marktbezogenen Aktivitäten des Unternehmens determinieren, dienen die Ziele zur Umsetzung der Wettbewerbsstrategie in der Fertigung. Als Ziele der Reorganisation standen bei den produktorientierten Unternehmen eindeutig die Durchlaufzeitverkürzung und das komplementäre Ziel der Bestandssenkung im Vordergrund (Abb. 3). Sie wies die Verkürzung der Durchlaufzeit bei 75 % dieser Unternehmen die höchste Zielpriorität auf.

Die Dominanz des Ziels Durchlaufzeitverkürzung hängt mit der zur Zeit vorherrschenden Form der Fertigungsorganisation zusammen. Bei der Herstellung kundenspezifischer Erzeugnisse in Einzel- und Kleinserienfertigung kommt meist die Werkstattfertigung zur Anwendung. Die Fertigungsablauforganisation der Werkstattfertigung ist durch eine Verrichtungszentralisation gekennzeichnet. Die räumliche Anordnung der Betriebsmittel und Arbeitsplätze erfolgt losgelöst vom Objekt nach den einzelnen Bearbeitungsverfahren. Die Kapazitäten sich nicht aufeinander abgestimmt, feste Transport- bzw. Übergangsbeziehungen zwischen den Betriebsmitteln fehlen. Durch die große Anzahl von Übergangsbeziehungen zwischen den einzelnen Kapazitätseinheiten entsteht ein komplizierter Materialfluß. Den Vorteilen der Werkstattfertigung, wie eine hohe quantitative und qualitative Flexibilität stehen gravierende Nachteile gegenüber. Durch fehlende kapazitätsmäßige Abstimmung der Betriebsmittel und Konkurrenz der Aufträge bzw. Arbeitsgänge um die Bearbeitung an einem Betriebsmittel entstehen lange Warteschlangen vor den einzelnen Kapazitätseinheiten, die zu hohen Werkstattbeständen, langen Durchlaufzeiten und damit zu einer hohen Kapitalbindung im Umlaufvermögen führen. Der Flußgrad, definiert als Verhältnis von Bearbeitungs- zur Durchlaufzeit, beträgt hierbei in der Regel nur 1 : 9.

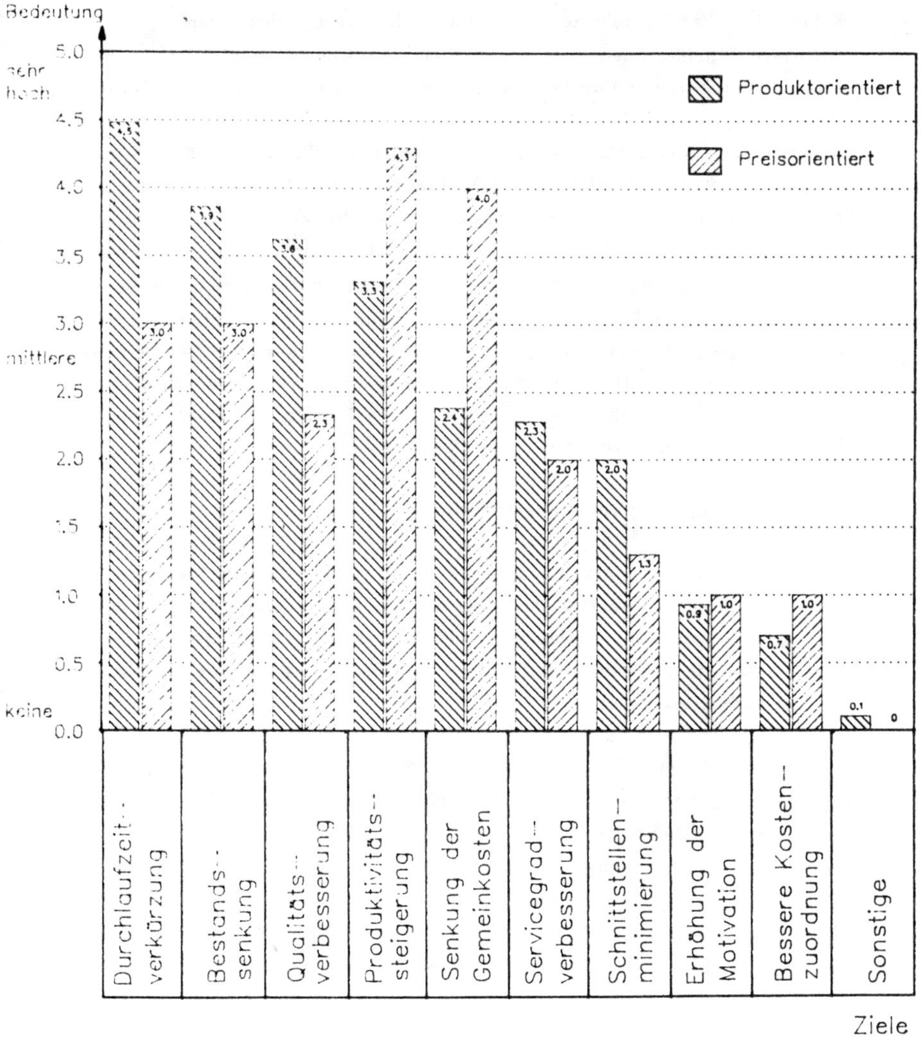

Abb. 3: Ziele der Reorganisation

Neben der Verrichtungszentralisation und hohen Spezialisierung auf der Durchführungsebene führt auch die vertikale Arbeitsteilung zwischen Planungs- und Durchführungsebene zu langen Durchlaufzeiten.

Bei den preisorientieren Unternehmen werden die Ziele Produktivitätssteigerung und Senkung der Gemeinkosten mit höchster Priorität verfolgt. Beide beziehen sich primär auf den indirekten Bereich. Die Problematik dieser Struktur liegt darin, daß planende und steuernde Tätigkeiten überwiegend im indirekten Bereich vorgenommen werden und somit die für diese Tätigkeiten vorhandenen Qualifikationen des Werkstattpersonals nur in geringem Maße genutzt werden. Der hohe Anteil indirekter Tätigkeiten hat zu einem hohen Anteil der Gemeinkosten an den Gesamtkosten geführt. Ziel der Fertigungssegmentierung ist es, diesen Anteil spürbar zu reduzieren.

III. Gestaltung von Fertigungssegmenten

Aufbauend auf der verfolgten Wettbewerbsstrategie und den Segmentierungszielen ist es zunächst erforderlich, im Rahmen der Investitionsstrategie festzulegen, welchen Anteil kapazitäts-, automatisierungs- und flexibilitätsorientierte Neuinvestitionen am gesamten Investitionsbudget aufweisen sollen.

Kapazitätsorientierte Neuinvestitionen wurden in den untersuchten Fertigungssegmenten insbesondere zum Abbau struktureller Engpässe vorgenommen. Hierzu wurden zum einen Maschinen mit kleinen Kapazitätsquerschnitten beschafft. Zum anderen wird eine Kapazitätsharmonisierung dadurch sichergestellt, daß das Kapazitätsangebot in den der Montage vorgelagerten Produktionseinheiten geringfügig höher ausgelegt wird als in der Montage. Weitere Investitionsanteile entfallen häufig auf Instandhaltungsmaßnahmen, um eine hohe Verfügbarkeit des Segments sicherzustellen.

Investitionen in die Steigerung des Automatisierungsgrades wurden von 13 Unternehmen vorgenommen und zwar primär zur
- Qualitätssteigerung durch reproduzierbare Prozesse,
- Rationalisierung durch höhere Anlagennutzung und geringere direkte Lohnkosten und
- Entkopplung von Mensch und Maschine.

Bei den flexibilitätsorientierten Investitionen in Fertigungssegmenten stehen Investitionen in Rüstzeitverkürzung und Investitionen zur Schaffung einer flexiblen Infrastruktur im Vordergrund. Durch Investitionen zur Rüstzeitverkürzung wird gezielt der Wechsel als sich ständig wiederholender Vorgang im Produktionsablauf des Fertigungssegments automatisiert. Als Strategien der Rüstzeitverkürzung können eine Rüstzeitverkürzung bei Engpaßmaschinen oder eine Rüstzeitverkürzung bei allen Maschinen beobachtet werden. Neben dem Umrüsten der Werkzeuge beziehen effiziente Konzepte zur Rüstzeitverkürzung auch das Umrüsten von Organisationen und Informationsfluß mit ein. Investitionen zur Schaffung einer flexiblen Infrastruktur im Fertigungssegment beziehen sich auf

- Lager- und Transportsysteme,
- integrierte Pufferlager,
- dezentrale Qualitätssicherung,
- schnelle Layoutveränderbarkeit sowie damit verbunden
- geeignete DV-Systme und Schnittstellen.

Da nur mit entsprechend qualifiziertem Personal die technischen und organisatorischen Flexibilitätspotentiale ausgeschöpft werden können, sind darüberhinaus die Mitarbeiter zu schulen.

Die organisatorische Gestaltung von Fertigungssegmenten umfaßt die Festlegung des Umfangs der Materialflußstrecke, des Autonomiegrades der betrieblichen Funktionen, der Fertigungsorganisation und des Organisationsaufbaus sowie der Segmentgröße.

Am häufigsten waren in den untersuchten Segmenten die Montage, die Qualitätskontrolle, die Teilefertigung und die Bereitstellung integriert. Relativ selten sind Wareneingangsfunktionen und die Stationen Fertigerzeugnislager, Verpackung und Versand in das Segment integriert. Dadurch, daß Fertigungssegmente jeweils mehrere Stufen der logistischen Kette umfassen, wird der Zergliederung des Produktionsprozesses, die mit einer Vielzahl von Schnittstellen einhergeht, entgegengewirkt.

Durch den Einsatz von Techniken der integrierten Informationsverarbeitung wird der Zwang zur räumlichen Konzentration von Mitarbeitern, die auf die gleichen Daten zugreifen müssen, aufgelöst. Die bislang dominierende funktionsbezogene Spezialisierung kann durch die objektbezogene Spezialisierung abgelöst werden. Es erfolgt beispielsweise die Ausrichtung der Mitarbeiter auf einzelne Produkte, die von der Konstruktion bis zur NC-Programmierung betreut werden. Bei den untersuchten Fertigungssegmenten erfolgte insbesondere die Integration der Funktionen Fertigungssteuerung, Transport, Instandhaltung, Disposition und Beschaffung.

Schnittstellenprobleme zwischen dem Fertigungssegment und den vor- und nachgelagerten Bereichen werden insbesondere gesehen in der Abhängigkeit des Fertigungssegments von den Leistungen anderer Organisationseinheiten, unterschiedlichen Aufgaben-, Ziel- und Zeitprioritäten einzelner Organisationseinheiten sowie der einseitigen Orientierung auf die eigene Organisationseinheit. Dies verdeutlicht, daß es in Einzelfällen gegebenenfalls notwendig ist, den Autonomiegrad zu erhöhen. Die Befragungsergebnisse lassen vermuten, daß den Informations- und Schulungsaktivitäten teilweise noch ein höherer Stellenwert beigemessen werden muß, um die ganzheitliche Orientierung der Mitarbeiter zu fördern.

Das Konzept der Fertigungssegmentierung versucht die Vorteile der Fließfertigung mit der hohen Flexibilität der Werkstattfertigung zu vereinigen. Während von der Fertigungssegmentierung in 17 Fällen Werkstattfertigung vorlag, lag diese danach in keinem Fall vor. Je zur Hälfte liegen nach der Fertigungssegmentierung Fließ- bzw. Gruppenfertigung vor. Mit der Produktorientierung des Layouts und der Möglichkeit, daß Fertigungsmitarbeiter für mehrere Arbeitsgänge verantwortlich werden, wird häufig die Organisation des Layouts nach einer U-Form gewählt. Bei dieser Organisationsform werden die Mitarbeiter durch den systematischen Arbeitsplatzwechsel motiviert, ihre Qualifikation zu erhöhen. Durch die Aufgabenvielfalt und den regelmäßigen Wechsel der Arbeitsinhalte wird die Arbeit abwechslungsreicher. Das U-förmige Layout fördert die Teamarbeit und die gegenseitige Unterstützung. Da jeder Mitarbeiter den gesamten Produktionsablauf kennt, werden Informationen über die Arbeitsmethoden ausgetauscht, gemeinsam auftretende Probleme gelöst und Verbesserungsvorschläge entwickelt. Jeder Mitarbeiter betrachtet den Produktionsbereich der Gruppe als sein Interessengebiet. Die Mitarbeiter achten zunehmend auf Qualität, Kosten und Termineinhaltung.

Bei knapp einem Viertel der untersuchten Fertigungssegmente erfolgte eine Reduzierung um eine Hierarchieebene und zwar entweder durch den Wegfall der Ebene "Fertigungsleiter" oder der Einsteller-/Einrichterebene. Flachere Organisationsstrukturen werden in Fertigungssegmenten durch den Wegfall von Arbeitsplätzen, die Zusammenfassung von Tätigkeiten und die Verlagerung von Kompetenz und Verantwortung auf hierarchisch nachgeordnete Ebenen gefördert.

Da zwischen den kritischen Erfolgsfaktoren und dem im Unternehmen vorhandenen Mitarbeiterpotential ein enger Zusammenhang besteht, kommt der Qualifikation von Mitarbeitern in Fertigungssegmenten hohe Bedeutung zu. Die zunehmende Dezentralisierung im Rahmen der Fertigungssegmentierung führt zu einer quantitativen und qualitativen Aufgabenverschiebung. Die Mitarbeiter werden in der Regel in die Lage versetzt, zwei und mehr Arbeitsplätze auszufüllen. Bei den befragten Unternehmen lagen die Schwerpunkte der auf die Fertigungsmitarbeiter übertragenen Arbeitsaufgaben bei der Qualitätskontrolle, Rüst- und Instandhaltungstätigkeiten sowie Steuerungsaufgaben. Den Meistern werden in verstärktem Maße Führungsaufgaben übertragen. Hierzu gehören insbesondere die Werk- und Zielkommunikation, die Motivation und Förderung von Initiative sowie Personal- und Organisationsentwicklung.

Da der Anteil der vom einzelnen Mitarbeiter beeinflußbaren Hauptzeiten abnimmt, gleichzeitig aber die Einflußnahmemöglichkeit auf die Nebenzeiten steigt, wird in Fertigungssegmenten für die Entlohnung eine andere Bezugsbasis als die reine Mengenleistung benötigt. Die Wahl der Entlohnungsform wird - neben der Berücksichtigung von quantitativen Leistungszielen - von der Aufrechterhaltung der Flexibilität mitbestimmt (vgl. Schmitt 1985). Aufrechterhaltung der Flexibilität dadurch, daß die Entlohnungsform die Zunahme der Vielseitigkeit der Funktionen einbezieht. Bei der Entwicklung des Anteils der einzelnen Entlohnungsformen zeigte sich über alle betrachteten Unternehmen eine deutliche Abnahme des Zeitlohnes bei einer gleichzeitigen deutlichen Zunahme des Gruppenakkords und des Einzelakkords. Bei der Prämienentlohnung fand lediglich eine geringfügige Verschiebung zugunsten der Gruppenprämie statt.

Für jedes Segment ist eine spezifische Qualitätspolitik festzulegen. Als Aufgaben der Qualitätssicherung fallen hierbei an die Qualitätsplanung, die Qualitätsprüfung, Qualitätsförderung- und steuerung sowie die Qualitätskostenüberwachung. Als Strategien zur Durchsetzung einer integrierten Qualitätssicherung kommen bei den untersuchten Segmenten zum Einsatz:

- Übernahme der Kontrolle durch automatische Einrichtungen in Produktionsprozeß und damit Sicherstellung einer gleichbleibenden Wiederholqualität
- Qualitätssicherung durch Selbstkontrolle
- Konzentration der Kontrolle auf Prozeßparameter.

Mit Hilfe von Selbstkontrollsystemen werden die Aufgaben der Qualitätsförderung und -steuerung weitgehend auf die Segmentmitarbeiter übertragen. Um darüberhinaus die Entwicklung, Einführung und Überwachung von Systemen, Methoden und Verfahren zu gewährleisten, ist eine Zentralabteilung "Qualitätssicherung" einzurichten.

Mit der Segmentierung geht eine Änderung des Steuerungssystems einher. Durch Einführung selbststeuernder Regelkreise entfällt die Notwendigkeit für eine Vielzahl zentraler Steuerungsanweisungen. Da die Segmentierung im Gesamtunternehmen in der Regel zu einem Nebeneinander unterschiedlich strukturierter Teilbereiche mit ablaufoptimierten, teilweise ablaufoptimierten und nicht ablaufoptimierten Fertigungsstrukturen führt, müssen unterschiedliche, auf die jeweilige Situation abgestimmte Planungs- und Steuerungskonzepte zum Einsatz gelangen. Die empirische Erhebung zeigt deutlich, daß Kanban-Steuerungsprinzipien (vgl. Wildemann 1988) und die belastungsorientierte Auftragssteuerung (vgl. Wiendahl 1987) vermehrt eingesetzt werden, wobei zur Abdeckung der PPS-Grundfunktionen in allen Segmenten der Einsatz von MRP-Systemen erforderlich ist. Während vor der Reorganisation in keinem der befragten Fertigungssegmente die Kanban-Steuerung zur Anwendung kam, traf dies danach in siebzehn Fällen zu. Terminjäger wurden vor der Segmentierung in 21 Fällen eingesetzt, danach lediglich in acht Fällen.

Die Effizienz der Planungs- und Steuerungsabläufe wird wesentlich von der Schnittstellengestaltung zwischen zentraler und dezentraler PPS beeinflußt. Hierbei sind die Anforderungen an übergeordnete Modularprogramme festzulegen:

- Es müssen die für die dezentralen Entscheidungen benötigten Informationen bereitgestellt werden.
- Der dezentrale Dispositionsspielraum muß klar definiert sein.
- Das zentrale PPS-System ist für den Abgleich zwischen verschiedenen Fertigungsbereichen verantwortlich.

Im Rahmen der Beschaffungsfunktion sind zur Vereinfachung der organisatorische Abläufe Regelungen erforderlich für
- eine dezentrale Lieferabrufsystematik,
- die Direktanlieferung in die Segmente und
- die Qualitätssicherung von Kaufteilen.

Gemessen am wertmäßigen Beschaffungsvolumen der Unternehmen, weist die empirische Analyse vor der Fertigungssegmentierung einen Anteil der produktionssynchronen Beschaffung von 24,6 % aus. Die Anwendung dieser vereinfachten und rationellen Beschaffungsorganisation konnte nach der Einführung von Fertigungssegmenten auf 35,9 % erhöht werden, ohne die Versorgungssicherheit zu senken. Ferner zeigt die empirische Analyse eine Reduzierung des Anteils an Einzelbestellungen von 67,9 % auf 56 % in Organisationen mit einer Fertigungssegmentierung.

Für die Funktionen Handhabung, Lagerung und Transport bedeutet der übergang auf eine objektorientierte Fertigungsorganisation zum einen, daß die Funktionsumfänge durch die räumliche Nähe der Arbeitsplätze zueinander erheblich schrumpfen. Zum anderen geht mit der Fertigungssegmentierung eine Dezentralisierung dieser Funktionen einher. Die Verringerung der Transportwege ermöglicht den Einsatz anderer Transport- und Fördereinrichtungen, die Implementierung von Rollenbahnen sowie die Verlagerung von Transportaufgaben auf dezentral organisierte Segmentmitarbeiter. Die Funktion von Behältern wird häufig über die Transportmittelfunktion hieraus erweitert um die Informations- und Kommissionierfunktion.

D Planung von Fertigungssegmenten

I. Gestaltungsprinzipien

Aus den Ansatzpunkten für eine Fertigungssegmentierung und der Analyse der Fälle ergibt sich, daß bei der Durchführung der Fertigungssegmentierung verschiedene, sich gegenseitig ergänzende Gestaltungsprinzipien zur Anwendung gelangen (vgl. Abb. 4). Als wichtigstes Gestaltungsprinzip der Fertigungssegmentierung ist die Flußoptimierung hervorzugeben. Bei hinreichender Auslastung handelt es sich hierbei um die kostengünstigste Fertigungsorganisation. Die Durchlaufzeiten werden vor allem durch die Verkürzung der Übergangszeiten reduziert. Kosteneinsparungen ergeben sich aus der damit verbundenen Bestandsreduzierung und durch geringere Aufwendungen für Informationen zur Koordination bei Abläufe. Die zentrale Einzelplanung und -kontrolle von Betriebsmitteln wird zugunsten von Gruppenkontrollkonzepten aufgegeben.

Eine Flußoptimierung über die gesamte Breite der logistischen Kette ist bei bestehenden Unternehmen mit nicht abgestimmten Kapazitätsquerschnitten und unterschiedlichen Produktionsprogrammen nur selten wirtschaftlich. Erst eine Teilung der Gesamtkapazität je Stufe der logistischen Kette in kleinere Kapazitätsquerschnitte ermöglicht eine wirtschaftliche Flußoptimierung. Ansatzpunkte zur kostengünstigen Realisierung des Fließprinzips auch bei Kleinserienfertigung ergeben sich aus der Anwendung der Gruppentechnologie, und der Verbindung von Fertigungsinseln und der Einführung eines flexiblen Materialtransportsystems.

Bei der Flußoptimierung werden bevorzugt Anlagen mit kleineren Kapazitätsquerschnitten oder hochflexible Betriebsmittel eingesetzt. Die Entscheidung über die Bereitstellung von flexiblen Anlagen oder Spezialanlagen mit kleinen Kapazitätsquerschnitten ergibt sich aus der Einschätzung der Absatzsituation. Die Anpassung an sich ändernde Absatzbedingungen führt bei diesen Anlagen nicht zu neuen Produktionsfunktionen, sondern zur Variation der Betriebsgröße bei gleichen Stückkosten.

* Flußoptimierung
* Kleine Kapazitätsquerschnitte in jeder Fertigungsstufe
* Räumliche Konzentration von Betriebsmitteln mit variablem Layout
* Selbststeuernde Regelkreise
* Komplettbearbeitung von Teilen und Baugruppen
* Selbstkontrolle der Qualität bzw. statistische Prozeßkontrolle
* Entkopplung von Mensch und Maschine

Abb. 4: Prinzipien der Fertigungssegmentierung

Die am Verfahrensablauf orientierte Flußoptimierung zieht zwangsläufig neue Steuerungskonzepte nach sich, die eine Vereinfachung der Informations- und Koordinationsaufgaben zum Ziel haben. Damit die Ablaufsicherheit gewährleistet wird, werden generelle, strikt einzuhaltende Regeln vorgegeben. Dadurch wird es möglich, die übergeordnete Steuerungsebene zu entlasten oder sogar aufzulösen und nach dem Prinzip selbststeuernder Regelkreise den Zeitpunkt der Bedarfsermittlung autonom durch die verbrauchende Stelle selbst bestimmen zu lassen. Die Planung der Kapazitäten und die Ermittlung der potentiellen Nachfrage werden durch eine zentrale Stelle vollzogen. Zwischen zwei unabhängigen Bearbeitungseinheiten besteht Holpflicht, so daß eine Stelle ihren individuellen Bedarf direkt der entsprechenden, im Ablauf vorgelagerten Einheit meldet. Bestehen zwischen Bearbeitungsstellen Zwangsläufe, können diese als eine einzige zu disponierende Planungseinheit aufgefaßt werden. Es handelt sich hierbei um die konsequente Weiterführung der Rationalisierung durch Verkürzung der Wege für Material und Information unter dem Aspekt eines schnellen und wenig störungsanfälligen Durchflusses. Dieses Prinzip der räumlichen Konzentration mit variablem Layout bedeutet eine Verringerung der Transporte zwischen den einzelnen Betriebsmitteln trotz Gewährleistung einer entsprechenden Umstellbereitschaft. Damit kann für jede Produktionsform oder Beschäftigungssituation eine kostenoptimale Betriebsmittelanordnung gefunden werden. Eine enge räumliche Anordnung von CNC-Maschinen erlaubt beispielsweise die gleichzeitige Übertragung verschiedener Arbeitsabläufe an eine Stelle, so daß eine Komplettbearbeitung von Rohling bis zum Fertigteil wirtschaftlich möglich wird. Damit verlagert sich die Verantwortung für das Fertigungsgeschehen auf eine Arbeitsgruppe. Es besteht aufgrund der räumlichen Nähe untereinander ein enger optischer und akustischer Kontakt zwischen den Mitarbeitern, wodurch die Koordinationsaufwendungen reduziert werden.

Das Zusammenfassen von Aufgaben an einer Stelle verringert die Anzahl zu steuernder Ereignisse, was vor allem durch das Prinzip der Selbstkontrolle von Teilen und Baugruppen erreicht wird. Der Verzicht auf eine separate Kontrollinstanz kann einmal durch automatische Einrichtungen im Produktionsprozeß oder durch Hebung des Qualitätsstandards bei den Mitarbeitern ausgeglichen werden. Durch Selbstkontrolle wird versucht, die Fehlerfolgekosten zu minimieren. Dabei wird nicht nach dem Grundsatz "Qualität kostet Geld" gehandelt, sondern "Hohe Qualität hilft Kosten zu senken". Kostensenkung und Erhöhung der Qualitätssicherheit sind häufig nur dann erreichbar, wenn sich die Qualitätssicherung nicht nur auf das Ergebnis des Prozesses, sondern auch auf den Prozeß selbst konzentriert, um diesen sicherer zu machen. Für eine solche Prozeßkontrolle sind häufig erst einmal die für die Qualität entscheidenden Parameter zu bestimmen und zu messen. Eine Prozeßkontrolle (statistisch oder vollständig) trägt entscheidend mit dazu bei, dem Ziel, nur fehlerfreie Teile an die nächste Bearbeitungsstelle innerhalb der logistischen Kette weiterzugeben, näher zu kommen.

Zunehmende Automatisierung führt zu höherem Kapitaleinsatz, der im Vergleich zur Produktivitätsverbesserung überproportional wächst. Bei hohem Automatisierungsgrad verliert der Mensch als ablaufbestimmender Faktor an Einfluß. Mit dem Prinzip der Entkopplung von Mensch und Maschine (vgl. Staudt 1982) geht eine Erweiterung des Nutzungszeitraums der Anlagen einher. So ist es vor allem die Verringerung der Nebennutzungsanteile, die zu einem Produktivitätsschub führt.

Die informations- und materialflußorientierte Verkettung von Anlagen im Rahmen der Fertigungssegmentierung macht weitere Automatisierungsmöglichkeiten bei den Nebenzeiten sichtbar und schafft darüber hinaus die ökonomischen wie ablauftechnischen Voraussetzungen für deren Einsatz. So werden beispielsweise Anlagen für spezielle Handhabungs- und Beschickungsautomaten miteinander verbunden, so daß sich die menschliche Arbeit mehr und mehr auf Dispositions- und Steuerungsaufgaben erstreckt.

II. Planungsprozeß

Die Umsetzung der Gestaltungsprinzipien in Fertigungssegmenten erfolgt in mehreren Schritten. Zunächst wird eine detaillierte Markt- und Wettbewerbsanalyse durchgeführt, die die Grundlage für die Formulierung strategischer Erfolgsfaktoren bildet. Darauf aufbauend werden die logistischen Ketten für unterschiedliche Produkt-Markt-Kombinationen voneinander getrennt (vertikale Fertigungssegmentierung) (vgl. Abb. 5). Hierbei resultieren die Segmentierungskriterien im wesentlichen aus den in der ersten Stufe ermittelten Merkmalen.

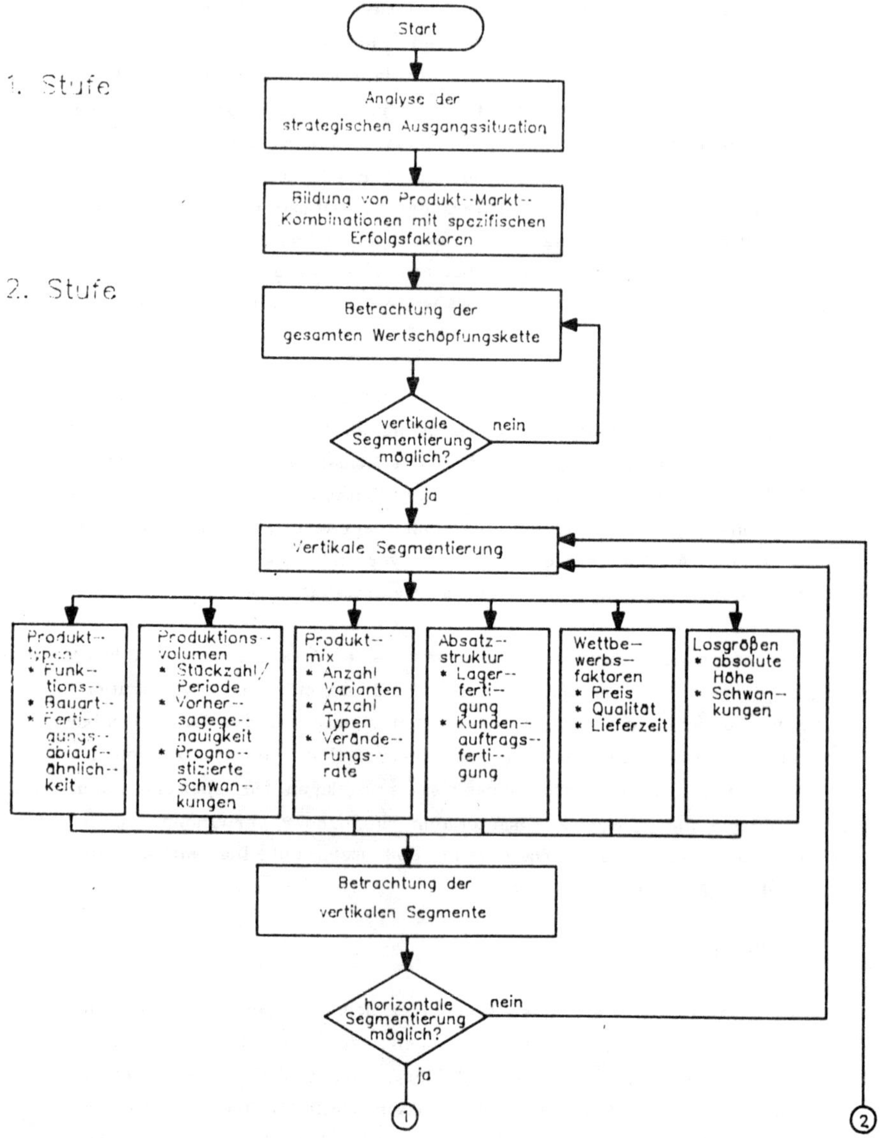

Abb. 5: Ablauf des Segmentierungsprozesses (Teil1)

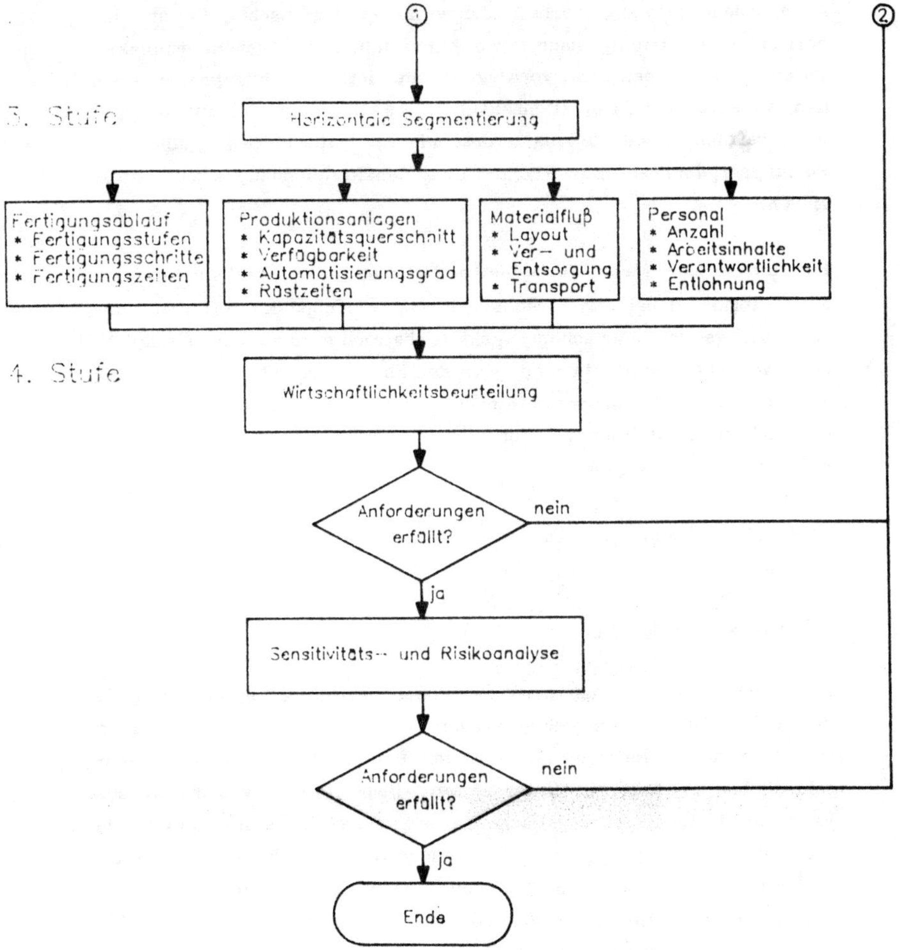

Abb. 5: Ablauf des Segmentierungsprozesses (Teil 2)

Anschließend erfolgt innerhalb der einzelnen logistischen Ketten eine horizontale Aufteilung nach Produktionseinheiten. Segmentierungskriterien dazu ergeben sich vorwiegend aus dem Fertigungsprozeß sowie den verwendeten Produktionsanlagen. Im nächsten Schritt ist eine Wirtschaftlichkeitsbeurteilung vorzunehmen. Abschließend sind die Planungsergebnisse eine Risiko- und Sensitivitätsanalyse zu unterziehen.

Für die in der Markt- und Wettbewerbsanalyse ermittelten Produkt-Markt-Kombinationen mit ihren spezifischen Erfolgsfaktoren wird nunmehr die gesamte Wertschöpfungskette betrachtet und sofern möglich, eine vertikale Segmentierung durchgeführt. Kriterien zur Bildung vertikaler Fertigungssegmente sind:

- Stückzahl/Produktionsvolumen,
- Vorhersagegenauigkeit,
- Produkttypen,
- Absatzstruktur,
- Produktmix,
- Losgröße sowie
- Wettbewerbsfaktoren.

Prozessual kann zwischen einer vertikalen Fertigungssegmentierung 1. und 2. Ordnung unterschieden werden. Die Segmentierung 1. Ordnung trennt zunächst die von der Funktion und Bauart prinzipiell unterschiedlichen Produkte im Unternehmen. Diese Trennung wird in der Regel durch die ganze logistische Kette hindurch aufrechterhalten. Die Segmentierung 2. Ordnung trennt innerhalb dieser logistischen Kette nochmals vertikal mit dem Ziel der Flußoptimierung. Diese Segmentierung 2. Ordnung kann sich in Verbindung mit der horizontalen Fertigungssegmentierung im Verlauf der logistischen Kette ändern; dabei wird in der Regel gegen Ende der logistischen Kette stärker segmentiert, da hier die variantenspezifische Fertigung und Montage zunimmt.

Zur Bildung horizontaler Fertigungssegmente werden die Kriterien aus dem Fertigungsprozeß, den vorhandenen Maschinen und Ausrüstungen abgeleitet.

Von der Seite der Produktionsanlagen ist zu berücksichtigen, inwieweit auf vorhandene Maschinen zurückzugreifen ist, bzw. inwieweit durch neu zu beschaffende Anlagen zusätzliche Gestaltungsmöglichkeiten bestehen. Besonders ist darauf zu achten, daß der Automatisierungsgrad und die Flexibilität der einzelnen Maschinen sowie die Kapazitätsquerschnitte im Segment harmonisiert werden können, um Flußunterbrechungen und Bestandsbildungen zu vermeiden. In diesem Zusammenhang ist eine Flußanalyse durchzuführen. Hierbei wird ein als Fließvermögen definierter Quotient aus Ausbringungsvermögen und Ausbringungsbedarf gebildet (vgl. Röhr 1987):

$$\text{Fließvermögen} = \frac{\text{Ausbringungsvermögen [Stck/Tag]}}{\text{Ausbringungsbedarf [Stck/Tag]}} \times 100.$$

Mit Hilfe dieser Kennzahl kann die Kapazitätssituation an jedem Arbeitsplatz für Personal und Maschine untersucht werden. Falls das Ergebnis < 100 ist, liegt ein Kapazitätsengpaß vor. In diesem Fall sind Aktivitäten zur Harmonisierung der Kapazitätsquerschnitte, wie Kapazitätserhöhung bei Betriebsmitteln, Aufstockung der Anzahl der Werkzeuge oder Höherqualifizierung der Mitarbeiter einzuleiten.

Ein weiteres wichtiges Kriterium zur Vermeidung von Flußunterbrechungen bildet die Kompatibilität der Analgenkomponenten, die sowohl bezüglich der Steuerung als auch der Werkstückträger gegeben sein muß. Für bereits bestehende Integrationen ist zu prüfen, ob sie bei einer Segmentstruktur weiter bestehen können oder aufgelöst werden sollen.

Die im Segment kombinierten Anlagen sollten in etwa gleiche Zuverlässigkeiten und Wartungs- und Instandhaltungsbedarfe aufweisen, da sich bei festgelegtem Materialfluß eine multiplikative Verknüpfung der Verfügbarkeiten ergibt. Auch die Qualitätskontrolle hat Einfluß auf die Segmentbildung, je nachdem, ob sie in den Bearbeitungsprozeß integrierbar ist oder ob eine prozeßexterne Kontrolle z.B. in einem besonderen Prüfraum erforderlich ist und damit der Materialfluß unterbrochen werden muß. Weitere anlagenbezogene Kriterien zur horizontalen Fertigungssegmentierung ergeben sich aus dem Standort und dessen Veränderbarkeit sowie dem Platzbedarf der Anlagen und aus der Möglichkeit zur Anbindung an die entsprechenden Ver- und Entsorgungseinrichtungen und Transportsysteme.

Personelle Gestaltungskriterien für Fertigungssegmente ergeben sich aus den bewirkten Veränderungen bei der Arbeitsorganisation und den Arbeitsbedingungen. Die Fertigungssegmentierung führt zu einer Erweiterung des Aufgabenumfangs und zu veränderten Qualifikationsanforderungen an die Mitarbeiter sowie zu einer Verlagerung von Entscheidungskompetenzen in den ausführenden Bereich. Hierzu ist eine entsprechende organisatorische Gestaltung der Fertigungssegmente erforderlich. Veränderungen der Arbeitsinhalte haben zwangsläufig Auswirkungen auf die bestehenden Entlohnungssysteme. Das im Fertigungssegment zu verfolgende Entlohnungskonzept sollte gleichzeitig quantitative und qualitative Leistungselemente berücksichtigen.

Die hohe Bedeutung des Fertigungsablaufs läßt sich durch die Orientierung an der Wertschöpfungskette und die hohe Bedeutung des Ziels der Durchlaufzeitverkürzung erklären. Das Kriterium Produkttypen wird zur Festlegung des Ausmaßes der Produktorientierung herangezogen. Stückzahl bzw. Produktionsvolumen stellen entscheidende Bestimmungsfaktoren für die Kapazitätsauslastungsmöglichkeiten im Segment dar. Die zu fertigenden Losgrößen beeinflussen wesentlich die benötigten Kapazitätsquerschnitte und die gegebenenfalls erforderlichen Rüstzeitreduzierungsmaßnahmen. Auch die Losgrößen stehen im Zusammenhang mit der verfolgten Wettbewerbsstrategie. Produktmix und Absatzstruktur sind gemeinsam als entscheidende Kriterien für das Ausmaß der Marktorientierung anzusehen. Technologische Kriterien spielen bei nicht oder nur schwer teilbaren Kapazitäten wie Oberflächen- und Wärmebehandlungsprozessen eine Rolle. Auch bei kleinen Kapazitätsquerschnitten ergeben sich aus Auslastungsgesichtspunkten Mindestgrößen für die Segmente. Um die innerhalb eines Fertigungssegments angestrebte Harmonisierung der Kapazitäten nicht durch die Notwendigkeit auf den Zugriff segmentexterner Kapazitätseinheiten zu behindern, sind durch ein hinreichend großes externes Kapazitätsangebot und Rahmenvereinbarungen, Ausweichkapazitäten zu definieren.

Risiken des Kapazitätsausfalls wurde in einer Reihe von Segmenten dadurch entgegengesteuert, daß - soweit möglich - in benachbarten Segmenten gezielt identische Kapazitätseinheiten installiert wurden, auf die gegebenenfalls zurückgegriffen werden kann. Ein Segment war zu diesem Zweck z.B. durch ein fahrerloses Transportsystem mit dem benachbarten Segment verbunden.

Die vierte Stufe des Segmentierungsprozesses umfaßt die wirtschaftliche Beurteilung der geplanten Fertigungssegments. In dieser Stufe werden alle Zahlungswirkungen der Segmentierung erfaßt und in einem Investitionsrechenmodell abgebildet.

Entscheidend für die Qualität der Planungsergebnisse ist die Sicherheit der zugrundeliegenden Basiswerte. Es ist deshalb im Rahmen einer Sensitivitätsanalyse zu untersuchen, welche Auswirkungen Veränderungen der Basiswerte auf die Gestaltung des Fertigungssegments haben. Ziel der Sensitivitätsanalyse ist es, Zusammenhänge zwischen den Inputgrößen der Segmentierungsplanung und dem Kapitalwert aufzuzeigen. Hierzu können beispielsweise Variationen der

- geplanten Produktionsmengen,
- Struktur des Produktionsprogrammes
- Kapazitätsquerschnitte,
- Verfügbarkeit

vorgenommen werden.

Neben der Senisitivitätsanalyse ist zur Abschätzung der Erfolgswahrscheinlichkeit der Segmentierungsstrategie eine Risikoanalyse durchzuführen. Diese beinhaltet im einzelnen Untersuchungen zur

- Tragfähigkeit des Fertigungssegments,
- Stabilität des Fertigungssegments und
- terminlichen Realisierbarkeit der Fertigungssegmentierung.

Die Tragfähigkeit eines Fertigungssegments ist insbesondere anhand der Kriterien Segmentgröße und Art des Wachstums zu untersuchen. Für die Stabilität eines Fertigungssegments ist zunächst das Beschäftigungsrisiko des Segments entscheidend. Hierbei ist insbesondere die Dauerhaftigkeit der Marktnachfrage und die Saisonalität der Marktnachfrage zu untersuchen.

III. Einführungsplanung

Bei den untersuchten Segmenten zeigte sich, daß die stufenweise Einführung, die von 87,5 % der Anwender vorgenommen wurde, die zweckmäßigste Möglichkeit für eine erfolgreiche Einführung liefert. Bezüglich der Verflechtung des Fertigungssegments mit dem Informations- und Materialfluß des betrieblichen Umfeldes wählten 81,2 % der

Unternehmen eine Teilintegration. Hierbei wird der Autonomiegrad insbesondere von der Stabilität des Produktionsprogramms und der Stabilität der Prozesse beeinflußt. Neben der reinen Planung der Segmente ist die Qualifizierung der Mitarbeiter sicherzustellen, da diese wesentlichen Einfluß auf den Einführungserfolg haben. Von den befragten Unternehmen wählten 12,5 % das "learning by doing", 87,5 % führten eine realisierungsparallele Weiterbildung durch. Die Segmentierung führte in der Hälfte der untersuchten Fälle zu einer Ablösung der Werkstattfertigung durch die Gruppenfertigung, die andere Hälfte der Unternehmen wählte im Segment die Fließfertigung als Organisationsprinzip. Die Realisierung kleiner Kapazitätsquerschnitte, der Entkopplung und der technischen Unterstützung bei der Informationsverarbeitung machten in 75 % der Fälle den Einsatz neuer Technologien erforderlich. Nur in 12,5 % der Fälle wurde neuen Technologien keine Bedeutung beigemessen.

Bei der Einführungsplanung ist insbesondere zu berücksichtigen, daß Fertigungssegmentierung einen robusten ersten Schritt zur Einführung von CIM darstellen kann. Ziel ist zunächst die Vereinfachung der bestehenden Abläufe. Im zweiten Schritt sind für diese produktorientierten Einheiten Fertigungsstrategien zu formulieren. Erst dann erfolgt der Einsatz von CIM-Bausteinen, die in einem weiteren Schritt zu integrieren sind.

E Wirtschaftliche Wirkungen der Fertigungssegmentierung

Die wirtschaftlichen Wirkungen der Fertigungssegmentierung wurden durch einen Vergleich der Situation vor und nach Fertigungssegmentierung ermittelt. Hierbei handelt es sich um eine globale Messung, bei der Veränderungen der wichtigsten Zielgrößen erfaßt wurden. Es handelt sich nicht um Ursache-Wirkungs-Zusammenhänge in dem Sinne, daß die realisierten ökonomischen Ergebnisse ausschließlich durch die Fertigungssegmentierung erzielt worden sind. In der Regel haben auch andere Aktivitäten, die begleitend zur Fertigungssegmentierung durchgeführt wurden, zur Zielerreichung beigetragen. Die Reihenfolge in der Darstellung der Wirkungen erfolgt entsprechend der Häufigkeit der Nennungen bei den einzelnen Größen und zwar beginnend mit der Wirkung, die am häufigsten genannt wurde.

Durch die räumliche Konzentration der Arbeitsgänge und die flußoptimierte Fertigung kleiner Lose mit aufeinander abgestimmten Kapazitäten ergeben sich eine durchschnittliche Durchlaufzeitreduktion von 62 % (25 Nennungen), wobei die Werte zwischen 33 % und 89 % schwankten.

Neben einer kurzen Reaktionszeit auf individuelle Kundenwünsche ist die Liefertreue ein wesentlicher Erfolgsfaktor im Wettbewerb. Die Vereinbarung und die Einhaltung von Lieferterminen verlangt eine hohe Planungssicherheit, die nur über eine exakte Prognose zukünftiger Ereignisse erreicht werden kann. Der Toleranzspielraum zulässiger Planabweichungen ist zu beschränken. Bei den befragten Fertigungssegmenten gelang es, die Lieferzeit um durchschnittlich 54 Prozent zu reduzieren (19 Nennungen) und die Termintreue um 15 Prozent zu erhöhen (17 Nennungen).

Die flußorientierte Gestaltung der Fertigungssegmente trägt zu einer Vereinfachung des innerbetrieblichen Materialflusses und damit zu einer deutlichen Verringerung von Materialtransport und -handhabung bei. Hierdurch sinken die Bestände in der Fertigung. Durch die flexiblere Fertigung (kleine Lose und kurze Reaktionszeiten) lassen sich darüber hinaus die Sicherheitsbestände der Endprodukte senken. So konnten die Gesamtbestände bei den befragten Segmenten um durchschnittlich 39 Prozent gesenkt werden (18 Nennungen).

Die Fertigungssegmentierung führt zu einer Verlagerung von Planungs- und Entscheidungskompetenzen in den ausführenden Bereich. Die Mitarbeiter sollen innerhalb der einzelnen Fertigungssegmente auf sämtlichen Arbeitsplätzen im Wechsel einsetzbar sein (Job Rotation). Die Herstellung eines vollständigen Produkts in einem Fertigungssegment führt zu einer erhöhten Überschaubarkeit des geleisteten Arbeitsergebnisses. Diese Faktoren sind geeignet, die Motivation der ausführenden Mitarbeiter zu steigern. Dies wiederum wirkt sich auf die Qualität der Produkte und die Mengenleistung positiv aus. In der Praxis konnte die gesteigerte Motivation durch sinkenden Absentismus und Fluktuation nachgewiesen werden. Die Arbeitsproduktivität erhöhte sich bei den erfaßten Segmenten um durchschnittlich 28 Prozent (16 Nennungen).

In das Fertigungssegment ist die Kontrollfunktion integriert. Sie kann automatisch oder durch die Mitarbeiter der Gruppe vorgenommen werden. Störungen der Maschine bzw. Fehler sind sofort erkennbar und zu beseitigen. Dadurch sinken die Ausschußraten und die Qualitätssicherungskosten, wobei gleichzeitig das Qualitätsniveau steigt. So konnten in 15 Unternehmen die Qualitätskosten um durchschnittlich 22 Prozent gesenkt werden.

Darüberhinaus könnte in 10 Fällen eine durchschnittliche Flächenreduktion von 7 Prozent festgestellt werden.

Eine mit der Fertigungssegmentierung einhergehende Optimierung der Rüstvorgänge bringt eine Verkürzung der Rüstzeiten und eine höhere Kapazitätsauslastung der Anlagen mit sich, die in neun Fällen mit durchschnittlich neun Prozent erfaßt wurde. Diese Ergebnisse der Fertigungssegmentierung führen gemeinsam zu einer deutlich erhöhten Reaktionsgeschwindigkeit bei quantitativen, qualitativen und zeitlichen Schwankungen des Bedarfs.

Die quantitativ erfaßten Wirkungen der Fertigungssegmentierung sind zusammenfassend in Abb. 6 dargestellt. Hierbei sind neben dem Durchschnittswert auch die jeweils erzielten Minimal- und Maximalwerte sowie die Anzahl der Nennungen aufgenommen.

Ein Vergleich der ökonomischen Wirkungen mit den analysierten Zielen der Fertigungssegmentierung zeigt deutlich, daß sich die Schwerpunkte bei den erzielten Ergebnissen mit den zu Beginn des Planungsprozesses aufgestellten Zielen decken.

Die Fertigungssegmentierung erfordert eine Veränderung der Unternehmensorganisation. Werksleiter und Meister orientieren sich heute in der Regel funktional nach dem Verrichtungsprinzip. Es wird hier eine Verschiebung erfolgen und zwar in Richtung auf ein funktionsfähiges Produkt oder Bauteil. Auch die Arbeitsinhalte des Mittelmanagements ändern sich infolge der Verlagerung von Dispositionsaufgaben in das Fertigungssegment. Die Spannweite der Führung nimmt hier zu.

Die bislang übliche Trennung von Produktions- und Produktverantwortung wird in Teilbereichen aufgelöst. Bei dieser veränderten Organisationsform sind Produktionsleiter für bestimmte logistische Ketten verantwortlich. Damit ihre Verantwortung sich nicht auf Kapazitäten an verschiedenen Standorten bezieht ist ein weiterer Grund dafür, die

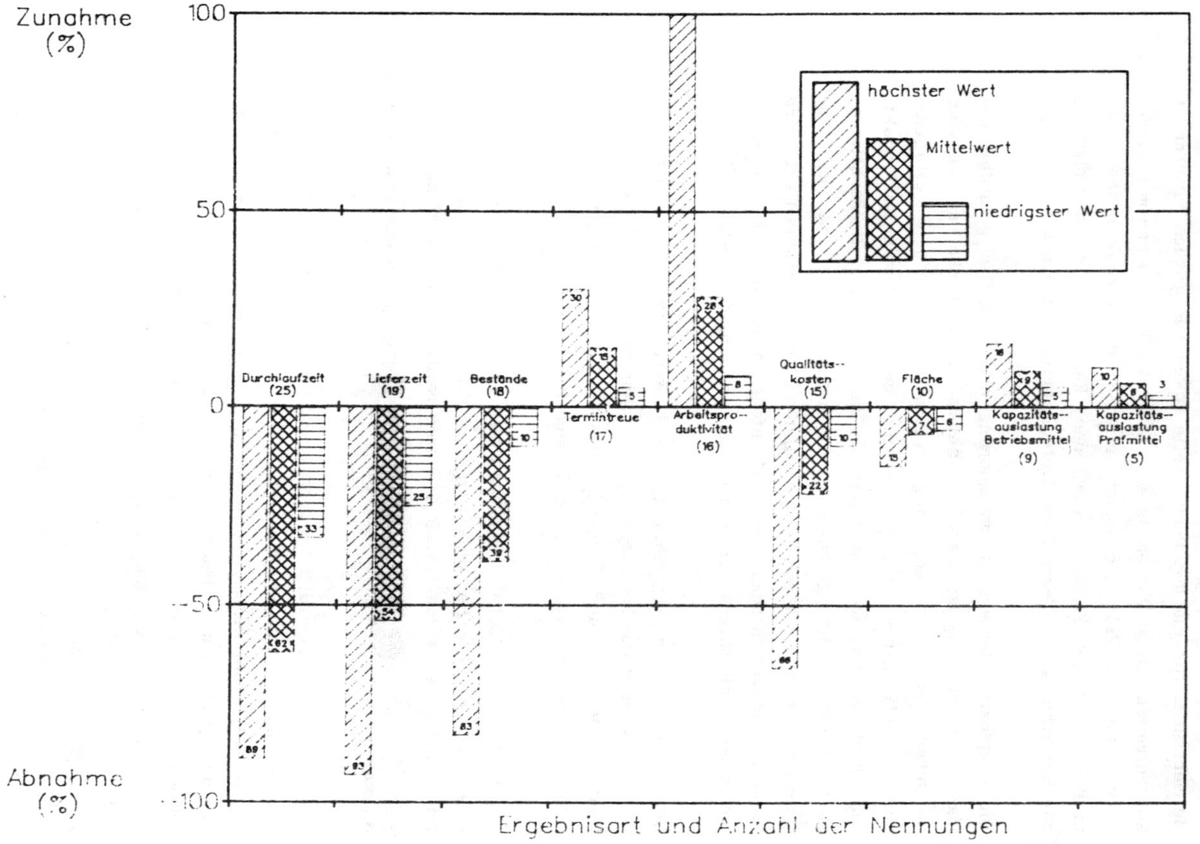

Abb. 6: Ergebnisse der Fertigungssegmentierung

Betriebsmittel für die logistische Kette soweit wie möglich räumlich zu konzentrieren. Diese Vorgehensweise birgt das Risiko einer mangelnden Koordination der Prozeßtechnologie zwischen den Produktionsbereichen in sich. Um dieses Risiko zu vermeiden, kann ein Querschnittsbereich zur Entwicklung der Technologiestrategie geschaffen werden.

Die Komplexität der Fertigungssteuerung nimmt ab. Der gesamte Materialfluß unterliegt einer ständigen physischen Kontrolle, so daß eine weitgehend "papierarme Fertigung" möglich ist. Die höhere Verfügbarkeit der Anlagen bewirkt geringere anteilige Kapitalkosten am Produkt. Die gleichbleibende Qualität senkt die Ausschuß- und Nacharbeitskosten. Aufgrund der gesteigerten Produktivität ist ferner mit Einsparungen der Lohnkosten zu rechnen. Dieser Kosteneffekt wird teilweise dadurch kompensiert, daß infolge hoher Qualifikationsanforderungen an die Mitarbeiter, die Lohnaufwendungen zunehmen.

Der Aufwand für Vorrichtungen und Werkzeugvoreinstellung wird durch das maschinenlaufzeitparallele Rüsten höher. Die Personalschulung erfordert Zeit und finanzielle Mittel. Auch sind für die Reorganisation zusätzliche Investitionen erforderlich.

Durchgeführte Wirtschaftlichkeitsanalysen zeigen jedoch insgesamt, daß eine Reduktion der Herstellkosten von etwa 10 % und Amortisationszeiten der Projekte von 1,5 bis 2 Jahren realisiert werden können.

Summary

Analyses show that drastic reductions of the throughput time can only be achieved by structural changes in the production area, which imply a disentanglement of the production interdependences and a stronger product orientation. These structural changes lead to production segments. They are defined as product oriented organisational units in the production area which contain several stages of the logistic chain and which are dedicated for a specific competitive strategy. Production segments are also characterised by the integration of planning and indirect functions and are often organised as cost-centers.

On the basis of an empirical survey of 32 production segments and a theoretical analysis, designing principles and implementation recommendations are formulated.

Literaturverzeichnis

Ahlmann, H.-J.: Fertigungsinseln - eine alternative Produktionsstruktur, in: Werkstatt und Betrieb, 113 (1980)10, S. 641 - 648.

Albach, H.: Investitionspolitik erfolgreicher Unternehmen, Vortrag, gehalten auf dem 2. Fertigungswirtschaftlichen Kolloquium an der Universität Passau über "Strategische Investitionspolitik für neue Technologien in der Produktion", Passau 1986

AWF (Hrsg.): Flexible Fertigungsorganisation am Beispiel von Fertigungsinseln, Eschborn 1984

Börnecke, G.: Flexibilisierung heißt Automatisieren, in: VDI-Z, 127 (1985), Nr. 7, S. 657 - 661

Burdach, J.: Automatisierte und flexible Fertigung, in: VDI-Z, 127 (1985) 7, S. 201 - 206

Dunst, K.-H.: Portfolio Management, Berlin, New York 1979

Eidenmüller, B.: Auswirkungen von CIM auf Ablauf- und Aufbauorganisation in Produktionsbereich, in: VDI-Berichte Nr. 611, Düsseldorf 1986, S. 63 - 96

Erkes, K. / Schmidt, H.: Flexible Fertigung, Fachgebiete in Jahresübersichten, in: VDI-Z 126 (1984), Nr. 15/16, S. 577 - 591

Ettilie, J. E.: Taking Charge of Manufacturing, San Francisco, London 1988

Frese, E.: Exzellente Unternehmungen - Konfuse Theorien, Kritisches zur Studie von Peters und Waterman, in: DBW, 45 (1985) 5, S. 604 - 606

Fröhlich, G.: Problematik bei der Einführung neuer Automaisierungstechnologien in der Produktion, in: Automobil-Industrie 4(1981), S. 471 - 475

Gomes, B. / Probst, G. J. B.: Vernetztes Denken im Management, Bern 1987

Hall, R. W.: Attaining Manufacturing Excellence, Homewood III. 1987

Henderson, B. D.: Die Erfahrungskurve in der Unternehmensstrategie, Frankfurt, New York 1974

Hinterhuber, H. H.: Strategische Unternehmensführung, 2. Aufl., Berlin, New York 1984

Hyer, H. / Wemmerlöv, U.: Group Technology and Productivity, in: HBR, 52(1974)516, S. 140 - 149

Kern, H. / Schumann, M.: Das Ende der Arbeitsteilung?, 2. Aufl., München 1985

Kernforschungszentrum Karlsruhe KfK (Hrsg.): Der Einsatz flexibler Fertigungssysteme, Forschungsbericht KfK-PFT 41, August 1982

Kernforschungszentrum Karlsruhe (Hrsg.): Autonome Fertigungsinseln, Karlsruhe 1984

Knolmayer, G.: Das Konzept der "Factory of the Future": Chancen oder Risiken für mittelständische Unternehmen? in: Albach, H./ Held, Th. (Hrsg.): Betriebswirtschaftslehre mittelständischer Unternehmen, Stuttgart 1984, S. 197 - 207

Kottkamp, E.: Kundenspezifische Variantenfertigung auf Abruf durch modulare Produktgestaltung und Reorganisation der Fertigungsabläufe, in: Wildemann H. (Hrsg.): Just-In-Time Produktion in Deutschland, München 1985, S. 150 - 158

Linke, J.: Sozial- und organisationswissenschaftliche Beurteilung nach ausgewählten Kriterien, in: Forschungskooperation Gühring FIP (Hrsg.): Neuartige Strukturen in der Präzisionswerkzeugindustrie, Albstadt/Berlin 1980

McDonald, A. L.: Die neue Beweglichkeit, in: Harvard Manager, 2 (1987), S. 118 - 120

Mönig, H.: Fertigungsorganisation und Wirtschaftlichkeit einer Fertigungsinsel, in: ZfbF, 37(1985)1, S. 83 - 101

Müller, W: Personaleinsatz in hochautomatisierten Fertigungssystemen, in: FB/IE, 34 (1985) 2, S. 52 - 56

Peters, T. / Waterman, R.H.: Auf der Suche nach Spitzenleistung, 10. Auflage, Landsberg a. Lech 1984

Porter, M. E.: Wettbewerbsstrategie, Frankfurt 1983

Röhr, J.: Just-In-Time/KANBAN-Logistik am Beispiel der Feder- und Messerleistenfertigung in einer Bauteileproduktion, in: Wildemann, H. (Hrsg.): Just-In-Time Produktion und Zulieferung, Böblingen 1987, S. 458 - 483

Schmitt, W.: Der Mitarbeiter im Mittelpunkt einer Just-In-Time-Produktion, in: Wildemann, H. (Hrsg.): Just-In-Time Produktion in Deutschland, Böblingen 1985, S. 159 - 192

Skinner, W.: Manufacturing-missing link in the corporate strategy, in: HBR 47 (1969)3, S. 136 - 145

Skinner, W.: The focused Factory, in: HBR, May-June 1974, S. 114 - 121

Spur, G.: Wirtschaftliche Nutzung von flexiblen Fertigungszellen am Beispiel der Drehbearbeitung, in: ZwF, 78 (1983) 4, S. 176 - 182

Staudt, E.: Entkopplung in Mensch-Maschine-Systemen, in: ZfO, 51 (1982) 4, S. 181 - 189

Walther, E.: Qualifikation und Entgelt für das Arbeiten in flexiblen Fertigungssystemen, in: wt-Zeitschrift für industrielle Fertigung, 75 (1985) 3, S. 187 - 189

Warnecke, H. J. u. a.: Gruppentechnologie, in: FB/IE, 29 (1980), S. 5 - 12

Wiendahl, H.-P.: Belastungsorientierte Fertigungssteuerung, München 1987

Wildemann, H.: Das Just-In-Time Konzept. Produktion und Zulieferung auf Abruf, Frankfurt 1988

Wildemann, H.: Die modulare Fabrik: Kundennahe Produktion durch Fertigungssegmentierung, Passau 1988

CONTROLLING:
Activity Accounting - Kostenrechnung für die moderne Fabrik

Dipl.-Kfm. Peter Riedlinger
Knorr Bremse AG, München

Activity Accounting

- Kostenrechnung für die moderne Fabrik -

1. Die konventionelle Kostenrechnung ist ins Abseits geraten

"Der Produktivität wird durch die Prinzipien der Kostenrechnung ernsthafter Schaden zugefügt, wenn sie von Managern außerhalb des Finanzbereichs angewandt werden. Dies ist nicht der Fall bei Finanzexperten, die sich der Mängel voll bewußt sind."

Mit diesen wenig schmeichelhaften Worten beschreibt Eliyahu Goldratt, seinerzeit Mitbegründer und Direktor des Beratungsunternehmens Creative Output, treffend die Rolle, die der Kostenrechnung heute in den industriellen Unternehmen zukommt. Feinsinnig kommt in dieser Unterscheidung heraus, daß die Kostenrechner als Zunft unter sich sehr wohl ihr Kostenrechnungssystem verstehen und auch systematisch mit dem geschlossenen logischen System der klassischen Kostenrechnung umgehen können.

Aber leider ist ihre Kunst zu nichts nütze. Denn wenn diejenigen, die eigentlich mit den Ergebnissen der Kostenrechnung arbeiten wollen oder auf der Grundlage der Kostenrechnung Entscheidungen treffen sollen, die Aussagen der Kostenrechner nicht richtig interpretieren können, dann hilft die Ästhetik eines geschlossenen System im Geschäftsleben eben nicht weiter, denn ein Unternehmen hält sich die Kostenrechner ja nicht zum Selbstzweck, sondern als Dienstleister für das Management.
Ein Manager erwartet, daß sein Rechnungswesen die betrieblichen Abläufe in einem Zahlenwerk so widerspiegelt, daß der Manager einen pausiblen Zusammenhang zwischen seinen

Maßnahmen und dem zahlenmäßigen Ergebnis erkennen kann, und zwar in Begriffen, die er im Alltag auch wiederfindet.
Wie ist heute in vielen Unternehmen aber die Realität?

In gut organisierten Unternehmen gibt es eine Kostenrechnung, die sich zusammensetzt aus einer Kostenarten, Kostenstellen- und Kostenträgerrechnung. Die Kostenträgerrechnung ist in der Regel so ausgestattet, daß vorkalkulierte Mengen mit ihren Standard-Faktorpreisen erfaßt werden und diesem Standardwert die tatsächlich erfaßten Verbrauchsmengen mit den jeweils aktuellen Faktorpreisen gegenübergestellt werden. Dies geschieht in der Regel im Rahmen der "Nachkalkulation" oder "Auftragsrechnung", und zeitlich meist dann, wenn die Auftragsabrechnung das Signal erhalten hat, daß nun alle Belege dieses Auftrags erfaßt sind. In diesem Szenario hat sich die Abweichungsrechnung als Hohe Schule der Kostenrechnung entwickelt. In einer Standardkostenrechnung auf Vollkostenbasis hat ein internationaler Konzern folgende Abweichungsarten verbindlich zur Erfassung vorgeschrieben: Als Primärabweichungen die Materialabweichung, aufgegliedert in Materialpreisabweichung, Materialverbrauchsabweichung, die Lohnabweichungen, aufgegliedert in Lohnsatzabweichung, Leistungsgradabweichung und Losgrößenabweichung, die Gemeinkostenabweichung als Gemeinkostenverbrauchsabweichung, Gemeinkostenintensitätsabweichung und Gemeinkostenbeschäftigungsabweichung. Ferner die Kombinierten Abweichungen nach Abweichungsursachen Nacharbeitsabweichung, Ausschußabweichung, Schrottabweichung, Standardänderungsabweichung wegen Stücklistenänderung und Standardänderungsabweichung wegen Fertigungsplanänderung sowie die sonstigen Standardänderungsabweichungen.

Dieser Konzern hat vor wenigen Jahren dann seinen gesamten Kostenrechnungsstab entlassen, der über viele Jahre ein weltumspannendes System der Kostenrechnung mit einem Handbuch von 1.231 Seiten durchgesetzt hatte. Was war passiert?

Ein Blick auf das Kalkulationsschema, wie es heute weit verbreitet ist, zeigt deutlich, an welcher Stelle die Kommunikationsfähigkeit zwischen dem Leistungsempfänger Management und dem Dienstleister Kostenrechnung scheitern mußte: Danach werden die Kosten eines Produkts bestimmt durch das direkte Material, die von ihm verursachten Materialgemeinkosten sowie den direkten Lohn und die darauf verrechneten Fertigungsgemeinkosten. Im klassischen Modell werden Materialgemeinkosten prozentual dem Materialwert zugeschlagen und die Fertigungsgemeinkosten als Zuschlagssatz auf den direkten Lohn verrechnet. Eine solche Methodik mag mit hinreichender Genauigkeit das Geschehen in einer Fabrik reflektieren, wenn die Materialgemeinkosten im Verhältnis zum benutzten Material und die Fertigungsgemeinkosten im Verhältnis zum Arbeitsaufwand nur geringfügig ins Gewicht fallen. Das ist aber in einer modernen Fabrik eben gerade nicht der Fall.

Dem Praktiker in der Fabrik ist es schwer einsehbar, warum ein Bauteil mit niedrigem Stückpreis weniger Gemeinkosten sammeln soll, als ein Bauteil mit hohem Teilepreis. Der Aufwand, der zur Beschaffung und Bewegung des Materials erforderlich ist, ist eben nicht bestimmt durch den Stückpreis des zu beschaffenden Teils, sondern durch den Aufwand, der für seine Beschaffung und betriebsinterne Bewegung durch Wareneingang und Prüfung betrieben werden muß. Auf das Stück bezogen, ist dann für ein noch so billiges Sonderteil der Aufwand in Einkauf und Wareneingang eben zumindest der gleiche, wie er betrieben werden muß, um ein teureres Teil zu beschaffen. Wiederum auf das Stück bezogen, ist der Aufwand für die gleichzeitige Beschaffung einer großen Zahl gleicher Teile bestimmt günstiger als wenn der Beschaffungsaufwand nur für ein einziges Teil betrieben wird. Wenn man ferner noch berücksichtigt, daß eine Sonderbeschaffung in aller Regel außerhalb der Routine abläuft, so beschäftigen sich oft mehr indirekte Mitarbeiter mit diesen Sonderfällen als mit der volumenmäßig weit größeren Routinearbeit.

Für den Mann in der Fabrik ist es deshalb schon längst klar, daß der indirekte betriebliche Aufwand im wesentlichen unabhängig vom Materialpreis ist.

Nicht besser sieht es bei den Fertigungsgemeinkosten aus. Im Zuge der Industrialisierung der Fertigungsabläufe wird die Tätigkeit des Arbeiters und der Fertigungsprozeß zunehmend entkoppelt. Der Fertigungsprozess wird durch die Technologie bestimmt, und die Rolle des einzelnen Mitarbeiters besteht mehr in der Überwachung und Steuerung der fest organisierten Abläufe als in der individuellen produktiven Arbeitsleistung. Es ist deshalb bekanntermaßen ein Kennzeichen moderner Fertigung, daß die direkten Lohninhalte im Verhältnis zum indirekten Steuerungsaufwand drastisch zurückgehen. Die arithmetische Folge davon für den Kostenrechner ist, daß die Zuschlagssätze zur Abdeckung der Gemeinkosten bezogen auf den direkten Lohn immer größer werden.

Der Manager in der Fertigung wird deshalb kein Verständnis mehr aufbringen können, wenn ihm sein Kostenrechner bei nur geringfügiger Schwankung der individuellen Arbeitsleistung seiner Mitarbeiter nach Abschluß eines Auftrags unangemessen hohe Gemeinkostenabweichungen vorrechnet. Hier stimmt eben weder der Leistungsmaßstab, denn das Arbeitsergebnis ist durch den direkten Lohn nur begrenzt zu einflussen, noch stimmt das Lob-Tadel-System, weil eben die Schwankung in der Arbeitsleistung des einzelnen produktiven Mitarbeiters gar nicht die in der Kostenrechnung ausgewiesenen Auswirkungen auf das Gemeinkostengefüge des Unternehmens haben kann.
Auch als die Kostenrechner anboten, statt der individuellen Arbeitsleistung die Maschinenstunden zur Grundlage der Gemeinkostenverrechnung zu nehmen, war dies nur eine graduelle Verbesserung, denn die Industrialisierung der Arbeitsabläufe zielt ja ebenfalls auf eine verkürzte Bearbeitungszeit auf der Maschine hin und führt deshalb nicht aus dem grundsätzlichen Problem heraus.

2. Untaugliche Reparaturversuche am System der konventionellen Kostenrechnung

Wenn ich an dieser Stelle noch einmal auf die These von Eliyahu Goldratt zurückkommen darf, er hat gesagt, daß die Kostenrechner ihr System sehr wohl verstehen.

Sie haben deshalb auch diese grundsätzlichen Mängel erkannt und verschiedene Methoden zur Abhilfe vorgeschlagen.

Eine naheliegende Möglichkeit, die als ungerecht empfundenen drastischen Ausschläge zu dämpfen, die sich in der klassischen Kostenrechnung aufgrund der exorbitanten Zuschlagssätze bei geringfügigen Schwankungen der Arbeits- oder Maschinenleistung ergaben, liegt darin die Zuschlagsbasis zu vergrößern.

In dem genannten Konzern wurde zum z.B. diskutiert, die Personalnebenkosten aus dem Gemeinkostenblock herauszulösen und in die Basis miteinzurechnen. Auf der Materialgemeinkostenseite sind ähnliche Manipulationen vorstellbar, indem man Frachten oder ähnlichen Aufwand mit in die Materialbasis einrechnet.

Dieses Verfahren führt zwar ohne Zweifel zu einer Nivellierung der Ausschläge der Kostenrechnungsergebnisse, wird deshalb aber nicht richtiger.

Eine in der Praxis viel weiter verbreiterte Methode ist es, mit differenzierten Gemeinzuschlägen zu operieren, und da ist der Phantasie eines Kostenrechners eigentlich keine Grenze gesetzt:
Geläufig sind unterschiedliche Zuschlagssätze, vertikal nach Waren- und Produktgruppen, oder horizontal zur Abdeckung bestimmter Gemeinkostenbereiche.

Alle diese Methoden müssen jedoch als untaugliche Manipulationen betrachtet werden, die grundsätzlich falschen Ergebnisse zu verschleiern, die aufgrund einer einfach nicht gegebenen Proportionalität zwischen Materialgemeinkosten und und Materialpreis einerseits und Fertigungsgemeinkosten und Fertigungs- oder Maschinenlaufzeiten andererseits sich ergeben müssen.

3. Neue Prioritäten in der Fabrik

Das zugegebenermaßen in sich geschlossene System der klassischen Kostenrechnung hat sich heute überlebt. Statt auf den Kostenrechner zu hören, haben sich die Manager der Fabrik von heute deshalb andere Propheten gesucht, die Stunde der Logistiker war gekommen. Was sie forderten, war zwar mit den Methoden der klassischen Kostenrechnung zunächst nicht rechenbar, aber jeder Manager spürte, daß es richtig und erfolgreich war, was sie forderten: Da sie heute Allgemeingut einer wirtschaftlichen Betriebsführung geworden sind, seien hier die logistischen Postulate nur auszugsweise den Forderungen gegenübergestellt, die sich aus der Anwendung der klassischen Kostenrechnung ergaben:

Danach sollen die Fertigungseinrichtungen einer modernen Fabrik nicht ausgelastet, sondern dem Kundenbedarf entsprechend belastet werden.

Ferner ist der klassische Pufferbestand der konventionell organisierten Fertigung, wie er sich aus der Forderung nach kontinuierlicher Auslastung der Maschinen fast zwangsläufig ergab dadurch zu vermeiden, daß die Fabrik so flexibel organisiert wird, daß statt der Verfügbarkeit an Material die Machbarkeit des Produkts im Vordergrund steht.
Statt einzelne Arbeitsgänge durch zunehmende Automatisierung zu beschleunigen, steht die Beschleunigung des gesamten Fertigungsprozesses im Vordergrund.

Statt den Fertigungsablauf in den einzelnen Arbeitsgängen durch die optimale Losgröße bestimmen zu lassen, fordern die Logistiker Tempo, um die Strecke Kunde bestellt, Kunde erhält möglichst zügig zu überbrücken.
Nicht zuletzt fordern die Logistiker, daß die Fertigung in einer Weise organisiert wird, daß sie flexibel auf Variantenwünsche der Kunden reagieren kann, statt durch immer weitergehende Automatisierung einen mengenmäßig unbegrenzt gedachten, dann oft nicht ausreichend vorhandenen Markt zu befriedigen.
Auch ohne die logistischen Doktrinen sahen sich eine ganze Reihe von Unternehmen gezwungen, logistische Prinzipien anzuwenden, um aus dem Umlaufvermögen jene finanziellen Mittel freizusetzen, die erforderlich waren, um den Investitionsanforderungen moderner automatisierter Fertigungen überhaupt gerecht werden zu können.

4. Vorschläge für eine Modernisierung der Kostenrechnung

Muß eine Fabrik, die nach solchen modernen Grundsätzen organisiert ist, auf eine verursachungsgerechte Zurechnung der Gemeinkosten auf das Produkt verzichten?

Eine solche Verstümmelung der Kostenrechnung sehe ich in der Tat im dem System des Direct Costing, wie es heute in der Praxis in vielfältiger Ausgestaltung anzutreffen ist. Hier werden nur noch der direkte Lohn und die Materialkosten erfaßt und, weil man eben von der grundsätzlichen Unzurechenbarkeit auf das Produkt ausgeht, und blockweise die Gemeinkosten in der Ergebnisrechnung statt in der Produktkalkulation zuordnet.

Diese Methodik hat deshalb schnelle Verbreitung gefunden, weil sie eine eindeutige Zuordnung der Verantwortlichkeiten für den Kostenanfall erlaubte, und weil die Erfassung der

Abweichungen während des Fertigungsablaufs unmittelbar erkennbar sind. Der Mann in der Fabrik mußte keine Nachkalkulation mehr abwarten. In dieser Ausprägung diente die im wahrsten Sinne des Wortes "Teil"-Kostenrechnung jedoch mehr der Preisfindung oder einer Optimierung des Vertriebsprogramms als der Steuerung der Fabrik.

Ein offensichtlich moderner Ansatz auf der Ebene der Fabrik liegt in einer konsequenten Umsetzung des logistischen Postulats Tempo. Danach werden die Gemeinkosten einer Abteilung oder eines Bereichs nach den wertmäßigem Durchsatz in einer Zeiteinheit zugerechnet. Je schneller dann ein Produkt die Fertigung durchläuft, desto weniger Gemeinkosten kann es sammeln. In dieser Ausprägung ist mit Durchlaufszeit aber nicht nur die reine Produktionszeit gemeint, sondern auch die Verweildauer, die ja bekanntermaßen oft ein Vielfaches der Fertigungszeit eines Produkts ausmacht. Das Kostenrechnungssystem verteilt demnach Lob, wenn ein Produkt z.B. weniger Fertigungsstufen durchlaufen muß, oder weniger Prüfleistung in Anspruch nimmt. Der Kostenstellenleiter erkennt die Vorteile einer effizienteren Nutzung der Engpässe und erhält Gutschriften für Zeitersparnisse beim Fertigungsdurchsatz in der Zeiteinheit.

Ein weiterer interessanter Ansatz, eine moderne Fertigungsorganisation zu unterstützen, besteht darin die Kostenstellenorganisation unter logistischen Gesichtspunkten nach Verrichtungen zu untergliedern und Kostenarten zu erfassen, die den Aufwand der Warenbewegung besonders identifizieren. Solche Systeme werden in der Regel wirksam unterstützt durch eine Reihe von Indices wie Umschlagshäufigkeiten, Lieferbereitschaftsgrad, Warenannahmezeit, Kosten pro Lagerbewegung, Kosten pro eingehender Sendung, Lagerkapazitätsauslastung, usw.. Von allen genannten Methoden konnte sich bisher keine in der Praxis als Standard durchsetzen, denn entweder fehlt ihnen die Geschlossenheit des traditionellen Kostenrechnungssystems oder die unmittelbare Plausibilität einer verursachungsgerechten Zuordnung auf das Produkt.

5. Der kommende Standard der Kostenrechnung: Activity Accounting

Ein Kostenrechnungssystem mit dem das veränderte Lob-Tadel-System in der modernen Fertigungsumgebung kostenrechnerisch weitgehend abgebildet werden kann, und das in der Praxis auf immer breitere Akzeptanz stößt, ist eine Fertigungskalkulation auf der Grundlage von Vorgangskosten. Sie wird, und das ist bezeichnend, seit einigen Jahren von einer Organisation vorangetrieben und weiterentwickelt, die sich zunächst mit den technischen Verfahren der Fertigungsintegration in der modernen Fabrik befaßt hat, und dabei zwangsläufig auf das Problem der Rechenbarkeit moderner Fertigungsabläufe gestossen ist. Es handelt sich um CAM-I, Computer-Aided-Manufacturing, eine Organisation, die ihren Sitz in Arlington, Texas, hat.

Diese Organisation hat eine Untergruppe Cost-Management-Systems, in der sich die großen Wirtschaftsprüfungsgesellschaften und namhafte Unternehmen zusammengeschlossen haben, um einen Standard für die Kostenrechnung der modernen Fabrik zu entwickeln.

Die Cost-Management-Systems-Group hat jetzt auch eine Vertretung in Europa mit Sitz in London. Der Vorteil der Vorgehensweise in dieser Gruppierung ist, daß Praktiker das Wort führen und dennoch der Zugriff sowohl auf Universitäten als auch auf die Experten des Rechnungswesens jederzeit möglich ist. Es ist deshalb nicht verwunderlich, daß in dieser Gruppe eine ganz einfache Erkenntnis zum

Schlüsselbegriff geführt hat, der die Kostenrechnung für die moderne Fabrik beherrschen soll: Es ist die einfache Erkenntnis, daß ein Produkt dadurch zustande kommt, daß eine Reihe von Aktivitäten an ihm ausgeübt werden, "Activities".

In Deutschland hat wohl der Artikel von Dieter Wäscher in der ZFB vom März 1987 ein Signal für die Denkweise gesetzt.

5.1 Was ist Activity Accounting?

Aus der Projektabrechnung ist jedem Kostenrechner geläufig um was es hier geht. Nur ist er nicht gewohnt, diesselben Prinzipien auf die Kalkulation in der Produktionsumgebung anzuwenden. Wie ein Projekt kann auch ein Produkt entweder durch einen großen Anzahl einfacher Schritte oder durch eine kleine Anzahl komplexer Vorgänge realisiert werden. Die Betrachtung der Entwicklung moderner Fertigung zeigt den eindeutigen Trend, daß der Fertigungsablauf mit immer mehr organisatorischen und steuerungstechnischem Aufwand beschleunigt wird und dabei weniger und dafür komplexere Einzelschritte in der Fertigung geschaffen werden. Nicht standardmäßige Sondervorgänge aller Art erfordern fast die gleichen Planungsschritte für die Ingangsetzung, und der Aufwand zur aktuellen Steuerung ist, gemessen an der niedrigen Stückzahl, unverhältnismäßig hoch.

Die verursachungsgerechte Zuordnung des Aufwands über die Vorgänge belohnt die auf die Serie übertragbare Einmalleistung, sei es am Produkt oder zur Optimierung der Fertigungsprozesse und bestraft andererseits den Sonderaufwand für Sonderleistungen, den der Mann in Fertigung so deutlich empfindet, den aber die traditionelle Kostenrechnung überhaupt nicht, oder zumindest nicht verursachungsgerecht zeigt.

Eine verursachungsgerechte Kostenzuordnung auf das Produkt nach Vorgangskosten verlangt schon in der Entwurfsphase eines Produkts entweder nach einer standardmäßigen Lösung im Rahmen der verfügbaren oder in Anlehnung an verfügbare Varianten und Fertigungsprozesse.

Der Aufwand zur Erstellung der betrieblichen Leistung wird durch die Art und Kombination zahlloser betrieblicher Vorgänge bestimmt. Dennoch gibt es ein begrenztes Spektrum von wirklich kostenbestimmenden Faktoren. Kostenbestimmende Faktoren (Cost Drivers) sind Vorgänge, die für eine Reihe von zusammenhängenden Aktivitäten in ähnlicher Weise kostenbestimmend sind. Es ist deshalb möglich, durch Verringerung der erforderlichen kostentreibenden Vorgänge den Gesamtaufwand je Produkt zu senken und dadurch gleichzeitig das Tempo der Leistungserstellung zu beschleunigen, denn jeder Vorgang braucht Zeit. Wenn das Tempo des Fertigungsdurchsatzes beschleunigt wird, sinkt zwangsläufig das in der Fertigung gebundene Kapital und weiterhin wird die für die Leistungserstellung erforderliche Durchlaufzeit verringert.

Eine Kostenrechnung und Kontrolle auf der Basis von Vorgangskosten ist deshalb in der Lage, die wesentlichen Postulate der Kostenrechnung nach vollständiger und verursachungsgerechter Zuordnung und die wesentlichen Postulate der Logistik nach modernen Fertigungsprozessen abzubilden. Sie kann daher im Gegensatz zur traditionellen Kostenrechnung sachgerechte Entscheidungen für die Organisation und die Prioritäten der modernen Fertigung unterstützen. Sie ist deshalb in der Lage, einen neuen Standard zu setzen.
In der Oktoberausgabe 1987 der Zeitschrift Fortune weist deshalb ein Artikel auf die Erfolge der CAM-I Gruppierung mit folgender Überschrift hin: "Accounting Bores you, Wake

Up", wenn Sie die Kostenrechnung noch langweilt, wachen Sie jetzt auf. Die Kopfzeile des Artikel formuliert dann: Fähige Manager warten jetzt endlich mit den richtigen Zahlen auf.

5.2 Wie kommt man zu den richtigen Zahlen für Activity Accounting?

5.1.1 Ermittlung der kostentreibenden Faktoren

Um Vorgangskosten zu ermitteln und zum richtigen Ergebnis zu kommen, braucht man nicht immer Genauigkeit, dafür um so mehr Konsens zwischen Kostenrechner und Fertigungsmanager. Wenn man davon ausgeht, daß ein Unternehmen sich zur Erledigung seiner Aufgaben effizient organisiert hat, kann man daraus zunächst folgern, daß für Zwecke einer Kostenrechnung keine neue Kostenstellenorganisation geschaffen werden muß. Diejenigen Kostenstellen, die traditionellerweise über die Materialgemeinkosten abgedeckt sind, befassen sich mit Vorgängen um die Materialbeschaffung und Materialbewegung und diejenigen Kostenstellen, die traditionellerweise über Fertigungsgemeinkosten abgedeckt wurden, befassen sich mit der Organisation und der Aufrechterhaltung der Fertigungsabläufe. Für jede einzelne der beteiligten Kostenstellen sind die Ursachen zu identifizieren, warum der Aufwand für die Erfüllung der kostenspezifischen Aufgaben so hoch ist, wie er tatsächlich sich darstellt. Die mit der Materialwirtschaft befaßten Kostenstellen werden deshalb die Aktivitäten oder Vorgänge beschreiben, die für ihr Aufgabengebiet gemeinkostenverursachend sind, und in gleicher Weise geschieht dies Kostenstelle für Kostenstelle für diejenigen Aktivitäten, die sich letztlich als Fertigungsgemeinkosten niederschlagen. Wichtig ist in dieser Phase, daß jeder Kostenverantwortliche dokumentiert, welche Vorgänge es sind, die seinen Kostenanfall bestimmmen.

Materialwirtschaft

In der Materialwirtschaft werden hier typischerweise genannt:

- die Anzahl der Sachnummer,
- die Anzahl der Bestellungen,
- die Anzahl der Materialeingänge,
- das Gewicht der bewegten Waren, und insbesondere
- die erstmalige Aufnahme eines Artikels in das Beschaffungsprogramm.

Die Erfahrung zeigt, daß der Materialpreis, der ja das Rückgrat der traditionellen Materialgemeinkostenverrechnung war, praktisch nie als kostenverursachender Faktor genannt wird.

Mit dieser Methode erhält man ein transparentes Bild einer offensichtlich als gerecht empfundenen Zuordnung von Gemeinkosten zu ihren Verursachungsgründen.

In der Praxis wird relativ schnell Konsens zu finden sein, wie die mögliche Vielfalt von kostentreibenden Faktoren aufgrund ihrer relativen finanziellen Bedeutung auf eine handhabbare Zahl von Kostentreibern reduziert werden kann.

Wenn der Kostenanfall der Gemeinkostenstellen erst einmal nach den verschiedenen kostentreibenden Faktoren aufgeteilt ist, so ist dieser leicht aufzusummieren und auf die Anzahl der jeweiligen Vorgänge zu beziehen. Es ergibt sich der Kostensatz je Vorgang.

In einer Umkehrung kann dann natürlich die Zusammensetzung des Vorgangskostensatzes transparent gemacht werden, indem man die an seinem Zustandekommen beteiligten Kostenstellen mit ihrem jeweiligen Vorgangsfaktor aufzeigt.

Fertigung

Das gleiche Verfahren wie für das Segment Materialgemeinkosten kann auch auf jene Kostenstellen angewandt werden, die traditionellerweise die Fertigungsgemeinkosten ausmachten, und die bisher auf der Basis vom direkten Lohn verrechnet wurden. Aus der Vielfalt der kostenverursachenden Faktoren im Fertigungsbereich können z.B. folgende Hauptfaktoren herausgefiltert werden, die den bisher monolithisch zugeordneten Block der Fertigungsgemeinkosten aufgliedern:

- Anzahl der Maschinenstunden
- Anzahl der Arbeitsgänge
- Anzahl der Aufträge
- Anzahl der Arbeitsfolgen und
- die erstmalige Aufnahme einer Arbeitsfolge in einen Fertigungsprozess.

5.2.2 Fixe und variable Vorgangskosten

Der erfahrene Kostenrechner wird mit den Gemeinkostenverantwortlichen bald unterscheiden, daß bestimmte Anteile seiner Vorgangskosten fix, andere jedoch variabel sind. Damit bietet das System der Vorgangskosten die Möglichkeit, erforderliche Kapazitäten im indirekten Bereich bei alternativen Fertigungsvolumina zu bestimmen.

5.2.3 Die Kostenstellenrechnung nach Vorgangskosten

Das hier dargestellte Verfahren zur Einführung eines Kostenrechnungssystems auf der Grundlage von Vorgangskosten kann leicht aus der bestehenden Kostenstellenstruktur im gewohnten System im Betriebsabrechnungsbogens entwickelt werden, indem entsprechend den Kostentreibern anteilige Kostenstellenkosten auf gesonderten Vorgangskostenstellen gesammelt werden. Soll-Ist-Vergleiche nach Verbrauchs- und Volumensabweichungen können so ebenso sinnvoll nach

Vorgängen durchgeführt werden wie bisher nach Leistungsstunden. Damit bleibt das klassische Instrumentarium des Kostenrechners weiterhin nutzbar. Da die verursachungsgerechte Zuordnung von den Managern selbst definiert wurde, findet sie definitionsgemäß auch Akzeptanz.

Der Kostenrechner wird es schätzen, daß er mit diesem Instrumentarium über ein duales System ohne Bruch verfügt, und damit sowohl die Erfordernisse der Bilanzierung als auch die Anforderungen an eine Kostenrechnung für das Management einer modernen Fabrik erfüllen kann. Eliyahu Goldratt müßte heute feststellen, daß sich mit dem System des Activity Accounting der Manager und der Kostenrechner jetzt wieder verstehen.

6. Konventionelle Kostenrechnung im Vergleich zur Kostenrechnung nach kostenverursachenden Faktoren

Wenn man das Bild der konventionellen Produktionskalkulation betrachtet, bei der die Gemeinkosten auf den Materialpreis und den direkten Lohn aufgeschlagen wurden mit dem Bild dieser Kalkulation nach kostenverursachenden Faktoren, wird der Fortschritt deutlich. Für die gesamten Herstellkosten gibt es jetzt eine direkte Beziehung zwischen den betrieblichen Vorgängen und den durch diese Vorgänge ausgelösten Kosten. Es kann entweder an den Kosten der leistenden Abteilung gearbeitet werden oder am Wegfall von vermeidbaren Vorgängen.

- Praktische Beispiele haben zu Veränderungen der Produktionskosten im Vergleich zum konventionellen Kostenrechnungssystem geführt von zwischen 10 % niedriger bis zu 160 % höher für das gleiche Produkt und das gleiche Fertigungsverfahren.

- Der indirekte Aufwand, der erforderlich ist, um nicht standardmäßige Optionen für kleine Volumina zu realisieren, zeigt sich in spektakulär steigenden Produktionskosten. Der Nachweis solch zusätzlicher Kosten verlangt eine ausdrückliche Entscheidung sobald die spezifische und damit weit teuerere Lösung gegenüber einer Standardlösung vorgezogen werden soll, und oft gibt es gute Gründe dafür.

- Veränderungen in der Produktkonstruktion oder im Fertigungsablauf beeinflussen direkt die Anzahl der erforderlichen Vorgänge. Damit wird das Bewußtsein geschärft für die Mehrkosten von nicht standardmäßigen Abläufen in der Fertigung. Da die Produktionsmethoden direkt die Anzahl der Arbeitsschritte bestimmt, werden die Vorteile der Fertigungsvereinfachung auf Bearbeitungszentren oder in flexiblen Zellen deutlich sichtbar. Das Tempo in der Fabrik wird gefördert, und die entsprechende Mittelbindung reduziert.

- Das System des Activity Accounting ist nicht abhängig von der Fertigungsorganisation. Eine handwerklich konventionelle Fertigung kann mit ihm ebenso angemessen beschrieben werden, wie eine hochmoderne Fertigungslinie. Für jedes Fertigungssegment können die Kostentreiber gesondert identifiziert werden, die seiner spezifischen Ausprägung entsprechen.

- Es gibt im Grunde keine Begrenzung für dieses Verfahren, wenn man über die Herstellkosten hinaus auch die Verwaltungs- und Vertriebskosten miteinbeziehen will.

Die Forderung nach einer Steigerung der logistischen Leistung wurde von der Marktseite an die modernen Industrieunternehmen herangetragen. Der Markt fordert eine schnelle flexible und variantenreiche Belieferung. Andererseits hat sich ein Preisniveau eingespielt, das aus den bisher akzeptierten Regeln der weitverbreiteten traditionellen Zuschlagskalkulation entstanden ist.

Wer über eine Kostenrechnung verfügt, die die Gegebenenheiten moderner Leistungserstellung besser abbildet, stößt oft auch Situationen, wo die Herstellkosten im Preis nicht abgedeckt sind. Dieses Wissen darf aber keineswegs routinemäßig zu Preisanhebungen odergar einer Verweigerung des Auftrags führen, da verläßliche Kunden-Lieferanten-Beziehungen nur über einen langen Zeitraum und eine ganze Reihe von Transaktionen gepflegt werden können, kurzfristig unabhängig von den Erkenntnissen der Kostenrechnung. Zunächst sind alle Möglichkeiten der konstruktiven Produktvereinfachung oder -Standardisierung und der Fertigungsoptimierung auszuschöpfen.

Das feinfühlige Kostenrechnungssystem nach kostenverursachenden Faktoren verlangt offensichtlich nach einem neuen flexibleren System von Lob und Tadel auch beim Vertrieb. Deckungsbeiträge können nun offensichtlich nicht mehr über die ganze Produktbreite die gleichen sein. Sie werden, im Gegenteil, sehr unterschiedlich sein, und es gibt verschiedene Optionen auf welcher Ebene insgesamt der zu erzielende Gesamtdeckungsbeitrag zu erreichen ist. Das kann z.B. auf der Ebene eines Kunden, eines Landes oder einer Produktgruppe sein und es kann entweder in einem Monat, in einem Quartal oder in einem Jahr sein. Neue Budgetierungsinstrumente sind offensichtlich erforderlich, um die Profitabilität des Unternehmens zu steuern.
Deshalb bleibt, obwohl ein verbessertes Werkzeug zur Verfügung ist, noch viel zu lernen und zu experimentieren bevor das ausgewogene Zusammenspiel zwischen der Realisierung

logistischer Forderungen und einer verursachungsgerechten Kostenkontrolle und Preisbildung sich einpegeln wird.

Der Erfahrungsaustausch zwischen den Unternehmen, die sich der mordernen Vorgangskostenrechnung bedienen, hat gerade begonnen.

FLEXIBLE AUTOMATISIERUNG:
Realisierungsstufen flexibler Fertigungssysteme

Dipl.-Ing. Helmut Hammer
DIAG GmbH, Berlin

Realisierungsstufen flexibler Fertigungssysteme

1. Stand der flexiblen Automatisierung

An die Unternehmen der Fertigungsindustrie werden aufgrund zunehmender Typenvielfalt und kürzerer Produktlebenszeiten neue Anforderungen gestellt. Diese Situation bedingt heute Fertigungseinrichtungen, mit denen kleinere Losgrößen mit hoher Produktivität und Qualität wirtschaftlich gefertigt werden können. Im Blickfeld zur Lösung dieser Aufgaben steht die flexible Automatisierung. Das Ziel ist die rechnerintegrierte und flexibel automatisierte Fertigungsstätte zur Herstellung eines variablen Produktprogrammes. Das erfordert eine geschlossene Verbindung von Hardware, Software, Datenbanken und Kommunikationssystemen sowie eine integrierte Fertigungssteuerung und Ablaufplanung und eine dynamische Bereitstellung und Zuweisung von Material, Werkzeugen, Transport-, Spann- und Prüfmitteln. Die Einzelsysteme der Fertigung werden so in ein übergeordnetes Leitsystem eingebunden, daß der gesamte Ablauf zentral gesteuert, koordiniert und überwacht werden kann.

Für die flexible Automatisierung gibt es charakteristische Realisierungsstufen (Bild 1). Man kann zwischen flexiblen Fertigungszellen, -inseln und Verbundsystemen unterscheiden, wobei sich die Konfiguration nach Art und Umfang der Fertigungsaufgaben sowie nach den jeweiligen Anforderungen an die Flexibilität, Produktivität und den Automatisierungsgrad richtet. Gemeinsame Merkmale sind der Einsatz von NC-Maschinen, die übergeordnete Rechnersteuerung und die Integration und Automatisierung des Materialflusses. Dabei erfolgt die Steuerung und Überwachung des Fertigungsprozesses durch Rechnersysteme so flexibel, daß auch unterschiedliche Werkstücke kontinuierlich gefertigt werden können. Auch findet heute die rechnergeführte Werkzeugorganisation als wirtschaftliche Maßnahme zur Produktivitätssteigerung weitgehend Anwendung.

Die wirtschaftlichen Einsatzmöglichkeiten für flexible Fertigungseinrichtungen sind durch eine große Zahl bereits installierter Systeme belegt. Im wesentlichen wird die Steigerung der Produktivität und Wirtschaftlichkeit erreicht durch automatische Versorgung der Bearbeitungsmaschinen mit Werkstücken und Werkzeugen, rechneroptimierte Maschinennutzung und Ablaufsteuerung sowie rechnergesteuerte Überwachung des automatischen Fertigungsablaufes.

Das ermöglicht eine Entkopplung des Bedienpersonals vom Arbeitstakt der Maschinen, eine bedien- und aufsichtsarme Fertigung sowie einen weitgehend rüstzeitfreien Auftragswechsel und damit eine Erhöhung des Maschinennutzungsgrades.

Neben der Senkung der Herstellkosten ergeben sich dadurch weitere wichtige betriebliche und wirtschaftliche Vorteile:

- Fertigung in bedarfs- oder montagegerechten Losgrößen ermöglicht eine Reduzierung des Werkstatt- und Lagerbestandes sowie eine schnelle Reaktionsmöglichkeit auf Bedarfsschwankungen.
- Reduzierung der Durchlaufzeit in der Fertigung führt zur Senkung der auftragsbezogenen Lieferzeiten.
- Reduzierung der Werkzeugkosten wird durch die volle Ausnutzung der Werkzeugstandzeiten erreicht.

Mit flexibel automatisierten Fertigungseinrichtungen werden aber noch weitergehende Zielsetzungen verfolgt. Auf der Grundlage einer modularen Hard- und Softwarestruktur bieten sie flexible Gestaltungs- und Ausbaumöglichkeiten im Hinblick auf eine computerintegrierte Fertigung (CIM). So ermöglicht die Steuerungs- und Rechnerkopplung über ein offenes lokales Kommunikationsnetz (LAN) den Verbund von verschiedenartigen Fertigungs- und Handhabungssystemen sowie die Anbindung übergeordneter, gesamtbetrieblicher Einrichtungen (Bild 2). Somit läßt sich aufgrund eines modular strukturierten Gesamtkonzeptes, aufbauend auf intelligenten Subsystemen in Form von Zellen- und Insellösungen, stufenweise eine hochflexibel automatisierte Fabrik aufbauen, wobei sich die Bottom-up-Strategie dabei als günstigste Vorgehensweise erwiesen hat.

Als Einstieg in die flexible Automatisierung haben sich rechnergesteuerte, autonome Fertigungszellen und Fertigungsinseln in der Praxis bewährt, und zwar sowohl bei der Einzel- und Kleinserienfertigung als auch bei der Mittel- und Großserienfertigung (Bild 3). Zunehmend werden aus Fertigungszellen, Fertigungsinseln und Einzelmaschinen aufgebaute flexible Fertigungsverbundsysteme in der Praxis realisiert. Diese Systemstruktur eröffnet vielfältige Gestaltungsmöglichkeiten sowohl hinsichtlich der Systemkonfiguration als auch weitreichende Perspektiven im Hinblick auf die Schaffung computerintegrierter Fertigungsstrukturen (CIM).

2. Systemkonzeptionen und Einsatzbereiche

2.1 Flexible Fertigungszellen

Flexible Fertigungszellen für die Bohr- und Fräsbearbeitung prismatischer Werkstücke sind standardisierte und in sich geschlossene hochproduktive Fertigungssysteme (Bild 4). Kennzeichnendes Merkmal ist, daß mehrere gleichartige, sich voll ersetzende NC-Bearbeitungszentren durch eine gemeinsame automatische Werkstück- und Werkzeugversorgung und eine integrierte Rechnersteuerung zu einem Gesamtsystem verbunden sind (Bild 5). Flexible Fertigungszellen sind besonders für die automatische Werkstückbearbeitung im Bereich der Klein- und Mittelserienfertigung bestimmt. Das Ziel ist die wirtschaftliche Fertigung eines breiten Werks stückspektrums. Die Fertigung erfolgt in kleinen bedarfs- oder montagegerechten Losgrößen. Das bedingt einen ständig wechselnden Werkstückmix. Üblicherweise liegt die Auftragsstückzahl zwischen 5 und 100, wobei zwischen 50 und 200 verschiedene Werkstücke häufig in verschiedenen Varianten meist wiederholt gefertigt werden.

2.2 Flexible Fertigungsinseln

Flexible Fertigungsinseln sind demgegenüber für die automatische Komplettbearbeitung von Teilefamilien im Bereich der Mittel- bis Großserienfertigung bestimmt (Bild 6). Kennzeichnendes Merkmal ist, daß auch verschiedenartige, sich hinsichtlich der Fertigungsverfahren ergänzende Bearbeitungsmaschinen durch eine integrierte Rechnersteuerung (Bild 4) zu einem Gesamtsystem verbunden sind. Aufgrund der unterschiedlichen Anforderungen an die Flexibilität des automatischen Materialflusses werden in Abhängigkeit von der jeweiligen Systemkonfiguration vor allem schienengebundene und induktiv geführte Flurförderfahrzeuge sowie Flächenportale eingesetzt (Bild 7 und 8).

Die Werkzeugversorgung erfolgt bei einer kontinuierlichen Fertigung mit wenig Auftragswechsel rechnergeführt von Hand, da alle erforderlichen Werkzeuge im maschinengebundenen Werkzeugmagazin gespeichert und nur die Verschleißwerkzeuge zu tauschen sind. Sofern ein Auftragswechsel häufiger vorkommt, läßt sich der maschinenbezogene Werkzeugaustausch auch automatisch durchführen.

Ein äußerst schneller Werkzeugaustausch bei Auftragswechsel und -verschleiß läßt sich mit Werkzeugkassetten erreichen, die halb- oder vollautomatisch gewechselt werden (Bild 9). Bei einem neuartigen Werkzeugschnellwechselsystem für Kettenmagazine werden Kammkassetten verwendet, die 8 horizontal gelagerte Werkzeuge aufnehmen können. Durch wahlweises Ent- oder Verriegeln der Kettenglieder im Übergabebereich ist mit der Kassette die Übergabe bzw. Entnahme sowohl von einzelnen Werkzeugen oder aber aller im Übergabebereich befindlicher Werkzeuge innerhalb kürzester Zeit möglich.

Die für die Aufgabe der Werkzeug- und Werkstückvesorgung zugeschnittene Systemsteuerung ist mit den angeschlossenen Steuerungskomponenten meist über eine serielle Schnittstelle sternförmig verbunden. Im einzelnen sind folgende Funktionen und Operationen zu steuern und zu koordinieren (Bild 10):

- Auftragsbezogene Ermittlung des Werkzeugbedarfs,
- Aktuelle Verwaltung von Werkzeuglisten,
- Unmittelbare Koordination des Werkzeugtransports und der Werkzeugbereitstellung,

- direkte Überwachung der Werkzeugkenndaten und der zulässigen Werkzeugeinsatzzeiten,
- Steuerung des Palettentransportes und der Rüstplätze.

Neuerdings werden für diese Aufgaben vorzugsweise preisgünstige Industrie-PCs verwendet, so daß der Rechnereinsatz bereits auch bei Einzelbearbeitungszentren irtschaftlich ist. Es können bis zu 12 Bearbeitungszentren und ein Werkzeugvoreinstellgerät sowie Drucker und Lochstreifenleser und weitere Bedienterminals angeschlossen werden.

Flexible Fertigungsinseln stellen im Bereich der Großserienfertigung eine wirtschaftliche Alternative zur Transferstraße dar, vor allem wenn viele Produktvarianten und Produktänderungen vorliegen bzw. zu erwarten sind und die Jahresstückzahl 20.000 bis 30.000 nicht überschreitet. Im Bereich der Mittelserienfertigung sind flexible Fertigungsinseln auch eine Alternative zu den flexiblen Fertigungszellen, vor allem wenn eine automatische Komplettbearbeitung noch die Integration von ergänzenden Maschinen neben einer Anzahl gleichartiger sich ersetzender Maschinen erforderlich macht.

2.3 Flexible Fertigungsverbundsysteme

Flexible Fertigungsverbundsysteme werden aus Fertigungszellen und Fertigungsinseln sowie aus Einzelmaschinen und manuellen Vorrichtungsplätzen aufgebaut (Bild 11). Sie bilden eine ganzheitliche, rechnergeführte, logistische Einheit mit übergeordneter Werkstück- und Werkzeugversorgung sowie integrierter Auftragsablaufsteuerung. Dabei können den einzelnen autonomen Subsystemen entsprechend ihrer maschinellen Ausstattung verschiedenartige Fertigungsaufgaben zugeordnet sein. Ein kennzeichnendes Merkmal für ein flexibles Fertigungsverbundsystem ist die Systemsteuerung mit autonomen funktionsbezogenen Steuerungseinheiten, die über ein offenes lokales Kommunikationsnetz (LAN) mit standardisierter Busstruktur gekoppelt sind. Unterschiedliche Systemkonfigurationen lassen sich aus weitgehend standardisierten Systemkomponenten für den Werkstück-, Werkzeug- und Informationsfluß den jeweiligen Anforderungen entsprechend individuell aufbauen, wobei ein schrittweises Vorgehen zweckmäßig ist (Bild 12).

Dadurch wird nicht nur der Kostenaufwand wesentlich reduziert, sondern es verkürzen sich auch die Inbetriebnahmezeiten erheblich und letztlich auch das gesamte Risiko, das mit der Einführung neuer Technologien immer verbunden ist. Durch Vereinheitlichung der Schnittstellen und Systemkomponenten wird es in Zukunft auch möglich sein, Standardkomponenten verschiedener Hersteller zu einer kunden- und anwendungsspezifischen Systemkonfiguration zu verbinden.

Auch die Systemsteuerung selbst läßt sich zweckmäßigerweise aus autonomen, funktionsbezogenen Steuerungseinheiten aufbauen, die über ein offenes lokales Netzwerk gekoppelt sind (Bild 13). Die Inselrechner (IR), die inselinterne Werkstücktransportsteuerung (WTS), die übergeordnete Werkzeugversorgungssteuerung (WFS) und die Materialflußsteuerung (MFS) sowie die Steuerung zur zentralen Qualitätsüberwachung (QÜW) können sowohl direkt mit den angeschlossenen CNCs als auch miteinander über den Systembus kommunizieren. Der Leitrechner (LR) ist für alle übergeordneten Koordinierungs- und Überwachungsaufgaben zuständig. Bei einem schrittweisen Systemaufbau erweist sich ein derartiges funktionsbezogen strukturiertes Rechnerverbundsystem als besonders vorteilhaft. Die physikalische Datenübertragung entspricht vorzugsweise der ETHERNET-Spezifikation, wobei das Protokoll an die MAP-Festlegungen angelehnt ist.

Der Einsatzbereich von Flexiblen Fertigungsverbundsystemen ist vorwiegend die Mittel- und Großserienfertigung. Dabei kann es sich sowohl um verschiedene Teilefamilien als auch unterschiedliche Fertigungsverfahren handeln. Eine hohe Produktivität und Qualität in Verbindung mit großer Flexibilität hinsichtlich der Maschinen-, Transport-, Handhabungs- und

Lagerkonfigurationen sowie modulare Steuerungseinheiten auf der Basis eines offenen Rechnerverbundnetzes und computerintegrierter Fertigungsstrukturen sind daher die wesentlichen Gestaltungsmerkmale und Zielsetzungen.

Im Vergleich zu aufgabenbezogenen, konventionellen Transferstraßen liegt der Vorteil der Fertigungsverbundsysteme vor allem in der hohen Umstell- und Erweiterungsflexibilität, die besonders bei Programmänderungen und Produktionssteigerungen zum Tragen kommt. Mehrere in der Realisierung befindliche Praxisbeispiele zeigen, daß der Aufbau derartiger Fertigungsverbundsysteme zweckmäßigerweise in Stufen erfolgt (Bottom-up-Strategie). Beim späteren Systemausbau hat das funktionsbezogen strukturierte offene Rechnerverbundsystem große Vorteile, da die Erweiterung in der Regel ohne Eingriffe in die Software der einzelnen Rechnerkomponenten möglich ist.

Die Steuerung des gesamten komplexen Prozesses erfolgt in mehreren hierarchisch aufgebauten Steuerungs- und Überwachungsebenen, wobei alle Entscheidungen und Abläufe von einer gemeinsamen Datenbank aus zentral koordiniert und zeitgerecht ausgelöst werden. Die Einzelsysteme wie CNC-Maschinen, Zellen und Inseln oder Linien sind dabei in das übergeordnete Produktionsleitsystem voll integriert. Alle Steuerungs- und Rechnereinheiten sind daher über mehrere Kommunikationsbussysteme miteinander verbunden. Als weitere Ausbaustufe sind dann die Fertigungsplanung und -steuerung, die Materialwirtschaft und auch das Qualitätswesen und schließlich die Entwicklung und Konstruktion hinsichtlich des gesamten Datenverkehrs zusammenzuführen und aufeinander abzustimmen.

3. Rechnerverbundnetze und Datenkommunikationssysteme

Die rechnerintegrierte und flexibel automatisierte Fabrik als Produktionsstätte der Zukunft erfordert die Kombination von Hardware, Software, Datenbanken und Kommunikationssystemen. Ziel ist es, daß alle Entscheidungen und Abläufe von einer gemeinsamen Datenbasis aus zentral koordiniert und zeitgerecht ausgelöst werden. Dazu gehören eine direkte Steuerung des Materialflusses und der Bearbeitungsoperationen, die dynamische Bereitstellung, Koordination und Zuweisung von Materialien, Werkzeugen und Werkzeugmaschinen sowie der Transport-, Spann- und Prüfmittel. Die Einzelsysteme der Fertigung wie CNC-gesteuerte Bearbeitungsmaschinen, flexible Fertigungszellen, -inseln oder -linien sind in das übergeordnete Produktionsleitsystem voll integriert. Die Steuerung dieses komplexen Prozesses erfolgt zweckmäßig in mehreren hierarchisch aufgebauten Steuerungs- und Überwachungsebenen (Bild 14).

Der auf und zwischen den einzelnen Hierarchieebenen durchzuführende Datenverkehr unterscheidet sich vor allem hinsichtlich folgender Kriterien:

- Realzeitanforderungen.
  Sie sind in der Nähe des zu steuernden Prozesses am strengsten und nehmen mit aufsteigender Hierarchie ab.
- Umfang und Häufigkeit des Datenaustausches.
  In der Regel sind auf der unteren Hierarchieebene geringe Datenmengen auszutauschen. Mit zunehmender Hierarchie überwiegt die Übertragung von Dateien (Files).

Der Art des Datenverkehrs entsprechend unterscheiden sich auch die in den einzelnen Hierarchiestufen miteinander verbundenen Geräte hinsichtlich der verfügbaren Eigenintelligenz. Auf der untersten Ebene überwiegen Geräte und Maschinen mit geringerem DV-Charakter. Sie sind vor allem auf die Prozeßsteuerung und -überwachung orientiert, so daß die Anbindung an das Kommunikationsnetz mehr hardwarenahe Schnittstellen erfordert. Mit zunehmender Hierarchiestufe überwiegen Geräte mit DV-Charakter. Sie verfügen in der Regel über eine eigene Systematik zur Entgegennahme und Übertragung von Daten. Die Kosten für den Datenanschluß an das gemeinsame Kommunikationssystem müssen in einem vertretbaren Verhältnis zu den jeweiligen Gerätekosten stehen. Das bedeutet, daß auf der unteren Hierarchieebene der Zugang zu den Kommunikationssystemen erheblich preiswerter sein muß als auf den oberen Stufen. Es ist daher jeweils zu prüfen, ob ein einzelnes Kommunikationssystem oder besser eine hierarchische Kommunikationsstruktur gewählt werden sollte, die sich flexibel an die Gegebenheiten und zu erwartenden Veränderungen anpassen läßt.

Die unterste Ebene ist die der Maschinen- bzw. Ausführungs- oder Überwachungssysteme. Hier finden der eigentliche Fertigungsvorgang, der Transport von Werkstücken und Werkzeugen, die Lagerhaltung und alle Hilfs- und Nebenfunktionen statt. Die zweite Ebene ist gleichzeitig die erste Rechnerebene. Sie wird gebildet durch programmierbare CNC-Steuerungen für die Bearbeitungsmaschinen, Handhabungsgeräte und Transportsysteme. Es handelt sich hier also um den Bereich der Steuerungs- und Regelungstechnik. Die Koppelung erfolgt durch Feldbus- und E/A-Systeme. Darüber liegt die Ebene der Prozeßleitsysteme. Das sind eigenständige Systemsteuerungen, die auch als Zellen- und Inselrechner bezeichnet werden (Bild 15). Die damit gesteuerten autarken Produktionssysteme bestehen ihrerseits aus mehreren autonomen Bearbeitungs-, Handhabungs- und Transporteinrichtungen. Diese Rechnerebene hat unterschiedliche Aufgaben zu erfüllen, wie Dateien für die Prozeßdaten zu führen, den Produktionsablauf zu steuern und dazu die Systemkomponenten zu koordinieren, Störungsmeldungen der Prozeßüberwachung entgegenzunehmen und Notmaßnahmen daraus abzuleiten. Hierfür sind leistungsstarke Kleinrechner und meist herstellerspezifische Prozeßbussysteme erforderlich.

Aufgabe der darüber liegenden Bereichsebenen ist es, eine Gruppe von flexiblen Fertigungszellen (FFZ), Fertigungsinseln (FFI) bzw. Fertigungslinien (FFL) zu koordinieren. Der hierfür eingesetzte Fertigungs-Leitrechner stellt die Verbindung zu den Maschinen- bzw. Systemsteuerungen und den Transportsteuerungen her. Zudem hat er eine Vielzahl organisatorischer Aufgaben zu erfüllen und muß vor allem den gesamten Systemablauf koordinieren, überwachen und optimieren. Hierzu gehören die Erfassung der aktuellen Produktionsdaten, die Überwachung der Instandhaltung und Qualitätsprüfungen sowie das Führen aller Betriebsstatistiken. Das erfordert einen direkten Zugriff zu allen wesentlichen maschinen-, werkzeug-, und auftragsbezogenen Dateien. Dieser wird durch die Installation eines offenen, lokalen Kommunikationsnetzwerkes (LAN) ermöglicht, das den unmittelbaren Datenaustausch zwischen den angeschlossenen Rechnern und Steuerungen erlaubt.

Die oberste Stufe in dieser Hierarchie ist die Betriebsebene. Sie umfaßt die komplette Produktionsstätte. Auf dieser Stufe sind die darunter liegenden Ebenen zu koordinieren, mit dem Ziel, eine geschlossene CIM-Struktur zu erreichen. Außerdem werden hier alle betriebsorganisatorischen Funktionen wahrgenommen. Das Führen von Zwischenlagern, die Auftragsdisposition, Kapazitäts-, Termin- und Ablaufplanung sowie die Betriebsdatenerfassung und -verarbeitung sind einige dieser Aufgaben. In einer zentralen Datenbank werden alle Einzeldateien über Werkstücke, Aufträge, Werkzeuge und Maschinen so miteinander verbunden, daß ein wahlfreier Zugriff bei beliebiger Abfragekonfiguration besteht. Der Daten- und Informationsaustausch erfolgt zweckmäßig auch hier durch ein übergeordnetes Kommunikationsnetzwerk (LAN oder WAN).

Zum Grundprinzip des dargestellten Ebenenmodells gehört, daß die jeweils untergeordnete Ebene immer so lange eigenverantwortliche Steuerungsfunktionen durchführen kann, wie die von der höheren Ebene übermittelten Rahmendaten ausgeführt bzw. eingehalten werden. Die wesentlichen funktionsbezogenen Aufgaben bestehen innerhalb einer Steuerungs- und Überwachungsebene darin, von übergeordneten Ebenen übernommene Eingangsdaten durch entsprechende Planungs- und Steuerungsfunktionen zu transformieren und an untergeordnete Ebenen weiterzugeben sowie im umgekehrten Weg Rückmeldungen aus untergeordneten Ebenen aufzunehmen, zu transformieren und an die übergeordneten Ebenen weiterzuleiten. Dieser Daten- und Informationsaustausch erfolgt dabei vornehmlich über offene, lokale Kommunikationsnetzwerke (LAN).

4. Zusammenfassung und Ausblick

Die beschriebenen Fertigungszellen und Fertigungsinseln haben sich in der Praxis bereits vielfältig bewährt und ermöglichen einen schrittweisen Einstieg in die flexible Automatisierung und rechnerintegrierte Fertigung sowohl bei der Einzel- und Kleinserienfertigung als auch bei der Mittel- und Großserienfertigung. Es werden auch bereits vereinzelt aus Fertigungszellen, Fertigungsinseln und Einzelmaschinen aufgebaute Flexible Fertigungsverbundsysteme in der Praxis realisiert, wobei verschiedene Rechner und Maschinensteuerungen über einen standardisierten Kommunikationsbus gekoppelt sind. Diese Systemstruktur eröffnet vielfältige Gestaltungsmöglichkeiten sowohl hinsichtlich der Systemkonfiguration als auch weitreichende Perspektiven im Hinblick auf die Schaffung computerintegrierter Fertigungsstrukturen (CIM).

An die Werkzeugmaschinenhersteller wird damit zunehmend der Wunsch herangetragen, Gesamtlösungen für die flexible Automatisierung ganzer Fertigungsbereiche zu realisieren und CIM-kompatible Systeme zu entwickeln. Das erfordert Fachkompetenz auf den Gebieten der fertigungstechnischen Anlagenprojektierung, der Auswahl und Adaption von Steuerungs- und Computerkomponenten, des Software-Engineering und der Rechnerverbundtechnik. Die z.Zt. intensiv betriebenen Bemühungen, einheitliche Schnittstellen festzulegen, ermöglichen auch in Zukunft kunden- und anwendungsspezifische Systemrealisierungen aus normierten Modulen und Komponenten verschiedener Hersteller.

Die optimale Nutzungsmöglichkeit sowohl der System- als auch der Personalkapazität einerseits sowie die erreichbare hohe Anlagenverfügbarkeit und nahezu uneingeschränkte Erweiterungs-, Einsatz- und Umstellflexibilität andererseits führen zu einer wesentlichen Produktivitätserhöhung und auch zu einer langen Systemverwendungszeit. Es empfiehlt sich, bei der Einführung schrittweise - beginnend bei autonomen Fertigungszellen und -inseln - vorzugehen, so daß auch Klein- und Mittelbetrieben der Einstieg möglich ist.

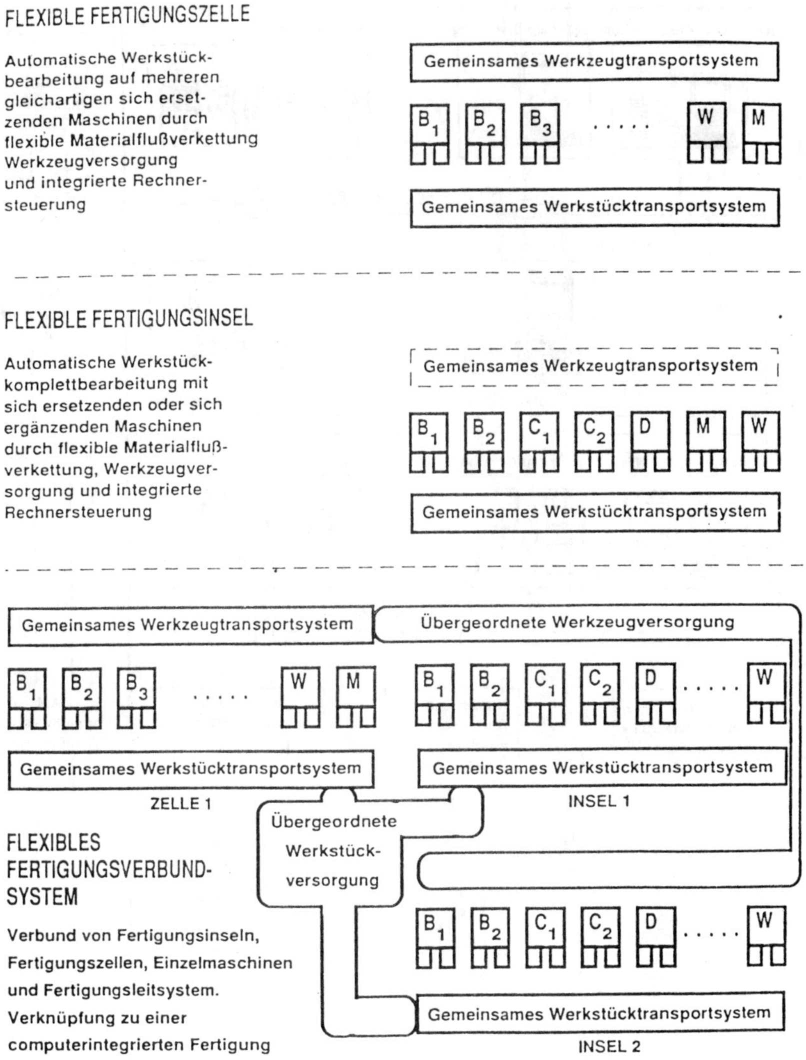

Bild 1: Realisierungsstufen von flexiblen Fertigungssystemen

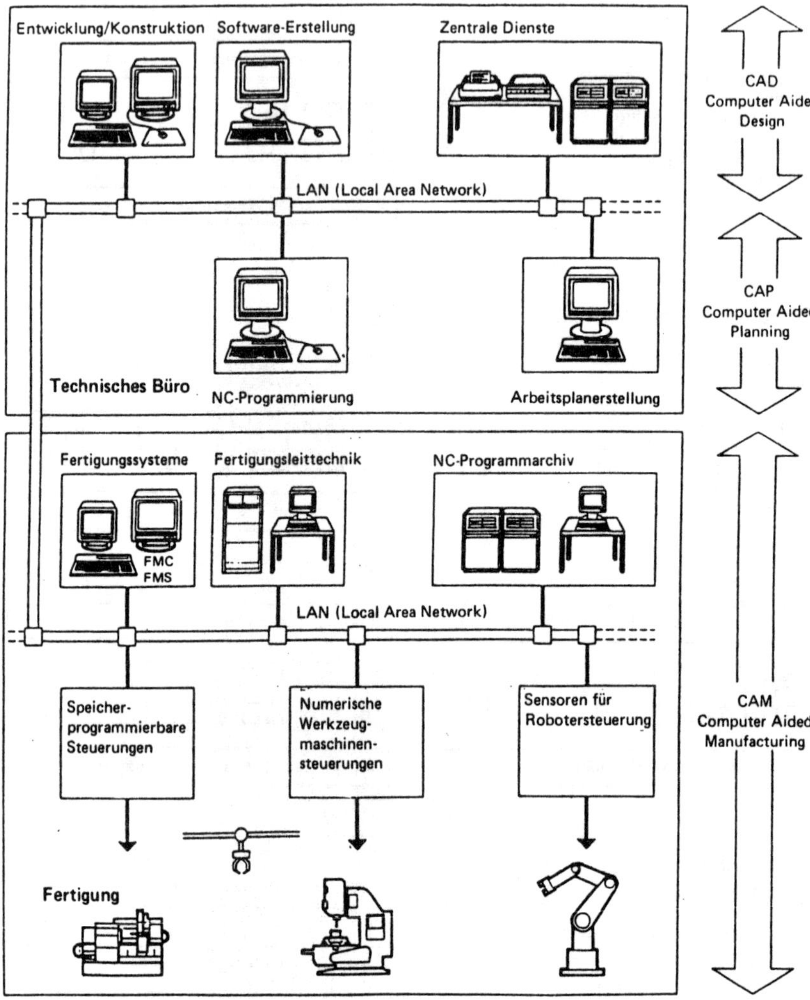

Bild 2: Kommunikationsverbund bei einer rechnerintegrierten Fertigung (nach SIEMENS)

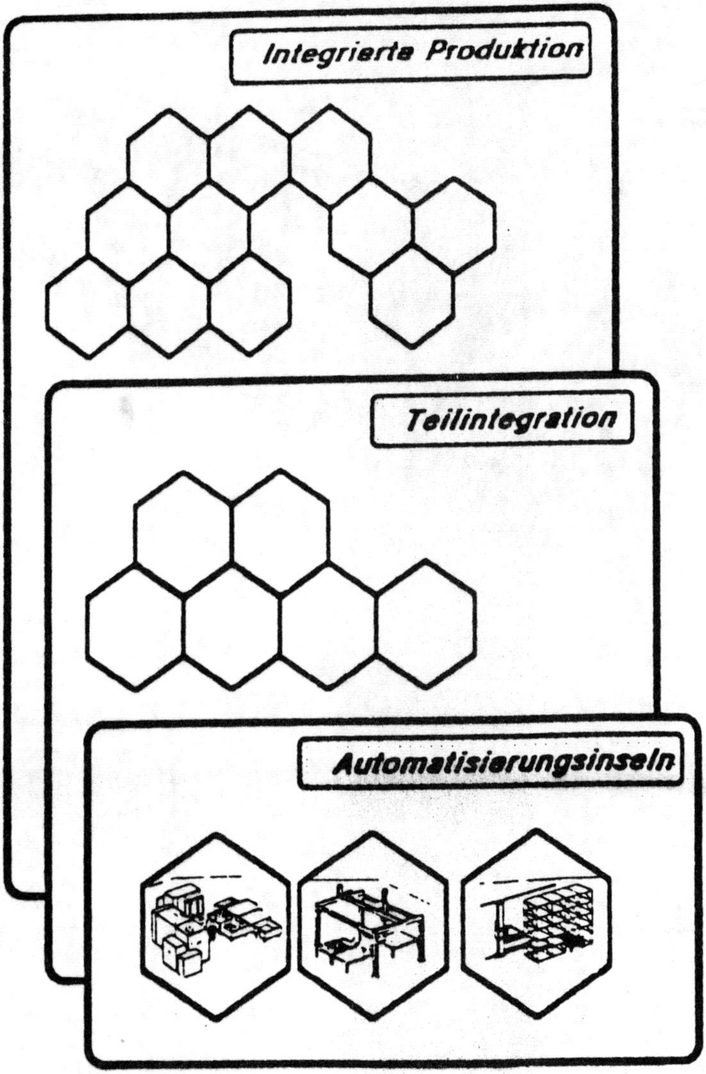

Bild 3: Bottom-up-Strategie beim Aufbau einer rechnerintegrierten Fertigung

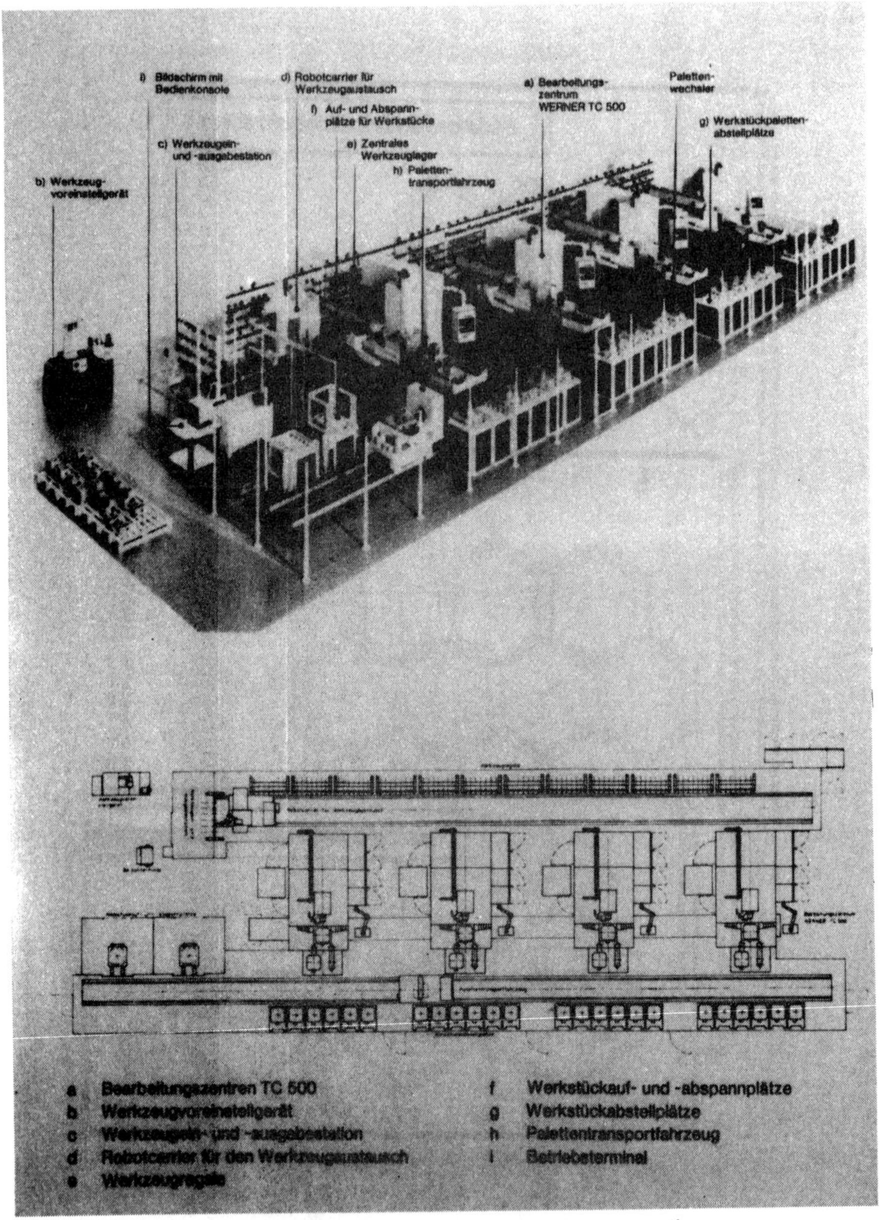

Bild 4: Rechnergesteuerte flexible Fertigungszelle (FFS 500-4, WERNER und KOLB) mit vier Bearbeitungszentren und automatischer Werkstück- und Werkzeugversorgung über schienengebundene Transportfahrzeuge (oben Ansicht, darunter Grundriß)

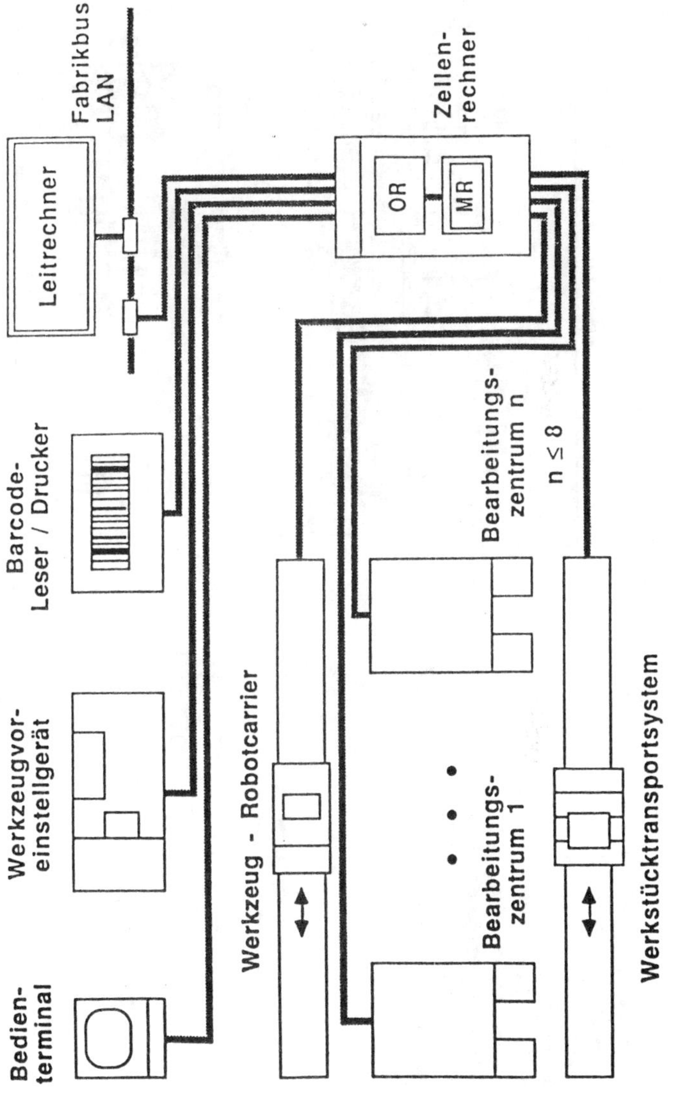

Bild 5: Kopplung des Zellenrechners mit den Maschinensteuerungen durch Punkt-zu-Punkt-Verbindungen und dem Leitrechner über Busanschluß

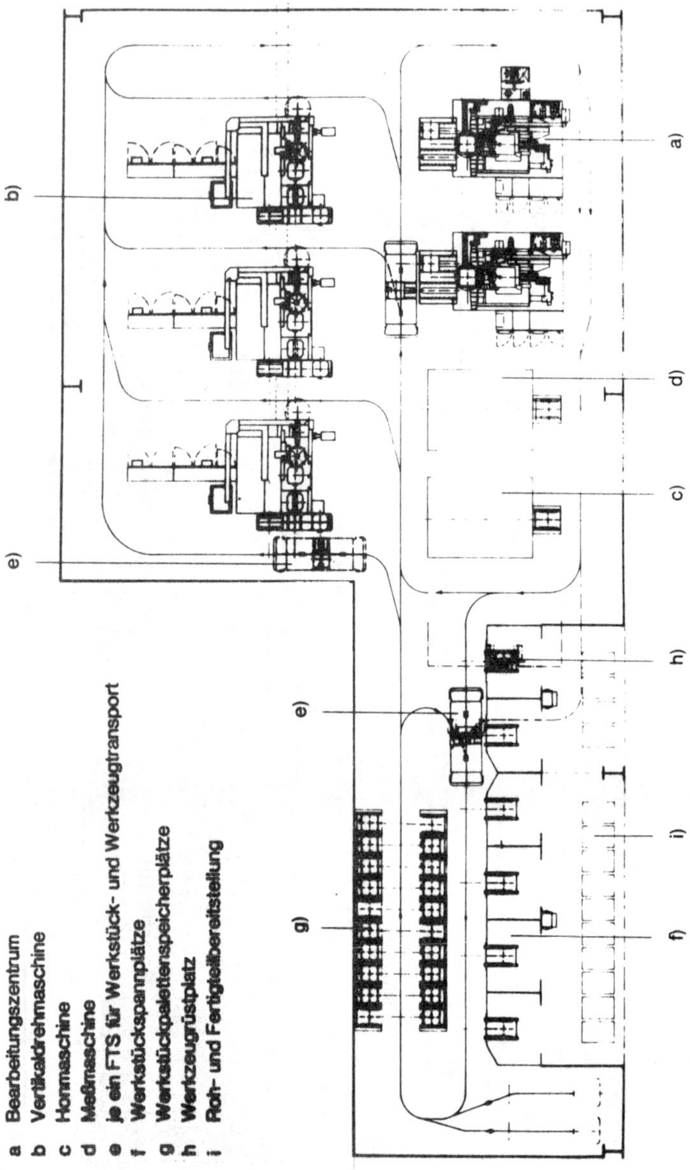

Bild 6: Flexible Fertigungsinsel mit 2 Bearbeitungszentren, 3 Vertikaldrehmaschinen, 1 Honmaschine, 1 Meßmaschine und automatischer Werkstück- und Werkzeugversorgung über induktiv geführte Flurförderfahrzeuge

Bild 7: Werkstückbeschickungssystem mit induktiv geführten Flurförderfahrzeugen (Fa. WAGNER)

Bild 8: 5-Achsen-NC-gesteuerter Flächenportalgreifer zur automatischen Werkstückbeschickung

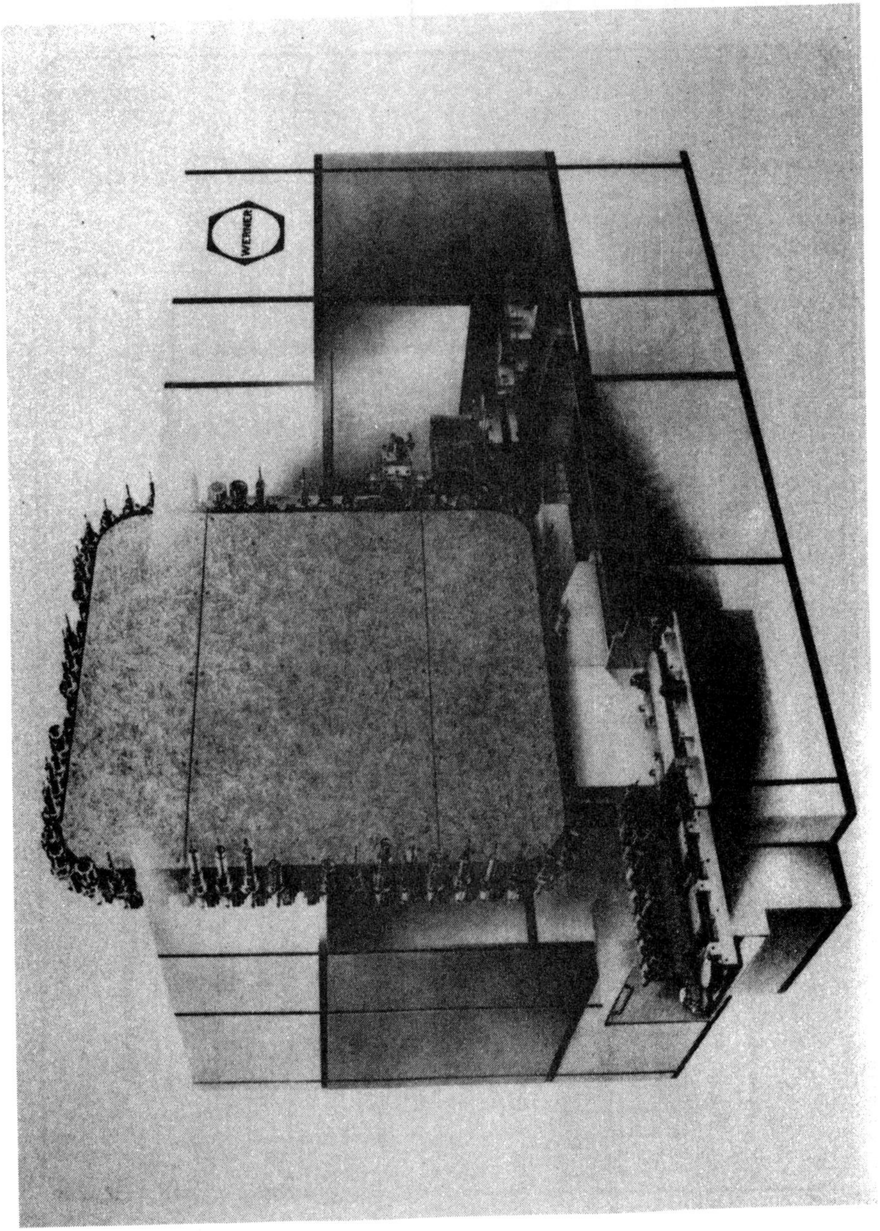

Bild 9: Bearbeitungszentrum mit dem Werkzeugschnellwechselsystem WERNER-QTC

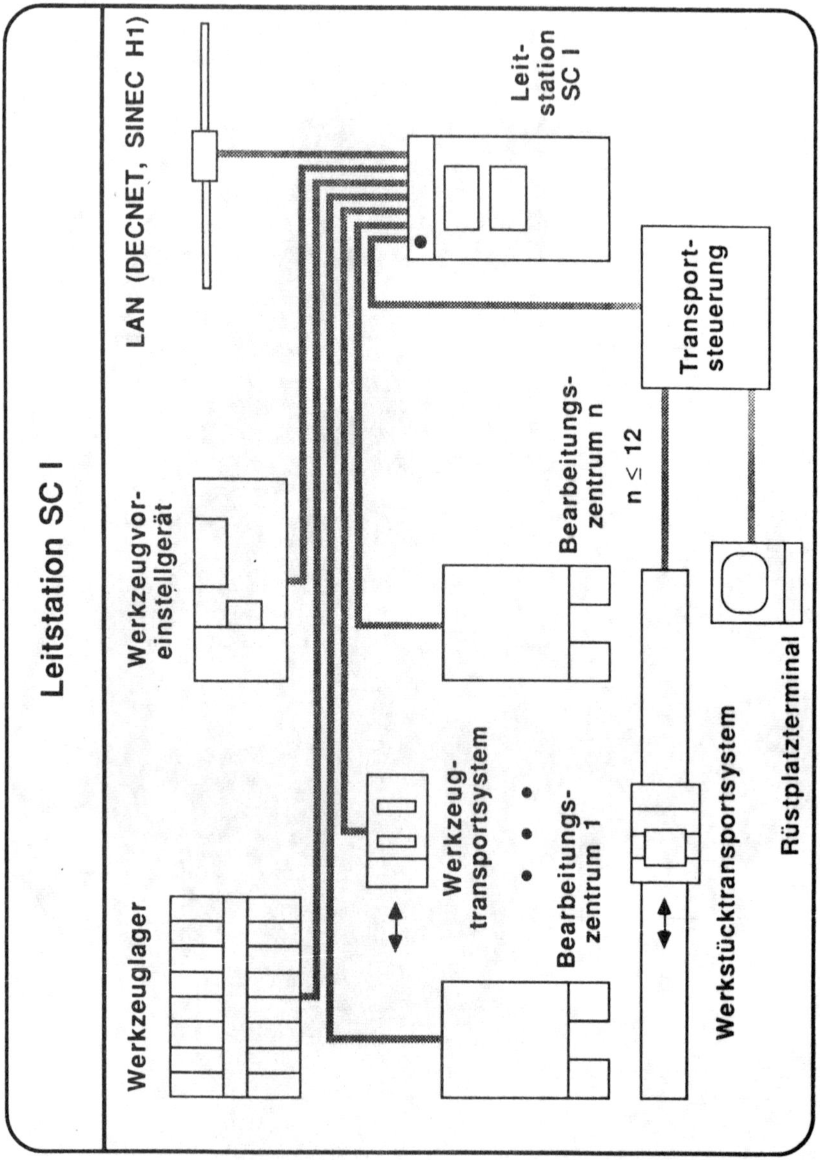

Bild 10: Leitstation für die rechnergeführte Fertigung

Bild 11: Ausführungsbeispiel eines schrittweise aufgebauten flexiblen Fertigungsverbundsystems

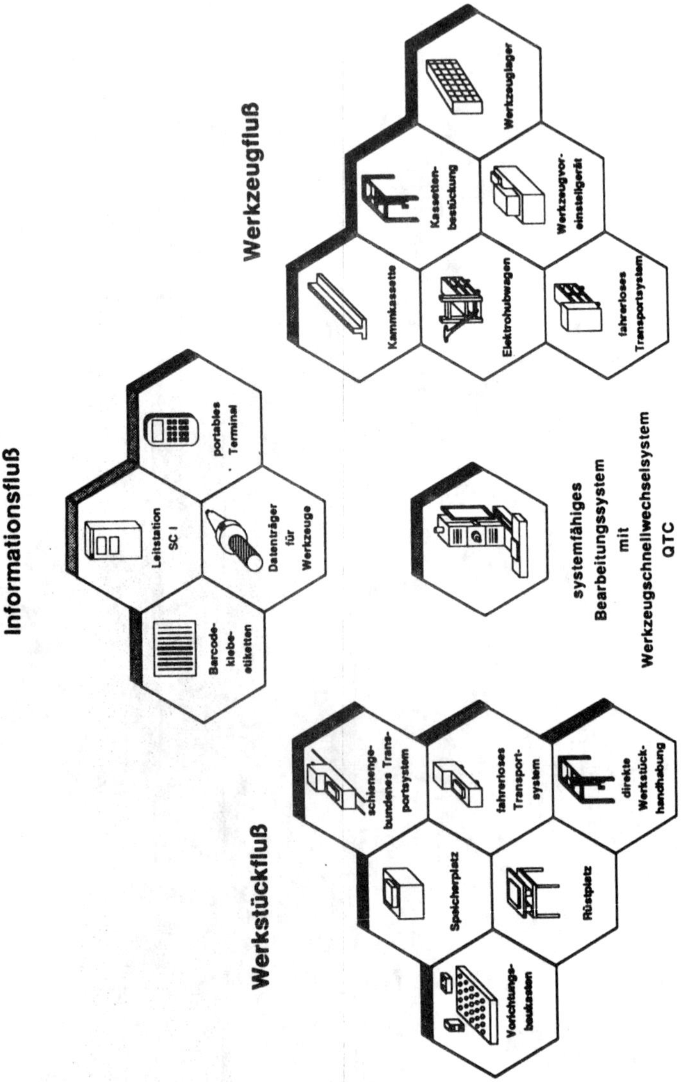

Bild 12: Modulare Komponenten zum stufenweisen Aufbau von flexiblen Fertigungssystemen

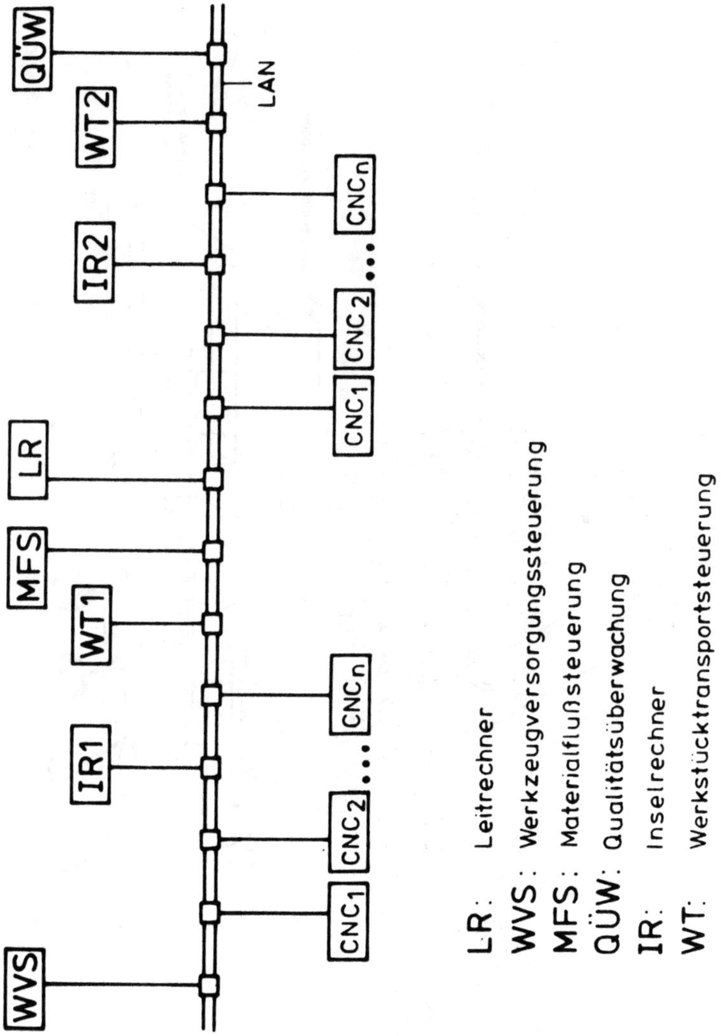

Bild 13: Struktur einer Systemsteuerung für flexible Fertigungsverbundsysteme mit autonomen Rechner- und Steuereinheiten

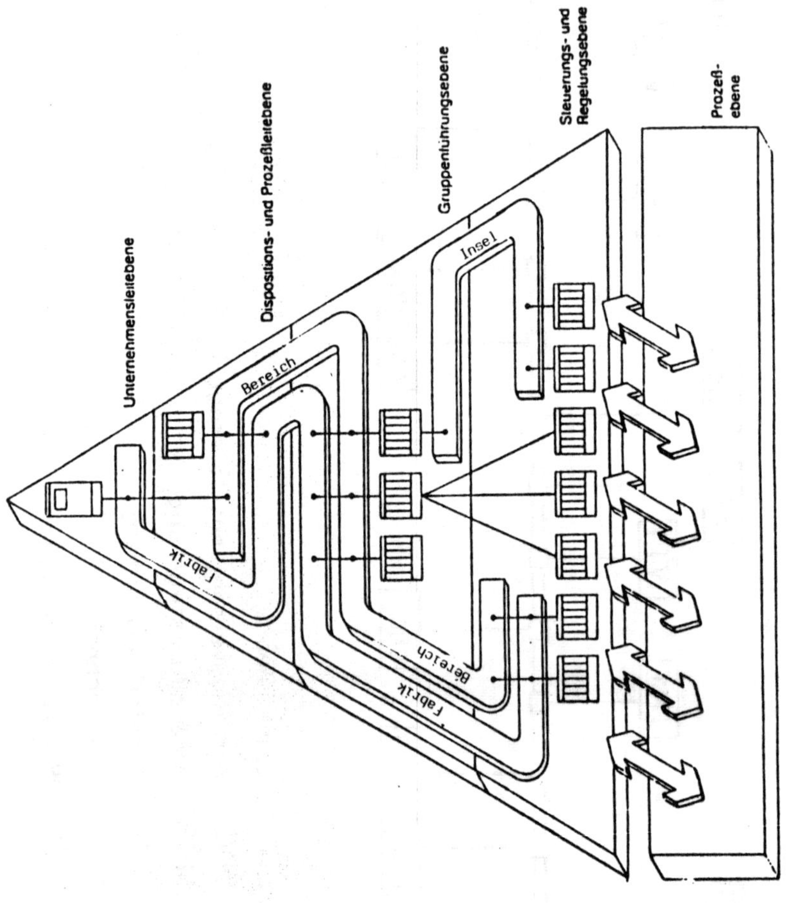

Bild 14: Hierarchische Busstruktur bei einer rechnerintegrierten Fertigung (nach SIEMENS)

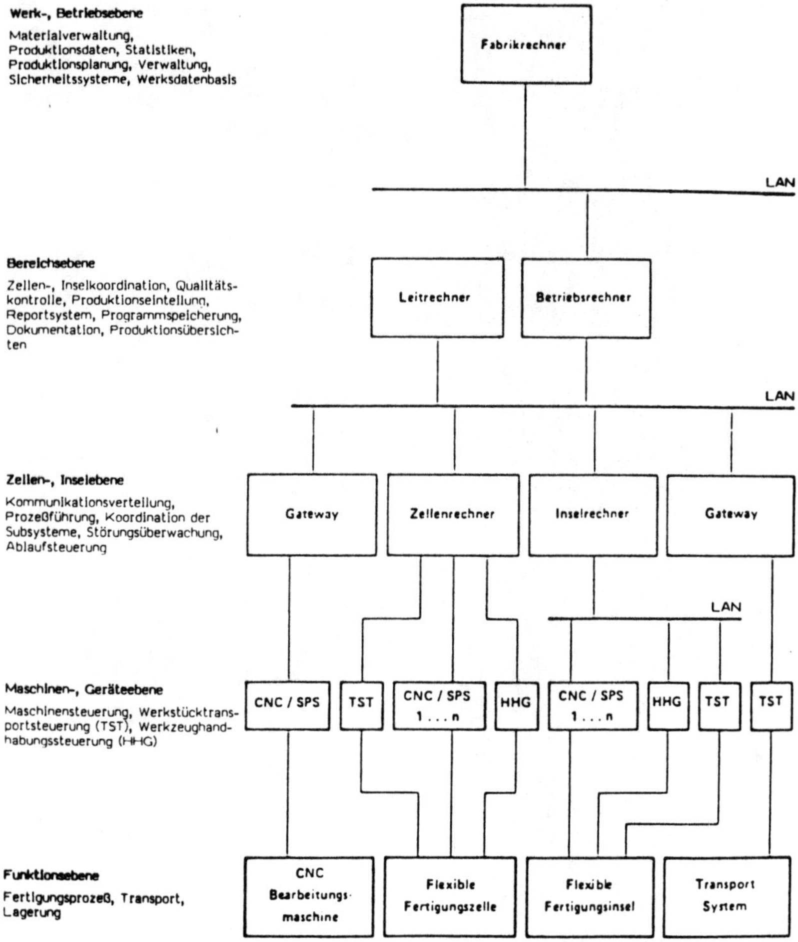

Bild 15: Struktur einer rechnergeführten Fertigung durch lokales Kommunikations- und Rechnerverbundsystem

LOGISTIK:
JIT in der logistischen Kette vom Absatzmarkt bis zu den Lieferanten, dargestellt am Beispiel eines führenden europäischen Herstellers für elektrische Hausgeräte

Dr.-Ing. Ralf Feierabend
Dipl.-Kfm. Alfred M. Reß
Bosch-Siemens-Hausgeräte GmbH, München

Firmencharakteristik:

Die Bosch-Siemens-Hausgeräte GmbH gehört zu den größten Produzenten von weißer Ware in Europa und ist Marktführer in Deutschland. Zum Produktspektrum gehören:

- Wasch- und Trockengeräte
- Kühl- und Gefriergeräte
- Geschirrspüler
- Herde und Mikrowellengeräte
- Kleine Hausgeräte
- Braune Ware
- Sonstiges

Die gesellschaftsrechtliche Gliederung stellt sich wie folgt dar:

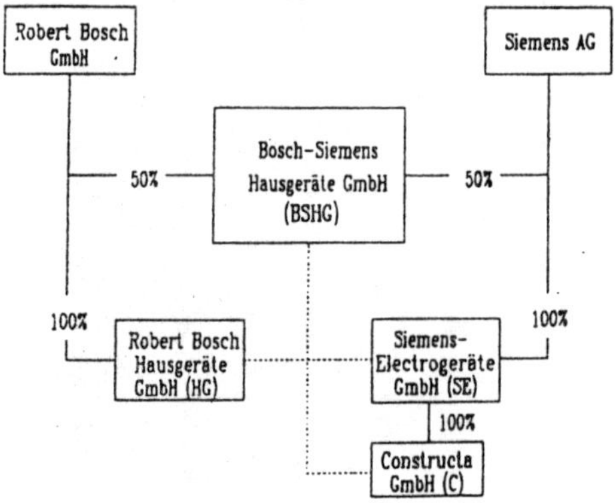

<u>Konsolidierte Beteiligung der BSHG</u>
Neff GmbH (100%)

<u>Nicht Konsolidierte Beteiligung der BSHG</u>
Bosch-Siemens Hausgeräte Altersfürsorge GmbH (100%)
Pitsos S.A (55%)
Vertriebs- und Kundendienstgesellschaften im Ausland

Bild 1

Das Unternehmen erzielte in den letzten Jahren einen ständigen Umsatzzuwachs bei steigender Produktivität.

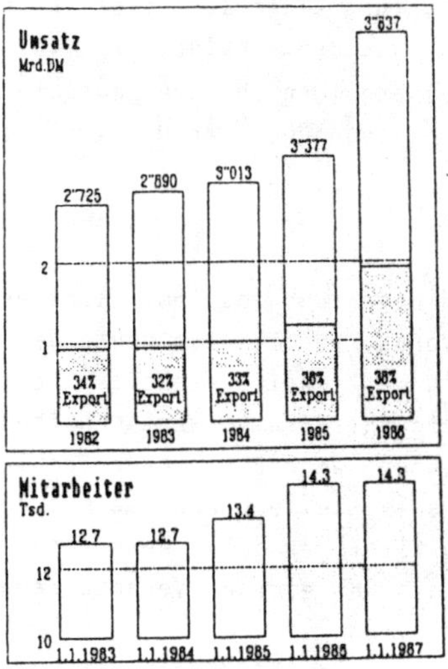

Bild 2

Logistik in der BSHG

In der BSHG wird Logistik als System zur ertragsoptimalen Steuerung sämtlicher Material- und Warenbewegungen innerhalb und außerhalb eines Unternehmens verstanden - von der Güterbeschaffung bis zur Lieferung der fertigen Produkte an die Gebraucher (s. Anlage Bild 3).
Sie umfaßt damit die Versorgung der Produktion mit Materialien, die integrierte Bedarfsplanung und die Warenverteilung einschließlich der damit verbundenen Planungs-, Steuerungs-, Informations- und Kontrollsysteme.

Aufbauorganisatorisch ist die Logistik in der BSHG in zentrale (Fertigwarenwirtschaft) und dezentrale (Werkslogistik) Funktionsbereiche gegliedert. Ablauforganisatorisch ist die integrierte Steuerung und Ausführung aller logistischen Funktionen dadurch gewährleistet, daß Systementwicklung, Zielvorgabe und Logistik-Controlling zentral erfolgen und die Zentrale Logistik ein fachliches Weisungsrecht gegenüber der Werkslogistik hat.

Zentrale Logistik

Speziell vor dem Hintergrund des immer stärker werdenden internationalen Wettbewerbs, stellt sich heute die Industrie allgemein die Frage nach der jeweils richtigen Fertigungstiefe. Wird der Abbau der Fertigungstiefe im wertschöpfenden Bereich dann als sinnvoll angesehen, wenn Zulieferer Spezialisierungs-, Mengen- oder sonstige Kosten-Vorteile haben, so muß diese Überlegung zwangsläufig um so richtiger sein, wenn nicht der Wertschöpfung dienende Prozesse aus dem eigenen Verantwortungsbereich ausgegliedert werden.
Diese Überlegung hat bei der BSHG konkret zu 2 Projekten geführt, deren Ergebnis die Ausgliederung logistischer Leistungen an Spediteure war:

- Warenverteilung "Weiße Ware" im Inland
- Lagerung und Warenverteilung "Kleine Hausgeräte" und "Braune Ware"

Warenverteilung "Weiße Ware"

Spezielle Probleme in der Warenverteilung, insbesondere unter JIT-Anforderungen, entstehen durch

- unterschiedliches Anforderungsprofil der jeweiligen Markenvertriebe (Bosch, Constructa, Neff, Siemens)

- Artikelvielfalt (ca. 5.000 Artikel gegenüber ca. 1.500 eines einzelnen Vollsortimenters)

- physikalische Eigenschaften der Produkte (großvolumig mit geringem spezifischem Gewicht, 1 m³ ≈ 100 kg bei Weißer Ware)

- Kundenstruktur (Export, Groß- und Einzelhandel)

Ansatzpunkte für JIT in der Warenverteilung

Ausgangsbasis der Planung bildete die Distributionsstruktur bis zum Jahr 1985.
Die BSHG produziert an 5 Werksstandorten.
Die Fertigerzeugnisse werden im

- Export: direkt ab Werk zum Kunden versandt
- Inland: über 7 Regionalläger und z. T. über zusätzliche Speditionsumschlagspunkte zum Kunden gebracht.

Der Grundgedanke dieses Distributionskonzeptes bestand darin, einen hohen Lieferservice für den Kunden bei möglichst geringen Kosten zu erreichen. Die Inlandsware wurde ohne Zwischenlagerung am Werksstandort zu den Regionallägern (in Kundennähe) transportiert und von da bei Auftragseingang dem Kunden zugestellt (s. Anlage Bild 4).

Neukonzeption der Warenverteilung

Mit zunehmender Leistungsfähigkeit der Speditionen konnten auch bei der BSHG Planungen in Angriff genommen werden, dieses Potential in ein integrales Konzept einzubinden. Ein weiterer wichtiger Baustein ist ein gut ausgebautes EDV-Konzept mit der Möglichkeit der unternehmensübergreifenden Kommunikation (Datenfernübertragung, der Ware vorauseilende Sendungsinformation).

S c h w e r p u n k t e dieser Neukonzeption sind:

- stufenweise Reduzierung der Regionalläger
- gleichzeitiger Ausbau der Fertigerzeugnisläger in den Werksstandorten
- sukzessiver Ausbau des Speditionsumschlagspunkte-Netzes
- Integration europäischer Nachbarländer
- JIT-gesteuerte Produktionplanung
- Einsatz erzeugnisspezifischer Lager- und Transporttechnik

Z i e l e dieser Neukonzeption sind:

- Reduzierung von Sicherheitsbeständen durch Zentralisierung (ein Artikel lagert ausschließlich an einem Standort)
- Wegfall von "Transitbeständen" im Inland durch Reduzierung von Lagerstufen und beschleunigten Transport (Wechsel von der Bahn zum LKW)
- Senkung interner Durchlaufzeiten
- Senkung der Distributionskosten

Realisierungsstand der Neukonzeption Warenverteilung

Die 1. Realisierungsphase wurde im Jahr 1985 begonnen und Ende 1986 abgeschlossen.

- Die 1. Stufe umfaßte die Reduzierung der Regionalläger von 7 auf 4 und gleichzeitige Erweiterung von 3 Werksstandorten.
- In der derzeitigen Übergangsphase werden der gesamte süddeutsche Raum und Berlin von einem Zentrallager über Speditionsumschlagspunkte beliefert.
- Dieses Zentrallager ist an einem Werksstandort errichtet (s. Anlage Bild 5).
  Die übrigen Regionalläger werden zunächst noch nach der bisherigen Philosophie betrieben.
- Bei dieser Realisierungsstufe wurde die vorher berechnete Wirtschaftlichkeit erreicht bzw. übertroffen. Nach einem kurzfristigen Anstieg der Übergangskosten konnte das Kostenniveau unter die geplante Zielgröße abgesenkt werden.
- Die 2. Realisierungsphase beginnt mit der endgültigen Dimensionierung und Layoutgestaltung der Fertigerzeugnisläger an den Werksstandorten.
- Gleichzeitig wird das endgültige Umschlagspunktekonzept eingeführt. Die verbliebenen Regionalläger werden stufenweise aufgelöst. Am Werksstandort werden grundsätzlich nur die Artikel gelagert, die an diesem Standort produziert werden.
- Die Neukonzeption der Warenverteilung wird Mitte 1989 abgeschlossen sein.

Funktionaler Ablauf bei der Neukonzeption Warenverteilung

- Inlandsaufträge, die bis zu einem definierten Zeitpunkt (13.00 h) erfaßt werden, werden innerhalb von 24 h bundesweit an den Kunden ausgeliefert.
- Bei der Auftragserfassung in den Verkaufsbüros werden die

Aufträge DV-maschinell auf die einzelnen Lagerstandorte (Grundsatz: Ein Artikel lagert nur an einem Standort) gesplittet und per DFÜ übertragen.

- Diese gesplitteten Aufträge werden an den Lagerstandorten zu Kommissionieraufträgen pro Umschlagspunkt komprimiert, bearbeitet und an die Umschlagspunkte ausgeliefert.
- Der Spediteur am Umschlagspunkt erhält bereits nach Auftragserfassung die der Ware vorauseilende Information für Dispositionszwecke.
- Bei Eintreffen der Ware am Umschlagspunkt kennt der Spediteur bereits den Inhalt der Transportmittel und die Endzielorte (einschließlich Auslieferungsrestriktionen) der Ware.
- Am Umschlagspunkt wird die von dem jeweiligen Werksstandort ankommende Ware auf die Nahverkehrsfahrzeuge umgeschlagen. Die Nahverkehrsfahrzeuge beliefern den Kunden. Dieser Vorgang wird beispielhaft für einen Umschlagspunkt im Bild 6 (s. Anlage) dargestellt.
- Die Belieferung der Inlandskunden wird über 20 Umschlagspunkte vorgenommen (s. Anlage Bild 7). Großkunden werden direkt ab Werksstandort beliefert.
- Exportaufträge werden grundsätzlich ab Werksstandort direkt versandt.

Lagerung und Warenverteilung "Kleine Hausgeräte" und "Braune Ware"

Kleine Hausgeräte und Braune Ware unterscheiden sich physikalisch erheblich von Großgeräten der Weißen Ware. Während z. B. Kühlschränke ausschließlich im Blockstapel gelagert und mit Klammerstaplern bewegt werden, handelt es sich bei beiden hier behandelten Produktbereichen überwiegend um palettierte Ware.
Die technischen Einrichtungen der BSHG für diese Produkte arbeiteten wenig effizient; wegen der relativ geringen Bedeutung hatte man ihnen wenig Aufmerksamkeit gewidmet.
Ein weiteres gemeinsames Problem dieser Produktbereiche ist der stark ausgeprägte Saisonverlauf, mit dem absoluten Saisonhöhepunkt im Weihnachtsgeschäft.
Daraus resultiert die Notwendigkeit, große Lagerkapazitäten vorzuhalten, die nur über einen relativ kurzen Zeitraum benötigt werden.
Zusätzlich ergab eine Auftragsstrukturanalyse, daß Kleine Hausgeräte und Braune Ware zum weitaus überwiegenden Teil nicht mit Weißer Ware gemeinsam bestellt werden, sondern als getrennte Sendung zum Kunden geschickt werden müssen. Damit entfiel ein wesentliches Argument für die Eigenbewirtschaftung des Lagers, nämlich, daß diese Produkte in Verbindung mit Weißer Ware sehr kostengünstig - sozusagen als "Trittbrettfahrer" - verteilt werden können.

Die mit der Ausgliederung der Lagerhaltung und der Trennung der Warenverteilung beabsichtigten wirtschaftlichen Effekte wurden in vollem Umfang erreicht, Hauptgründe hierfür sind:

- Der Beauftragte Spediteur stellt ein für Palettenlagerung spezialisiertes Lager zur Verfügung

- Der Kommissionierbetrieb ist optimal auf die physikalischen Eigenschaften und auftragsstrukturellen Belange der Produkte abgestimmt

- Es werden nur die Kapazitäten bezahlt, die tatsächlich genutzt werden, d. h. der Spediteur sorgt durch Lagerung und Kommissionierung von fremden Produkten mit anderem Saisonverlauf für einen Ausgleich

- Für die Warenverteilung wird neben der Spedition auch ein Paketdienst eingesetzt, der im Gewichtsbereich bis 25 kg wesentlich kostengünstiger arbeitet als Spediteure

JIT-Projekte im Hausgerätewerk Traunreut

Seit etwa einem Jahr sind mit einigen Zulieferern JIT-Anlieferungen von Fremdteilen realisiert. Sowohl die eigenen Mitarbeiter als auch die der Zulieferer mußten erst von der Idee überzeugt werden.
Inzwischen ist es aber gelungen, alle Beteiligten zu motivieren, so daß die Zahl der JIT-Anlieferungen ständig steigt. Bild 8 zeigt drei unterschiedliche Anlieferungskategorien. Ziel ist es, daß die Lieferantengruppe A sukzessive in B und schließlich in C übergeführt wird.

Unsere Erfahrungen sind positiv, doch möchte ich trotzdem nochmals auf folgende Risiken/Restriktionen bei JIT-Anlieferungen hinweisen:

- Transport
- Entfernung
- Landesgrenzen
- Anzahl der Lieferanten
- Lieferantenwechsel
- Kapazität der Lieferanten
- Preis
- Qualität

Für einen Teil unserer Komponenten bietet sich die Errichtung eines Speditionslagers an, z. B. ausländische Zulieferer, Komponenten mit relativ aufwendiger Qualitätseingangsprüfung, Exoten-Teile etc. (Bild 9).

Die Vorteile sind:

- weniger Lagerstufen
- geringere Frachtkosten
- weniger Handling im Werk (Produktionsflächen-Produktivität versus Lagerflächen-Produktivität)

- kommissionierte Anlieferung direkt an Produktionslinie

<u>Verknüpfung Gebietsspediteur und Umschlagspunkt (UP)</u>

Nachdem wir im Fertigwarenbereich die UP's realisiert haben, wollen wir diese Stellen für den Umschlag unserer Zuliefererteile mitbenützen (Bild 10).

Die Vorteile sind:

- geringere Frachtkosten
- bessere Ausnutzung des UP (Kostendegression)
- Durchlaufzeitenreduzierung
- Anlieferung tages-/stundengenau
- Reduzierung der Bestände
- Reduzierung Beschaffungs-Controlling

<u>Absatzplanungs- und Dispositionsebenen</u>

In Japan und Korea hat man JIT und Kanban realisiert, aber - nach unseren Erfahrungen vor Ort - auf Kosten der Verkaufsflexibilität (z. T. starre Produktionspläne bis zu 30 AT).
Anders als die japanischen und koreanischen Hersteller von "Weißer Ware" müssen wir auf Verkaufsveränderungen kurzfristig reagieren und die Kundenwünsche in kürzester Zeit realisieren.

Dies hat dazu geführt, daß wir ein Pilotprojekt "Produktedisposition im HWT" erarbeitet haben, zusammen mit Herrn Prof. Dr. Wildemann und seinen Mitarbeitern. Ziel ist es, eine durchgängige Logistik zu schaffen, die schneller auf Marktveränderungen reagiert, das Produktionswerk noch stärker kundenorientiert und damit auch den Zulieferer schneller in den veränderten Teilebedarf mit einbezieht.

Istsituation

- Kunden, Vertriebsbereiche und Zentrales Marketing operieren Marken-orientiert (Bosch/Siemens/Constructa...), die Werksdisposition hingegen Produkt- bzw. Produktgruppen-orientiert (Standherd/Einbauherd...).

- Aus dieser Konstellation resultieren vielfältige informatorische Schnittstellen, lange Informationsdurchlaufzeiten und eine eingeschränkte Planungs- und Dispositionsqualität.

- Zwischen Zentralem Marketing und Disposition Traunreut kommt es regelmäßig zu mindestens drei Abstimmungsprozessen, bis die Produktionsprogrammerstellung abgeschlossen ist.

- Terminzusagen gegenüber dem Kunden werden in der Regel ohne Berücksichtigung der Kapazitätssituation des Werkes und vor dem Programmabstimmungsprozess (Nettodisposition Stufe 2) getroffen.

- Innerhalb der Disposition Traunreut werden von unterschiedlichen Dispositionsgruppen (DZ/DZM/DZV/DZB) Vertriebskontakte, Montageplanung, Teilefertigungssteuerung, Beschaffung abgewickelt.

==> Formalisierungsgrad, Zielgerichtetheit, Planungsqualität, Planungssystematik und Produkteverantwortlichkeit sind nicht durchgängig gewährleistet!

Sollvorstellung

- Zur Verbesserung des Informationsdurchsatzes, der Informationsqualität und der Reaktionsfähigkeit des Gesamtsystems ist die Realisierung eines "small factory"-Konzeptes erforderlich.

- Dabei wird angestrebt, alle in Verbindung mit der Herstellung einer definierten Produktgruppe anfallenden dispositiven Tätigkeiten einer spezifischen Produktedisposition zu übertragen.

- Diese Einzelperson/Gruppe nimmt auf Basis der von ZM erstellten Absatzplanung alle Funktionen der Bedarfsermittlung, Programmplanung, Beschaffung und Steuerung produktgruppenbezogen vor.

- Damit erfolgt eine Konzentration der Verantwortlichkeit, des Know-hows und der Auskunftsfähigkeit bezüglich einer Produktgruppe auf eine einzige Instanz.

- Dieses Konzept soll im Rahmen eines Pilotprojektes HF 84 in Traunreut realisiert werden und wird durch die derzeitige Zuordnung von Montageplanern zu Montagelinien begünstigt.

==> Eine durchgängige Logistik kann pilotprojektartig erprobt werden!

Bild 3

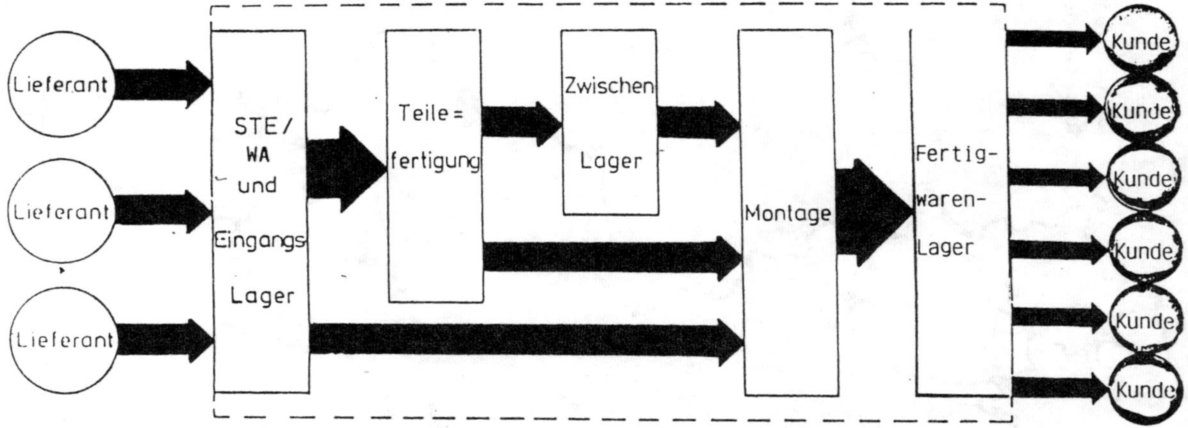

FUNKTIONEN DER INDUSTRIE - LOGISTIK

Planungs-Funktionen
- Standort-Planung
- Distributionsstruktur-Planung
- Materialfluß-Planung
- Lager-Planung
- Verpackungsentwicklung

Operative Funktionen
- Materialfluß
- Lagerhaltung
- Bestandsmanagement
- Beschaffung
- Transport/Verkehrswesen
- Verpackung
- Entsorgung

Service-Funktionen
- Auftragsbearbeitung
- Bedarfsermittlung
- Disposition
- Programmplanung (kurzfr.)
- Fertigungssteuerung

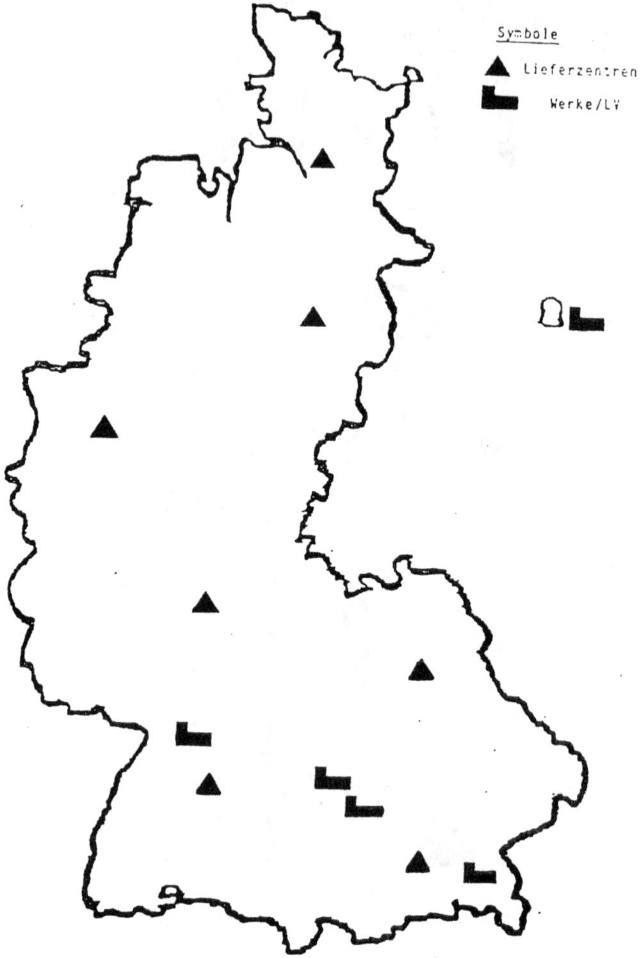

BSHG	Bild 4 Istzustand der Distributionsstruktur 1985	LOG 08/87

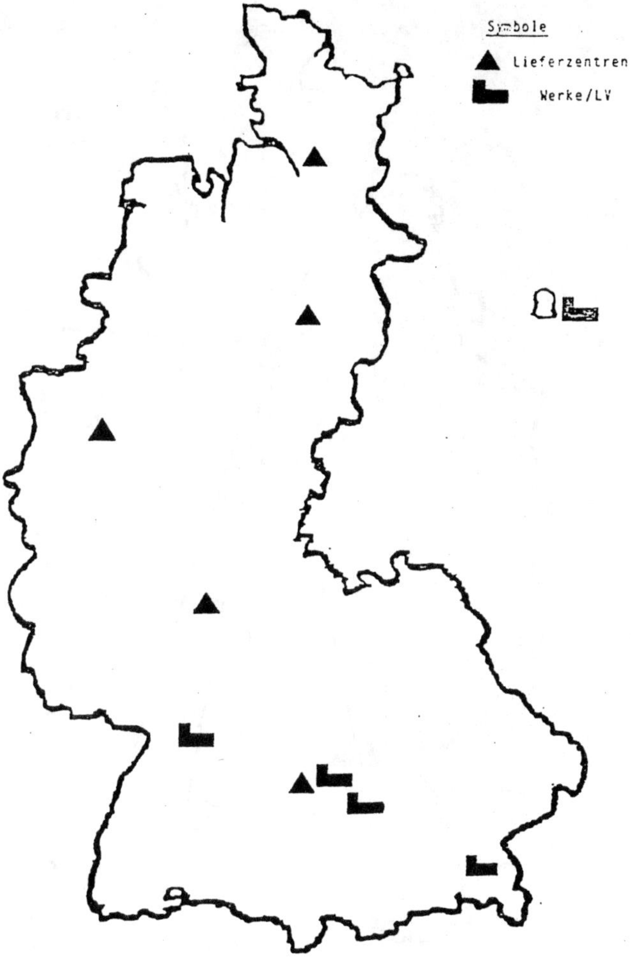

BSHG	Bild 5 Istzustand der Distributionsstruktur 1987	LOG 08/87

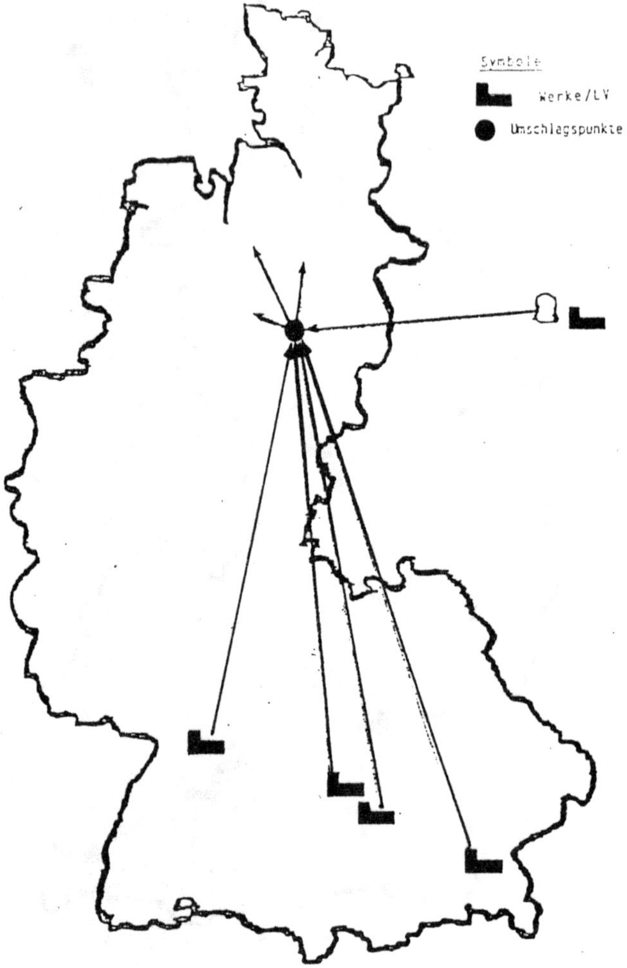

BSHG	Bild 6 Umschlagspunktesystem	LOG 08/87

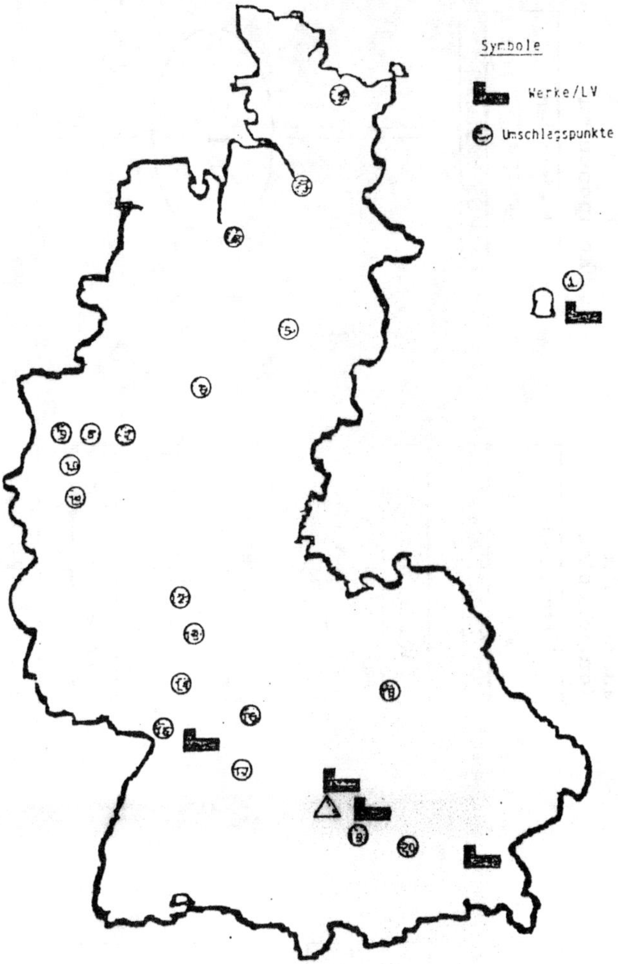

BSHG	Bild 7 Geografische Verteilung bei 20 Umschlagspunkten	LOG 08/87

Bild 8

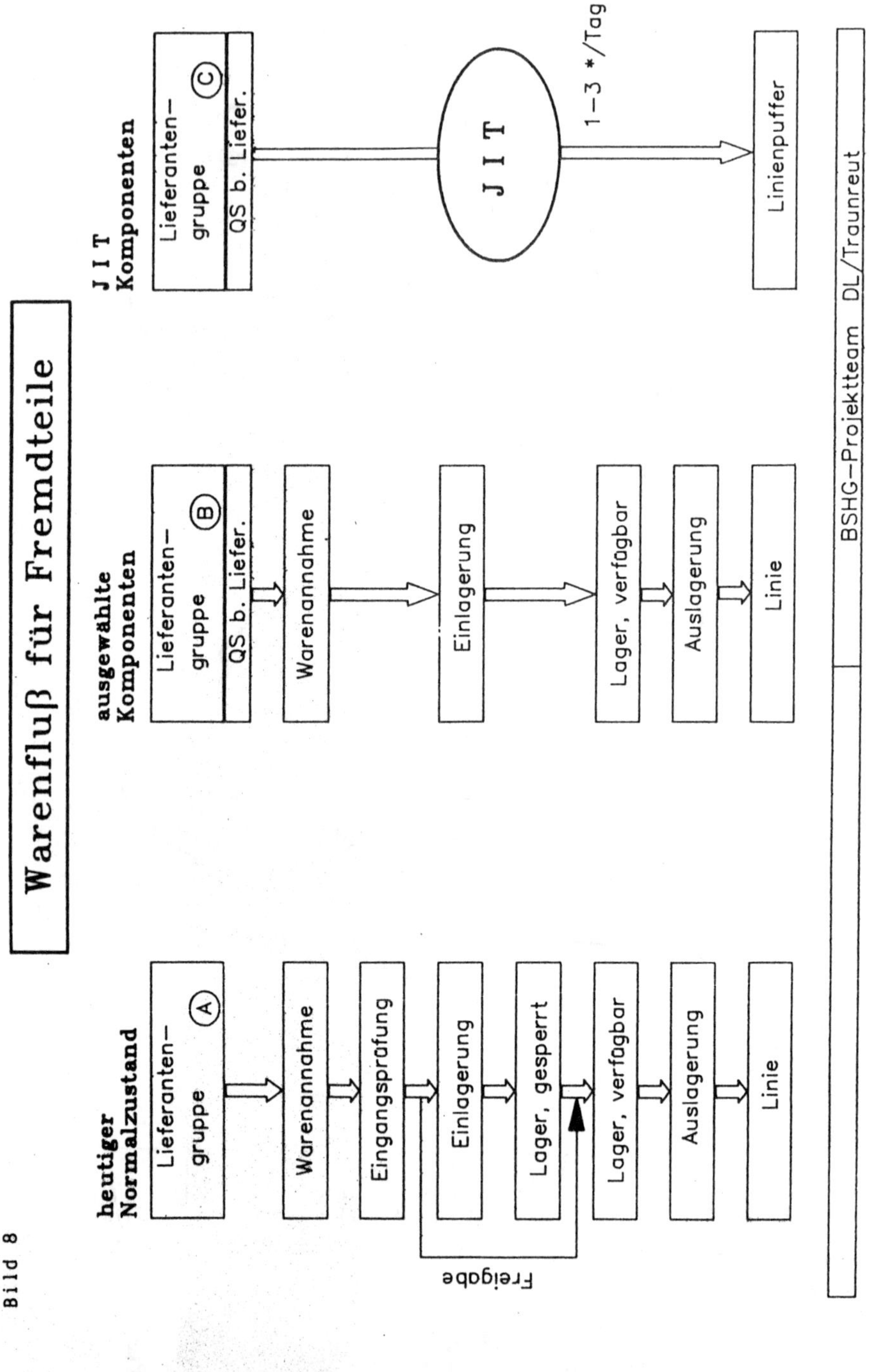
Warenfluß für Fremdteile
heutiger Normalzustand
Lieferanten-gruppe A
Warenannahme
Eingangsprüfung
Einlagerung
Lager, gesperrt
Freigabe
Lager, verfügbar
Auslagerung
Linie
ausgewählte Komponenten
Lieferanten-gruppe B
QS b. Liefer.
Warenannahme
Einlagerung
Lager, verfügbar
Auslagerung
Linie
J I T Komponenten
Lieferanten-gruppe C
QS b. Liefer.
J I T
1–3 */Tag
Linienpuffer
BSHG–Projektteam DL/Traunreut

Bild 9

Speditionslager (Planung)

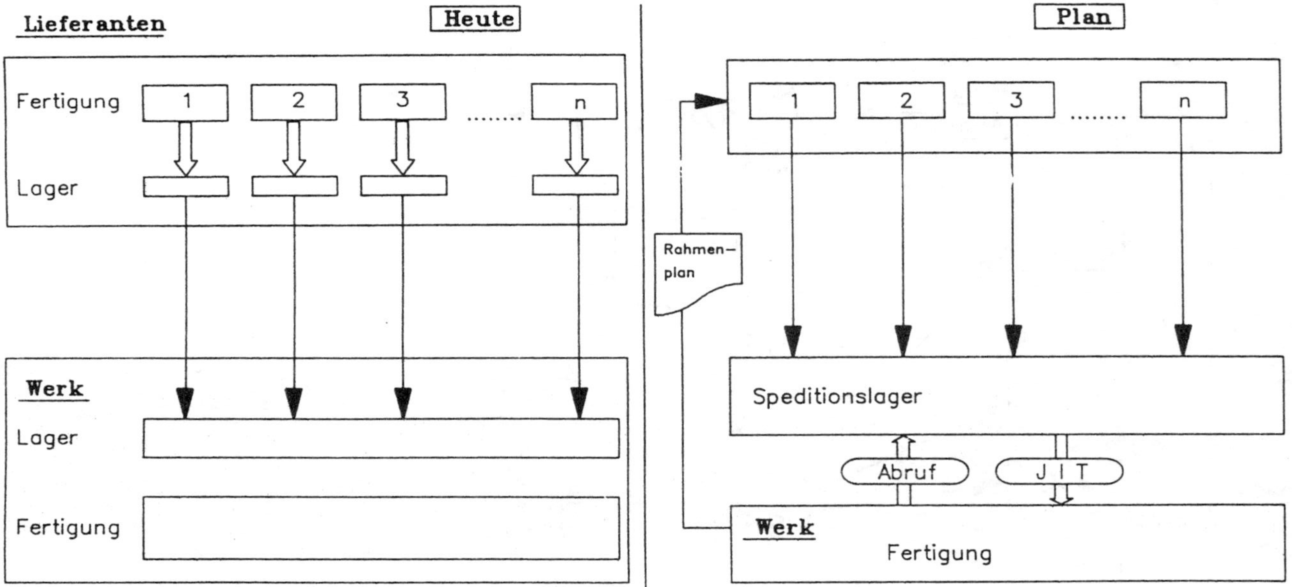

Vorteile:
- eine Lagerstufe weniger
- Frachtkostenoptimierung
- weniger Handling im Werk
- JIT-Anlieferung im notwe ndigen MIX

BSHG-Projektteam DL/Traunreut

Bild 10

Gebietsspediteure / UP (Planung)

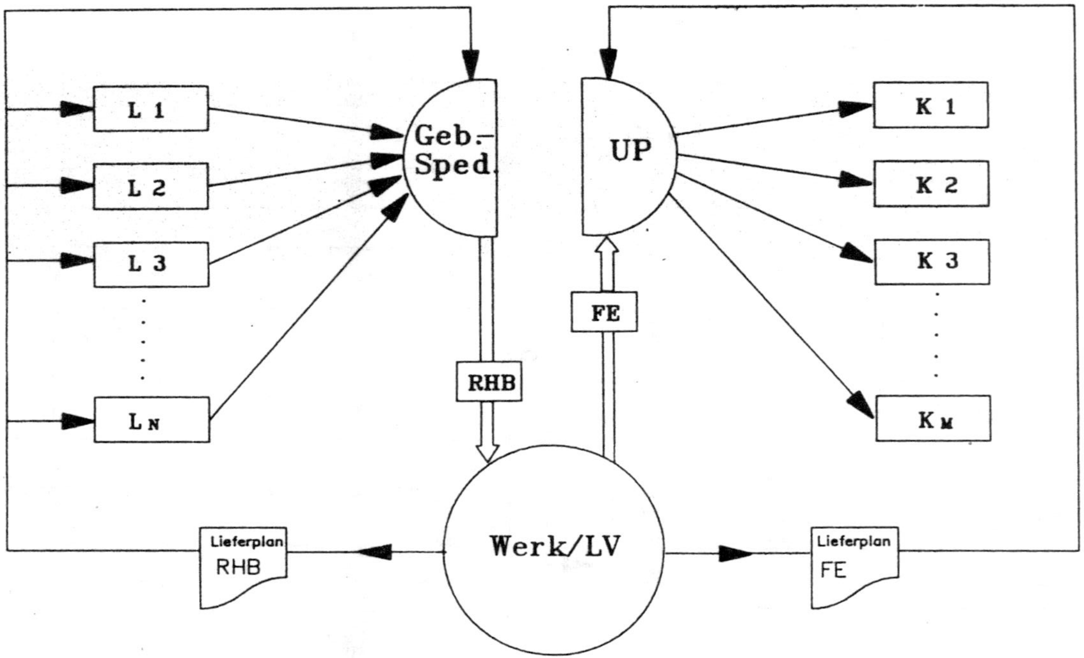

PRODUKTIONSMANAGEMENT:
Beispiel einer modularen Fabrik: Kundenorientiertes Produktionsmanagement in der Autoelektronik

Dr.-Ing. Hermann Nestler
Siemens AG, Regensburg

Beispiel einer modularen Fabrik: Kundenorientiertes Produktionsmanagement in der Autoelektronik

Produktspektrum und Besonderheiten des Geschäftes:

Das Autoelektronikgeschäft der Siemens AG wird in einem ihrer jüngsten Geschäftsgebiete, genannt "Steuer-, Regel- und Informationssysteme" innerhalb des Geschäftsbereiches "Automobiltechnik (AT)" betrieben. Unser Produktspektrum überstreicht alle wesentlichen Funktionen des Automobils mit Ausnahme der Unterhaltungselektronik; Karosserieelektronik, Informationssysteme, Motor-, Fahrwerk- und Antriebssteuerung (Bild).

Unsere Umsatzentwicklung ist geprägt von der starken Zunahme des Elektronikanteils im Auto. Wir wachsen stärker als der Markt. Um dieses Wachstum zu bewältigen, wurde und wird in Regensburg umfangreich investiert in Entwicklung, Produktion und Prüfstände einschließlich Infrastruktur.

Die Besonderheiten unseres Geschäftes (Bild) verlangen hervorragende logistische Strategien und Leistungsfähigkeit, höchste Beweglichkeit sowie absolute Spitzenqualität der Produkte, die sich in der bekannt schwierigen Fahrzeugumwelt bewähren müssen.

Kundenorientierung und Strategie des Fließens:

Um diesen hohen Anforderungen gerecht zu werden, haben wir unsere Prioritäten sehr früh bei der Formulierung unserer Logistikleitlinien gesetzt und konkrete Maßnahmen daraus abgeleitet (Bild).

Die Markt- und Kundenorientierung, die Strategie des Fließens (Bild), die Organisation in kleinen Einheiten mit umfassender Verantwortung und andere noch zu diskutierende Aspekte sind wesentliche Voraussetzungen in unserem Geschäft.

Aufbau- und Ablauforganisation:

Um Schnittstellenprobleme zu eliminieren, wurde die traditionelle Aufbauorganisation (Bild) geändert und die Fertigungssteuerung in die neu geschaffenen Produktlinien integriert (Bild).

Für die zahlreichen, terminlich sehr engen Neueinführungen wurde ein DV-gestütztes Projektmanagement installiert (Bild). Ein Projektleiter sorgt voll verantwortlich für die notwendige enge Abstimmung mit dem Kunden und den Beteiligten aus Fertigung- und Qualitätssicherung. Herausragende Bedeutung haben die neu geschaffenen Meilensteine Konzeptprotokokll und Fertigungsprotokoll.

In der Serienbelieferung müssen wir den Servicegrad 1 sicherstellen. Nichteinhalten der Lieferabrufe des Kunden bedeutet Bandstillstand. Um einen Bandstillstand zuverlässig zu vermeiden, haben wir uns nach der Philosophie der kleinen Einheiten organisiert; logistikorientierte, produktbezogene Konzentration der Verantwortung, sehr schlagkräftig und flexibel (Bild).

Die Produktionssteuerung ist durch DV-gestützte wöchentliche Einlastung der Anträge und durch Selbststeuerung der Werkstätten bzw. Produktlinien basierend auf KANBAN-ähnlichen Abrufverfahren und integriertes Fertigen und Prüfen bestimmt.

Informations- und Kommunikationssystem:

Unabdingbar für die Leistungsfähigkeit eines Unternehmens ist die Qualität des DV-Systems. Wir haben einen Rechnerverbund mit LAN (Local Area Network) zwischen dem Großrechner (BS 2000), den Workstations und PC's in allen Bereichen geschaffen (Bild). Damit können unter Nutzung der zentralen Datenhaltung im Großrechner über Filetransfer die Datenverarbeitung vor Ort und der Datenaustausch, z.B. zwischen Entwicklern und Fertigungsplanern aktuell sichergestellt werden.

Auch in der Fabrik- und Layoutplanung bedienen wir uns der DV-Unterstützung. Eine besonders hohe Bedeutung hat die Nutzung der DV für ein straffes, effektives Fertigungscontrolling (Bild).

Produktionsmanagement:

Wir haben zur ständigen Optimierung unserer werkstattnahen Aktivitäten besondere Akzente gesetzt. Dazu gehört in aller erster Linie die aktive und umfassende Qualitätssicherung (Bilder). Zusammen mit den Mitarbeitern in allen Ebenen können wir uns über große Erfolge freuen und andererseits bekennen, daß dies nur durch harte Arbeit im Detail an "allen Fronten" möglich war.

Die Aufgaben unserer Linienverantwortlichen "vor Ort" erweitern sich ständig und bekommen auch neue Schwerpunkte (Bild). Dazu gehört auch Visualisieren bzw. Präsentieren in der Fabrik (Bild) zur Unterstützung unseres Vertriebes und der Geschäftsleitung.

Zum Handwerkszeug im Tagesgeschäft gehören das Überwachen der Lohnanteile im Sinne des Wertschöpfens (Bild) und die vorbeugende Instandhaltung der Produktionsanlagen (Bild). Wir nutzen diese Instrumente konsequent zur Produktivitätssteigerung und Gemeinkostensenkung.

Zu wenig praktiziert, aber nach den Erfahrungen mit den Audits unserer Kunden in unserem Hause unabdingbar, ist die Einbeziehung unserer Material- und Maschinenlieferanten in das kundenorientierte Managementkonzept. Dabei geltende Grundsätze sind im Bild "Zukunftsorientierte Maschinenbeschaffung" aufgezeigt.

Wenn wir die erörterten, kundenorientierten und gleichzeitig zukunftssichernden Schwerpunkte konsequent und erfolgreich umsetzen, werden wir eine Disziplin weiterhin sicher benötigen, die öfters in euphorischen CIM- und Automatisierungsdiskussionen auf der Strecke bleibt:
die Arbeitswirtschaft (Bild). Wir haben diese Fachabteilung verstärkt und mit hochqualifizierten Fachleuten besetzt. Gleichzeitig wird uns damit deutlich, daß der engagierte und motivierte Mitarbeiter in der Fabrik der Zukunft dringend gebraucht wird.

Zusammenfassend können wir feststellen:
Kundenorientiertes Produktionsmanagement ist ein schwer zu kopierender Wettbewerbsvorteil (Bilder)! Jeder muß dabei seinen eigenen Weg suchen.

PRODUKTIONSMANAGEMENT:

Beispiel einer modularen Fabrik

Dr.-Ing. Hermann Nestler

Elektronikwerk Regensburg

SIEMENS — **Automobiltechnik**

Produktspektrum:

Marktentwicklung: Mittelwert/Wagen 240,-DM/W. (1985) —— +21% ——> 640,-DM/W. (1990)

Informationssysteme

Bordcomputer
Sensoren
Instrumentierung / Anzeigen
Navigationssysteme
Check-Control

Karosserieelektronik

Elektr. Relais
Schließsysteme
Airbag-Diagnose

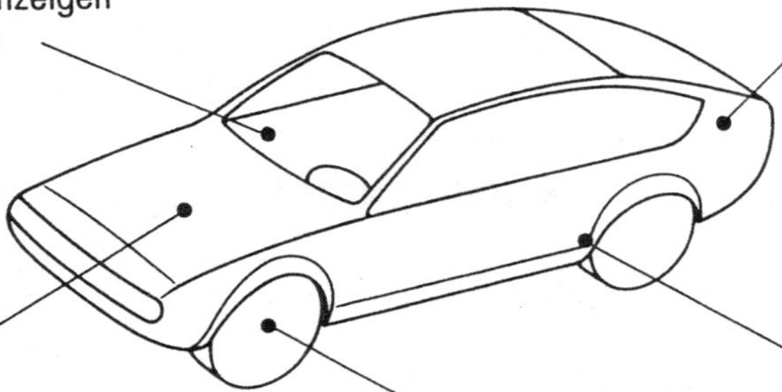

Motorsteuerung

Zündung
Einspritzung
Integrierte Motorsteuerung

Fahrwerkssteuerung

Fahrdynamik

Antriebssteuerung

Automatisch zuschaltbarer Allradantrieb
Automatisch zuschaltbares Sperrdifferential
Getriebesteuerung

Kundenorientiertes Produktionsmanagement in der Autoelektronik

AT S F
10/88

Besonderheiten unseres Geschäftes:

- **Ständiges Wachstum:** **Ø >25% Umsatzzuwachs/Jahr**
  z.B.: 17 Neueinführungen 1987
  1980: 40 Produkte
  1988: ca. 400 Produkte

- **Schnelligkeit der Produktentwicklung und -einführung**
- **Änderungen und schwankende Abrufe erfordern hohe Reaktionsfähigkeit der Produktion**
- **kurze Produktlebensdauer: 3-5 Jahre**
- **fixe Termine zur Einführung**
- **Servicegrad = 1 in der Serienbelieferung: kein Bandstillstand**
- **Kundenstruktur: wenige Automobilhersteller mit starker Käufermacht**
- **höchste Qualitätsanforderungen an Elektronikprodukte in der schwierigen Fahrzeugumwelt**

Prioritäten bei Logistik-Leitlinien

- Markt- und Kundenorientierung
- Strategie des Fließens als Synthese von Flexibilität und Produktivität
- ganzheitliche Top-Down-Planung (alle Funktionen am Standort)
- Einbeziehen der Teile- und Maschinenlieferanten als Partner

... und daraus abgeleitete Maßnahmen

- Optimierung der Aufbauorganisation
- Integration der Fertigungssteuerung
- Neugestalten der Ablauforganisation
- Änderung der Fertigungsstrukturen in autonome, spezialisierte Produktlinien mit integrierter Montage, Prüfung und Reparatur: Fertigungsinseln unter personifizierter Verantwortung
- Aufbau durchgängiger Informationssysteme

Strategie des Fließens ist Basis der Marktorientierung:

- Flußgerechte Organisation
- Entwicklung prozeßgerechter Produkte
- Flexible Anlagenverkettung
- Flexible Mitarbeiter und Betriebsmittel
- Hohe Prozeßsicherheit
- Hohe Anlagennutzung
- Kurze Rüstzeiten, kleine Lose
- Durchgängige Informationssysteme

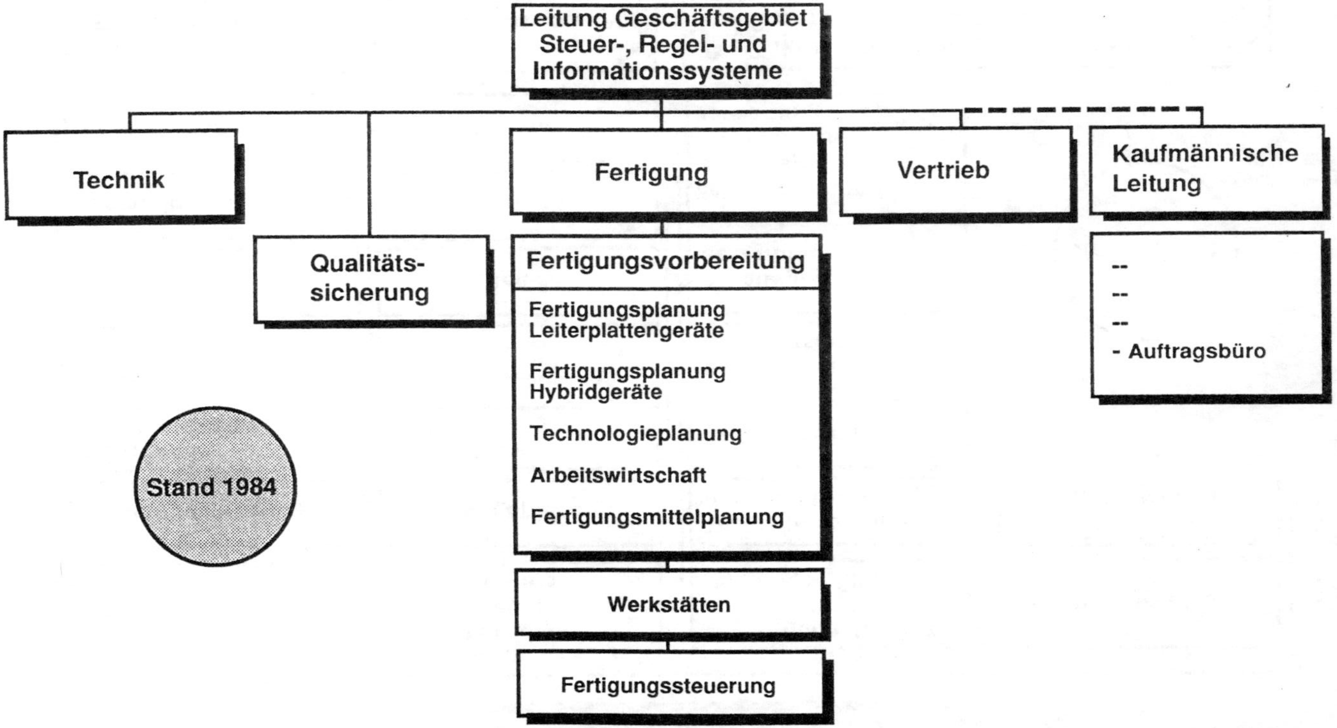

Kundenorientiertes Produktionsmanagement in der Autoelektronik

AT S F
10/88

SIEMENS

Geschäftsgebiet AT S

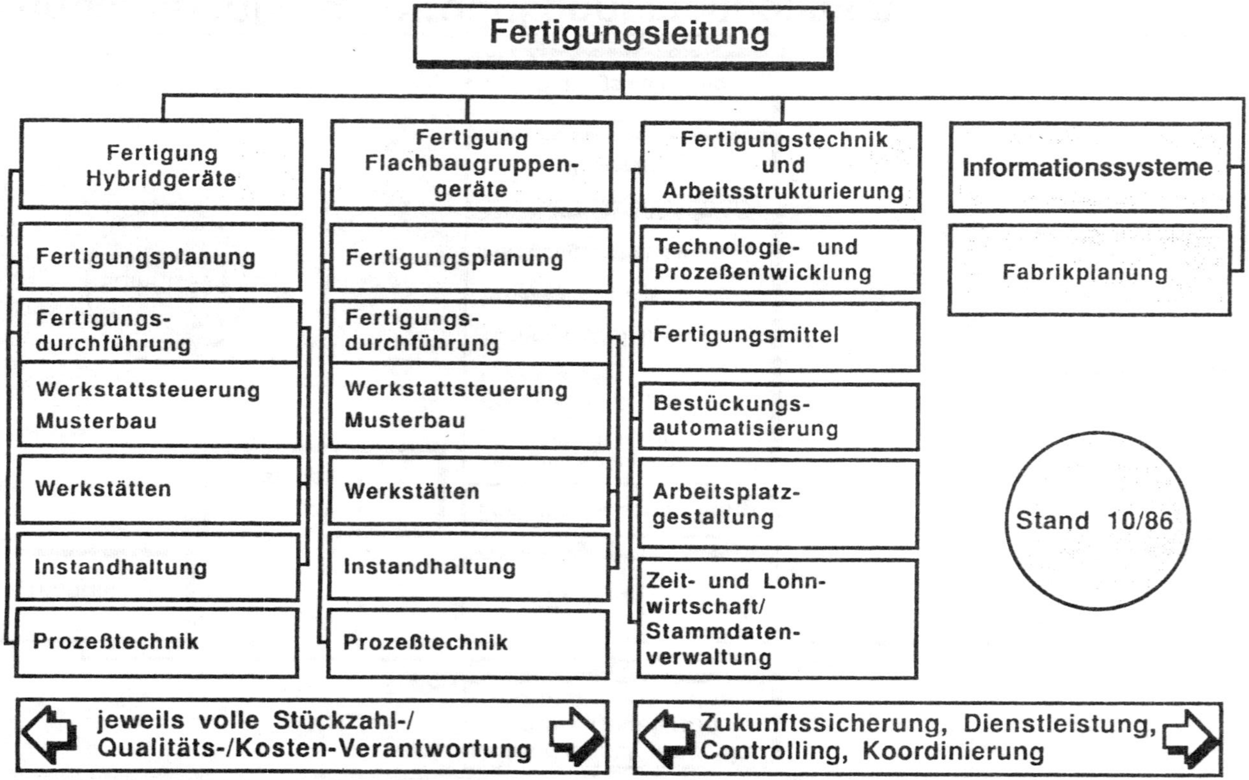

Organisationsplan

AT S F
10/88

Ein dv-gestütztes Projektmanagement mit verbindlich definierten Meilensteinen sichert engste Zusammenarbeit mit dem Kunden und Fertigungsprozeßoptimierung bei Produktneueinführungen ab.

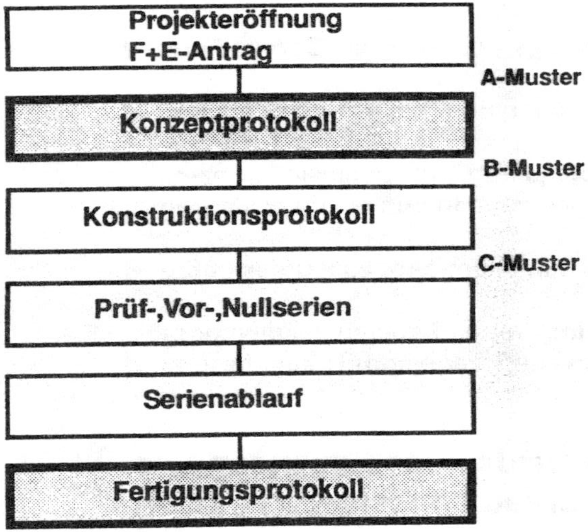

Namentliche Festlegung des Projektleiters und interdisziplinäres Team (T, F, Q)

Frühzeitige bereichsübergreifende verbindliche Festlegung des Produktkonzeptes und des Produktionsablaufes

Freigabe nach Meilensteinen

- Auswertung der Erfahrungen nach Serienanlauf
- Entlastung Projektleiter

Kundenorientiertes Produktionsmanagement in der Autoelektronik

AT S F
10/88

Unsere Organisation beruht auf der Philosophie der Zellteilung und den Gestaltungsprinzipien kleiner Einheiten, gekennzeichnet durch

- ▶ konsequente, produktbezogene und logistikorientierte Dezentralisierung, Produktlinien mit integrierter Prüfung
- ▶ organisatorische Autonomie und personifizierte Verantwortung "vor Ort"
- ▶ flache Hierarchie und überschaubare Größe ("Wir-Gefühl"), kurze Regelschleife bei Entscheidungen
- ▶ geringe Arbeitsteilung und hohe Qualifikation, Aus- und Weiterbildung
- ▶ erfolgsbezogene Lenkung ("Controlling") und Koordination der Produktionszentren
- ▶ Förderung des kundenorientierten Denkens bis in unterste Ebene

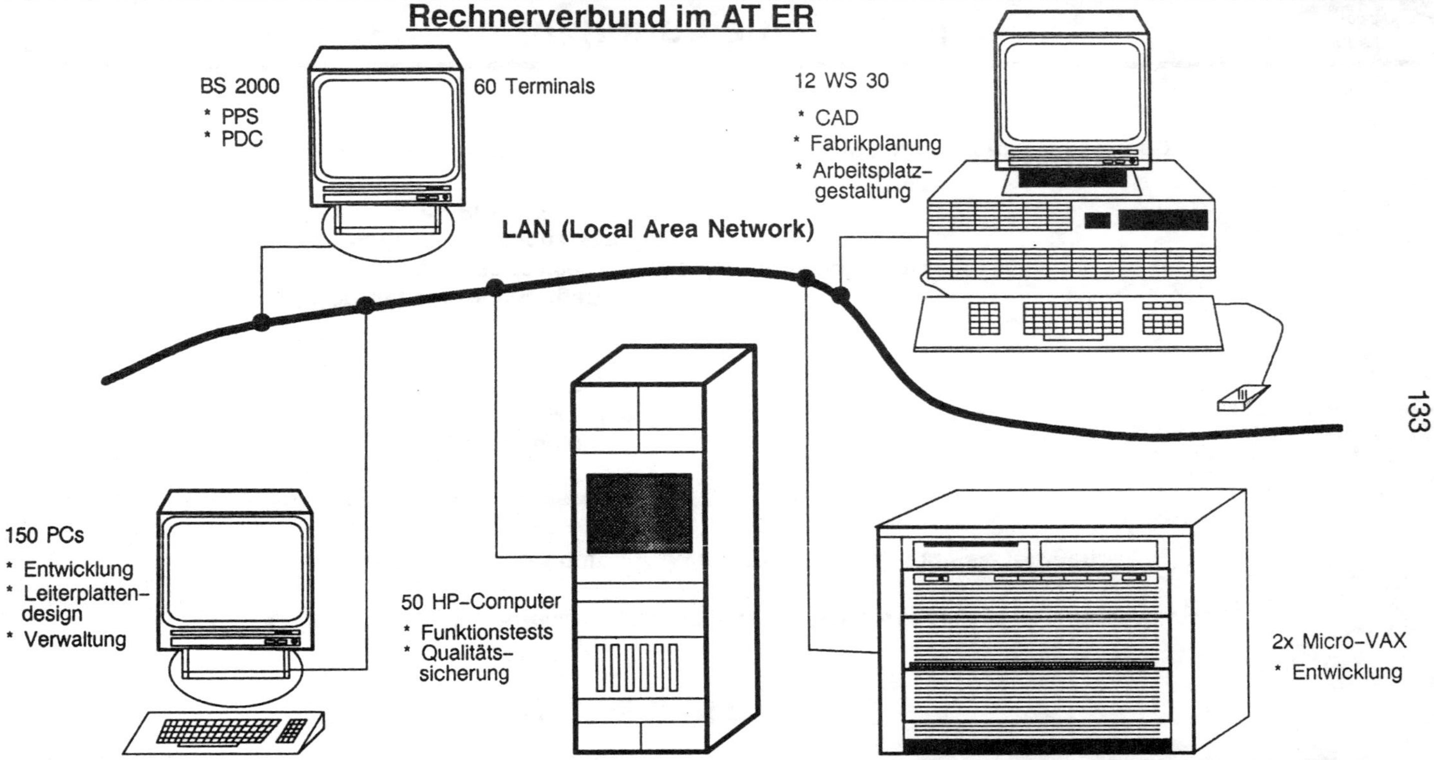

Kundenorientiertes Produktionsmanagement in der Autoelektronik

Umfassende Qualitätssicherung

Qualität ist ein bedeutendes Argument im Wettbewerb, gerade im Automobilbau.

Qualität kann man nicht durch Prüfen erreichen, man muß sie fertigen.

Hilfreich dafür sind:

- **Arbeitsablaufdiagramme**
- **Pareto-Analysen bzw. -diagramme**
- **Fischgräten-Diagramm**
- **Histogramme**
- **Regelkarten**
- **Korrelationsrechnungen**
- **Entscheidungsanalysen (z.B. Fehlerbaumanalysen)**
- **Statistische Versuchsplanung**
- **Statistische Prozeßkontrolle (SPC)**

Trend zu Q-Audits im Haus und bei Lieferanten mit konsequenter Einstufung.

Umfassende Qualitätssicherung

Schwerpunkte:

* Organisation, Schulung, Management
* FMEA für Prozesse
* FMEA für Konstruktionen
* Maschinenfähigkeitsnachweise
* Ständige Qualitätsverbesserung

Qualität und Just-in-Time-Produktion ergänzen sich:

1. Schwankende Qualität ist ein Hauptgrund für Pufferbestände.

2. Umlaufvermögen steigt bei Ausschuß und Nacharbeit.

3. Zeitaktuelle Prozeßanalysen führen zu kurzen Regelkreisen.

Wesentliche Aufgaben der Produktionsverantwortlichen

Werkstattleiter, Betriebsingenieur, Meister, Vorarbeiter, Linienführer,......

- Den Kunden kennenlernen.
- Produktion von Umlaufmaterial und DLZ reduzieren.
- Senken der Einrichte- und Umrüstzeiten .
- Platzbedarf optimieren.
- Null-Fehler-Fertigung anstreben, Verbesserung der Prozesse, Eliminieren von Ausschuß und Mehrkosten
- Ordnung und Sauberkeit am Arbeitsplatz und in der Fabrik garantieren.
- Flexibilität und Motivation seiner Mitarbeiter fördern.
- Produktions-, Qualitäts- und Problemdaten am Arbeitsplatz visualisieren.
- Einbindung der Mitarbeiter an Problemlösungen.
- Schrittweise automatisieren, nach wirtschaftlichen Gesichtspunkten.
- Termingerechte Lieferung.
- Nicht wertsteigernde Kostenelemente bekämpfen.

Visualisierung in der Fabrik

Voraussetzung:

- Ordnung und Sauberkeit in der ganzen Fabrik
- Beachten der Schutz-Vorschriften

Visualisieren:

- Produktionsabläufe, Produkte, Technologien
  Stückzahlen, Kapazitäten
- Qualitätsdaten und -Verläufe
- Prozeßsicherung, Prozeßvorschriften
- Arbeitsunterweisungen
- Wartung und Instandhaltungsanweisungen
- Statistische Fehler- und Problemaufschreibungen, Maßnahmen zur Problemlösung
- Verantwortliche für bestimmte Teilbereiche
- Sicherheitsrelevante und Umweltschutz-Informationen

Management des Wertschöpfens

Ziel

Werte ***schaffen, nicht nur Kosten***

Zählen, Umpacken, Lagern, Behälter ordnen, prüfen auf Selektion, Sichtprüfen, usw. steigern nur die Kosten, nicht den Wert des Produktes.

Maßnahmen

zur Produktivitätssteigerung, also:

- **Produktplaner und Fertigungsingenieure müssen Quellen zur Kostensteigerung eliminieren (im Entwicklungs- und Einführungsprozeß).**
- **Jede Produktionseinheit und jedes Produkt müssen auf ihre Zeitanteile überprüft werden:**
  % Wertsteigerung | **% nur Kostensteigerung** | **% Prüfen aufSelektion**
- **Ständige Verbesserung muß nachgewiesen werden.**

Vorbeugende Wartung und Instandhaltung unserer Anlagen

- Basis hoher Prozeßsicherung ist vorbeugende Wartung und Instandhaltung.

- Ein Teil der Arbeiten kann der Maschinenbediener übernehmen.

- Die zentrale Wartungsabteilung hat überwiegend folgende Verantwortung:

  1. Schulung der Mitarbeiter über was, wie ...... der Wartung
  2. Datenanalyse und Ausfallstatistiken
  3. Überholungen, unter Einbindung der Maschinenbedienung nach Instandhaltungsplänen
  4. Beratung der Maschinenbeschaffer

Zukunftsorientierte Maschinenbeschaffung

Forderungen an unsere Maschinenlieferanten als Partner zur qualitäts- und kostenoptimalen Herstellung von Autoelektronikprodukten

1. Nicht nur Einzelmaschine, sondern gesamten Prozeß sehen und Kunden in Gesamtoptimierung unterstützen.

2. Nachweis absoluter Zuverlässigkeit des Prozesses:
   Maschinen- und Prozeßfähigkeitsanalyse

3. Nachweis hoher Flexibilität (z.B. kurze Umrüstzeit, schnelle Einrichtung, Regelbereich der Leistung, leichte Transportierbarkeit,...)

4. Umfassende Information und Schulung zu vorbeugender Wartung und Instandhaltung.

5. Empfehlungen zu Arbeitsplatzaufbau und Umgebungseinflüsse zur Optimierung des Arbeitsablaufes.

6. Nachweis der CIM-Fähigkeit gemäß unseren Forderungen.

7. Offenlegen und Nutzen der Erfahrungen anderer Anwender.

Arbeitswirtschaft / Industrial Engineering hat einen hohen Stellenwert im kundenorientierten Produktionsmanagement.

- **Umfassendere Aufgaben- und Verantwortungsbereiche vor Ort in der Werkstatt, angepasste Mitarbeiterqualifikation durch Aus- und Weiterbildung**

- **neue leistungsbezogene Entgeltsysteme orientiert nach unseren Zielen: Lieferfähigkeit, Qualität, Kostenminimierung, Teamleistung/Mitdenken**

- **Arbeitszeitmanagement und flexibler Einsatz der Mitarbeiter - Schichtmodelle mit möglichst hoher Betriebsmittelnutzung**

- **effektives Fertigungscontrolling als Regelinstrument für Produktionsmanagement**

Fertigungscontrolling

- ***Messen der einzelnen Organisationseinheiten***

  * **Leistungsgrad / Leistungsfähigkeit**
  * **Wirtschaftlichkeit**
  * **Servicegrad**
  * **Kapazitätsnutzung**
  * **Durchlaufzeit und Bestände**

- ***Wichtig:***

  * **Informationen (PC) direkt vor Ort bei Verantwortlichen**
  * **Quervergleich bei einzelnen Einheiten**
  * **Zeitreihenvergleich von Monat zu Monat / Zielvergleich**
  * **Abweichungsanalysen und**
  * **schnelle Reaktion über kurze Regelschleife**

- ***Voraussetzung:***

  * **Nutzen der Informationen aus Großrechnern**
  * **Filetransfer auf PC durch Vernetzung mit Großrechner**
  * **Individuelle leistungsfähige Benutzeroberfläche und Grafik**

Zusammenfassung:

Kundenorientiertes Produktionsmanagement ist ein schwer zu kopierender Wettbewerbsvorteil!

- Aufbauorganisation mit flacher Hierarchie in kleinen, überschaubaren Einheiten mit klarer Verantwortung
- Ablauforganisation mit wenig Schnittstellen und interdisziplinärer, projektorientierter Teamarbeit
- produktorientierte Produktionsstruktur mit integrierter Fertigung und Prüfung bei logistisch optimierter Materialwirtschaft (KANBAN, Abrufe)
- motivierte und engagierte Mitarbeiter durch höhere Qualifikation bei größerer, umfassenderer Verantwortung vor Ort
- Qualitätssicherung heißt Prozeßsicherung und hohes Technologieniveau, Sauberkeit und Ordnung, sowie Anwenden moderner Methoden: FMEA, SPC, Statistik und Visualisierung vor Ort

Zusammenfassung:

Kundenorientiertes Produktionsmanagement ist ein schwer zu kopierender Wettbewerbsvorteil!

- umfassende vorbeugende Wartung und Instandhaltung der Maschinen und Anlagen
- Lieferanten von Teilen und Maschinen als Partner gewinnen und (nach Audits) freigeben
- Arbeitswirtschaft, Industrial Engineering, REFA haben eine herausragende Bedeutung und sind unentbehrliche Voraussetzungen für die gute Zusammenarbeit mit dem Betriebsrat
- Just-in-Time-Fertigung und Liefertreue

INVESTITIONSPLANUNG:
Strategische Investitionsplanung für CIM-Lösungen

Dr.-Ing. Uwe Loos
Friedrich Krupp GmbH, Essen

Strategische Investitionsplanung für CIM-Lösungen

Strategische Investitionsplanung für CIM-Lösungen

1. Einleitung

Der Einsatz komplexer Technologien wird immer mehr zu einer wichtigen Erfolgsquelle. Dies gilt für flexible Fertigungssysteme in der Produktion ebenso wie für den Einsatz neuer Informationstechnologien in der Konstruktion und im Vertrieb. Mehr denn je beeinflussen diese Technologien alle Unternehmensbereiche und sind aufgrund ihres hohen Kapitalbedarfes von großer Tragweite für die Unternehmensstrategie.

Wer bei der Einführung komplexer Technologien den falschen Ansatz wählt, muß eine Fehlinvestition und damit Wettbewerbsnachteile in Kauf nehmen. Wichtig ist es deshalb, schon in der konzeptionellen Phase die Auswirkungen neuer Technologien in allen Unternehmensbereichen zu berücksichtigen. Insbesondere bei der Anwendung von CIM-Lösungen (Bild 1) ist die ganzheitliche Betrachtung zur Veränderung der Kosten- und Leistungsstrukturen von ausschlaggebender Bedeutung. Dabei kommt es darauf an, mit den verfügbaren Informationstechnologien ein Integrationsoptimum zur Sicherstellung der Wettbewerbsvorteile zu erreichen /1/. Nur so können mittelfristig Vorteile wie:

- kurze Reaktionszeiten auf Marktveränderungen
- flexible Leistungserstellung
- kleinste Losgrößen
- Qualitätsverbesserung
- Kostensenkungen
- Termintreue

gegenüber dem Wettbewerb durchgesetzt werden. Gerade der Integrationsgrad technischer und organisatorischer Maßnahmen beeinflußt wesentlich die Wirtschaftlichkeit einer CIM-Lösung (Bild 2). Daher nimmt die Erfassung der kostenmäßigen und qualitativen Auswirkungen quer durch das Unternehmen einen breiten Raum ein.

Mit Hilfe der strategischen Investitionsplanung können durch gezielte Maßnahmen die Erfolgspotentiale zur Stärkung der Wettbewerbssituation besser ausgeschöpft und technologisch wie monetär in einer Gesamtkonzeption zusammengefaßt werden. Eine derartige Ausrichtung der Investitionen fordert allerdings ein Umdenken in der Unternehmenskultur. Atmosphäre und Vision tragen hierzu maßgeblich bei.

Langfristig angelegte und komplexe Investitionsvorhaben lassen sich in aller Regel nur dann erfolgreich durchsetzen, wenn die damit verbundene Erneuerung von der Unternehmensleitung geprägt und von allen Mitarbeitern im Unternehmen erkannt und bejaht wird. Dabei stehen weniger Einzelinvestitionen zur Entscheidung, als vielmehr Investitionskonzepte mit durchaus mehrjähriger Realisierungszeit.

Es ist die Aufgabe einer strategischen Investitionsplanung, alle in einem Investitionskonzept zuordnungsbaren Wettbewerbsvorteile, abgeleitet aus den Unternehmenszielen, durch eine integrative Verknüpfung der eingesetzten Technologien aufzuzeigen /2/. Nur so erhält man die notwendigen Vorteilspotentiale zur Verbesserung der Konkurrenzsituation.

2. Strategische Unternehmensplanung erfordert eine innovative Dynamik

Eine der wichtigsten Aufgaben der Unternehmensführung ist die strategische Planung. Sie sollte sich mit der globalen Analyse der Erfolgsquellen und der Entwicklung des Unternehmens als langfristiges Konzept zur Zukunftssicherung auseinandersetzen /3/. Bei der Anwendung der strategischen Unternehmensplanung treten aber im allgemeinen noch erhebliche Probleme auf (Bild 3). Dies betrifft einmal die fehlende Vision und Führung an der Spitze und zum anderen den Engpaß an strategisch denkenden Mitarbeitern.

Die strategische Planung sollte die entscheidenden Erfolgskriterien für eine vorwärtsorientierte Geschäftstätigkeit ebenso darstellen, wie die Stärken und Schwächen im Unternehmen.

Allerdings entsteht bei der Anwendung der klassischen Planung leicht ein gewisses Stagnationsdenken, da der Fokus schwerpunktmäßig auf Mengendegressionen, Erfolgsvorsprung und Risikoausgleich abzielt und so innovative Impulse häufig außer acht gelassen werden /4/.

Erfolgreicher ist sicherlich die schlagkräftige Ausrichtung der strategischen Planung auf die Marktabschöpfung und Produktverjüngung, um so die langfristigen Geschäftsvorteile zu erhalten und auszubauen. Damit entsteht eine innovative Dynamik im Unternehmen, die die Mitarbeiter zukunfts- und aktionsorientiert motiviert und eine positive Ausstrahlung nach außen sicherstellt.

Dies ist um so bedeutender, da der Zunahme der Umweltveränderungsgeschwindigkeit eine Verlängerung der Reaktionszeiten im Unternehmen bezüglich Produkt- und Prozeßinnovationen gegenübersteht /5/. Durch die Erhöhung der Innovationsgeschwindigkeit ergibt sich allerdings eine Vielzahl von Gefahren aber auch Chancen.

Für die Einführung von CIM-Lösungen bedeutet dies eine noch stärkere Berücksichtigung der Zeitkomponente sowie der Markt-, Produkt- und Produktionsfaktoren. Dabei ist nicht so sehr das kurzfristige Ergebnis entscheidend, sondern die Formulierung und Umsetzung einer Gesamtstrategie. Denn nur bei langfristiger Betrachtungsweise und einer richtigen Gewichtung in der Zuordnung des Mitteleinsatzes sind die Investitionen mit hohem Kapitalbedarf ein sinnvolles Erfolgskriterium.

Zur Absicherung der strategischen Ausrichtung der Investitionen ist es vorteilhaft, die Markt-, Produkt- und Produktionspositionen je Unternehmenseinheit in Portfolien darzustellen (Bild 4). Damit lassen sich Leistungspotentiale und Handlungsbedarf gegenüber den eigenen Fähigkeiten bzw. gegenüber dem Wettbewerb aufzeigen.

Veränderungen in den Portfolien können gezielt durch die strategische Investitionsplanung eingeleitet werden. Wichtig dabei ist die Allokation der Finanzmittel für F+E, Investitionen und Unternehmenserwerb, zur erfolgreichen Durchsetzung der strategischen Grundausrichtung.

3. Strategische Investitionsplanung erhöht den wirtschaftlichen Erfolg

Aufgabe der strategischen Investitionsplanung ist eine Ressourcensteuerung aus der Sicht des gesamten Unternehmens. Nicht Einzelinvestitionen, sondern die integrative Investitionsbündelung sichert die Ausschöpfung der Vorteilspotentiale. Diese Vorgehensweise verknüpft die Wettbewerbsstrategie mit den Investitionen für alle Bereiche (Bild 5). Damit können aber auch die Risiken langfristig wirkender Investitionen, die allgemein nur mit hohem Aufwand korrigierbar sind, begrenzt werden.

Die optimale Ausrichtung der strategischen Investitionsplanung erfordert in erster Linie den Sachverstand aller im Unternehmen. Keine Organisationseinheit, kein Produkt, keine Produktionstechnologie sollte irgendeine Immunität genießen. Alle Produkte können verbessert, jede Organisation und Technologie optimiert und alle Kosten gesenkt werden.

Es kommt darauf an, ein Höchstmaß an Kreativität aufzuwenden, um mit den geringsten Mitteln die gesteckten Ziele zu erreichen. Technologieglaube oder -faszination allein ist gefährlich. Die Investitionsplanung muß deshalb von konkreten Zielen zur Verbesserung der Wirtschaftlichkeit, aber auch von realistischen Ansätzen in der Durchführbarkeit und Verwendung der Ressourcen ausgehen. Dabei entscheiden Machbarkeit und Zuverlässigkeit der vorgeschlagenen Lösungen über den späteren Erfolg.

Je nach strategischer Position des Unternehmens können die Investitionen im Bereich Markt/Vertrieb zu einem maßgeblichen Ausbau der Marktanteile führen. Investitionen in diesen Bereich werden viel zu wenig in ihrer Wettbewerbsbeeinflussung den Vorhaben für Maschinen und Anlagen gegenübergestellt. Warum sollte das innovative Marketing oder die Ausweitung der Vertriebsorganisation nicht auch Bestandteil der strategischen Investitionsplanung sein? Gerade die Marketing-Strategie, im Unternehmen gemeinsam entwickelt und im Sinne einer optimalen Ressourcenallokation abgestimmt, ist ein wichtiger Beitrag zum Unternehmenserfolg.

Investitionen für die Produkttechnik erhöhen den Kundennutzen und die Qualität neuer Produkte. Besonders die anspruchsvollen Produkte im oberen Marktsegment zeichnen sich durch einen höheren Innovationsgrad, längeren Entwicklungszyklus und eine kürzere Marktpräsenz aus. Während der Markt kürzere Zeitvorstellungen für die Produktplazierung erwartet, erfordern diese neuen Produkttechnologien meist längere Einführungszeiten.

Die Produktivität und Flexibilität, insbesondere bei Produkt- und Marktschwankungen, werden durch Investitionen in die Produktion erreicht. In diesem Bereich erfüllen die meist kapitalintensiven Technologien wie FFS, CAD, PPS - um nur einige zu nennen - nur dann den ihnen zugewiesen Zweck, wenn sich die Abläufe deutlich beschleunigen und die Kosten erheblich verringern lassen.

Im Personalbereich sind zur Sicherstellung der Umsetzung der strategischen Investitionsplanung ebenfalls entsprechende Maßnahmen vorzusehen. Gerade die personelle Absicherung der strategischen Investitionsplanung wird noch zu oft vernachlässigt.

Nur in der Allianz der Bereiche Vertrieb, Produkttechnik, Produktion und Personal kommt die strategische Investitionsplanung voll zum Tragen und sichert so nachhaltig Wettbewerbsvorteile (Bild 6).

Da Schwachstellen in aller Regel auf Erfahrungs- und Wissensdefizite zurückgeführt werden können, muß darüber hinaus die strategische Investitionsplanung für die Entwicklung der Organisation und Technik ein Höchstmaß an Flexibilität sicherstellen, um unvorhergesehene Chancen und Risiken bewältigen zu können.

4. Nur strategisch geplante CIM-Technologien sichern den Wettbewerbserfolg

Der Einsatz von CIM-Technologien führt zu einer stärkeren Integration der Datenverarbeitung und Automatisierung in den Bereichen Vertrieb, Produktentwicklung sowie Produktion und soll den wirtschaftlichen Erfolg sichern. Es ist nun Aufgabe der strategischen Investitionsplanung, die Maßnahmen zur Erreichung der Wettbewerbsvorteile aufzuzeigen und den damit verbundenen Finanzbedarf einer betriebswirtschaftlichen und qualitativen Bewertung zu unterziehen.

Der Ablauf der strategischen Investitionsplanung läßt sich nach folgenden Stufen gliedern (Bild 7):

1. Ermittlung der Erfolgsfaktoren und Ressourcen

2. Strategiefestlegung

3. Erstellung der Investitionskonzepte

4. Wirtschaftliche und qualitative Bewertung der strategischen Investitionen.

In der ersten Stufe werden die Erfolgsfaktoren für die entsprechende Unternehmenseinheit festgelegt. Sie stellen die aus der Sicht der Kunden kaufentscheidenden Kriterien für oder gegen ein Produkt dar. Häufig können diese Kriterien auch aus der Unternehmensplanung entnommen werden.

So können beispielsweise für die Bewertung des Vertriebs der Service, die Vertriebspräsenz und das Niveau der Anwenderberatung den Ausschlag geben, während für den Bereich Produkttechnik die Kriterien wie Innovationsfähigkeit, Preis-/Leistungsverhältnis und Breite des Produktprogramms entscheidend sein können.

Der Produktionsbereich kann u.U. mit den Kriterien Termintreue, Lieferzeit und Qualität bewertet werden und mit dem Kriterium Gesamtpersonalqualifikation läßt sich der Faktor Personal beurteilen (Bild 8).

Die qualitative Einschätzung der Kriterien erfolgt anhand einer numerischen Skalierung, wobei der Hauptwettbewerber bzw. der durchschnittliche Wettbewerb mit der Bewertung "0" angesetzt wird. Dies vereinfacht den Beurteilungsprozeß und verdeutlicht sehr schnell die eigene Konkurrenzposition.

Durch die Gewichtung der Bereiche Vertrieb, Produkttechnik, Produktion und Personal wird die unterschiedliche Bedeutung, je nach Unternehmensstrategie, dargestellt.

Die Analyse der Erfolgskriterien legt die entscheidenden Wettbewerbsvor- bzw. -nachteile offen. Durch einen gezielten Angriff auf die Schwachstellen werden die notwendigen Veränderungen erreicht. Nicht die pauschale Verbesserung über alles ist angesagt, sondern die konzentrierte Umsetzung der, aus der Unternehmensstrategie, vorgegebenen Ziele.

Als nächstes erfolgt die Ressourcenanalyse. Sie geht von einer unternehmensinternen Betrachtung aus. Ziel ist, die Stärken und Schwächen in Relation zum Hauptwettbewerber bzw. durchschnittlichen Wettbewerber aufzuzeigen. Dabei werden Kriterien verwandt, die sich teilweise mit den Erfolgsfaktoren überschneiden (Bild 9). Die Bewertung der eigenen Leistungsfähigkeit erfolgt am besten entlang der Wertschöpfungskette, vom Auftragseingang bis zum Versand, wobei eine stark kostenorientierte Betrachtung einfließt.

Mit zusätzlichen Kriterien kann die Vertiefung der Ressourcenbewertung und damit eine Verbesserung der Aussagefähigkeit erreicht werden. Ein derartiger, im Sinne einer Bewertungshierarchie abgeleiteter Beurteilungsrahmen eröffnet eine gute Bewertungsbasis (Bild 10).

So läßt sich beispielsweise die Produktionstechnik durch CNC, FFS, FTS sowie Materialflußintegration und die Informationstechnik durch PPS, CAD, CAQ, CAM einschließlich der Integration bewerten. Einhaltung der Termine, Größe der Fertigungsdurchlaufzeit und Höhe der Vorräte stehen für eine Beurteilung des Kriteriums Fertigungsorganisation.

Die Gegenüberstellung der eigenen Stärken und Schwächen zum Wettbewerb verdeutlicht nun, welche Ressourcen im Unternehmen zur Verbesserung der Konkurrenzsituation aktiviert werden müssen.

In der zweiten Stufe der strategischen Investitionsplanung werden die kritischen Erfolgsfaktoren und Ressourcen in einer Matrix - der Strategiematrix - zusammengefaßt (Bild 11). Durch gezielte Veränderungen der Ressourcen und unter Berücksichtigung der Interdependenzen lassen sich die Erfolgsfaktoren wettbewerbsbezogen beeinflussen. Je nach Unternehmensstrategie können konkurrenzbezogene Veränderungen durch die Einleitung unterschiedlicher Maßnahmen qualitativ dargestellt werden.

Die Vertriebspräsenz läßt sich beispielsweise deutlich erhöhen, wenn Vertriebsorganisation und Logistik entsprechend ausgebaut werden. Dies beeinflußt wiederum die Mengenstruktur und damit die Produktionstechnik und wirkt sich u.U. reduzierend auf die Herstellkosten aus.

Eine Verbesserung des Preis-/Leistungsverhältnisses bedingt eine konstruktive Produktüberarbeitung und erzwingt gegebenenfalls veränderte Fertigungstechniken, während kostensenkende Maßnahmen im Produktionsbereich, aufgrund neuer Systeme in der Fertigungs- und Informationstechnik, positive Veränderungen der Erfolgskriterien im Vertrieb und in der Produkttechnik bewirken können.

Auch im Personalbereich werden in der Strategiematrix die Interdependenzen deutlich sichtbar, denn ohne personelle Qualifikationsabsicherung der jeweiligen Maßnahme muß von einer negativen Beeinträchtigung der Investitionsrealisierung ausgegangen werden.

Mit der Festlegung einer derartigen Basisstrategie ist ein entscheidender Schritt im Rahmen der strategischen Investitionsplanung abgeschlossen. Unternehmensplanung und Investitionsplanung sind direkt miteinander verknüpft. In der weiteren Stufe können nun Investitionskonzepte definiert werden, die die Schwächen beheben, vorhandene Stärken ausbauen und die Erfüllung der wettbewerbsentscheidenden Erfolgsfaktoren sichern.

5. Investitionskonzepte anstatt Einzelinvestitionen

Die Darstellung des Planungsablaufes der strategischen Investitionsplanung verdeutlicht, daß eine Planung von Einzelinvestitionen nur in den seltensten Fällen zu dem gewünschten Ergebnis führen kann. Nur die Berücksichtigung aller wettbewerbsentscheidenden Faktoren verhelfen der Investitionsplanung zum notwendigen Erfolg.

In der dritten Stufe der strategischen Investitionsplanung kommt es nun darauf an, im Rahmen eines kreativen Gestaltungsprozesses, die Maßnahmenbündel aufzuzeigen, die eine deutliche Verbesserung der Unternehmensposition erwarten lassen.

Die Größe der Nutzenabweichung zwischen Wettbewerb und eigener Unternehmensposition bestimmt den Anpassungsprozeß und löst die Suche nach geeigneten Rationsalisierungsmaßnahmen aus.

Durch die Wahl unterschiedlicher Handlungsalternativen, abgestimmt auf die Unternehmensstrategien bzw. Basisstrategien, lassen sich die Ressourcen gezielt beeinflussen. Dieser interaktiv ablaufende Prozeß ist dann abgeschlossen, wenn die ausgewählten Investitionskonzepte die geplanten Veränderungen der Erfolgsfaktoren sicherstellen. Einzelinvestitionen, zum Teil heute noch als Sammlung von Wunschlisten der Betriebsleiter, führen daher nur zu Teilerfolgen /6/.

Zur methodischen Unterstützung für die Erstellung von Investitionskonzepten dienen detaillierte Ressourcenbetrachtungen für die Bereiche Vertrieb, Produkttechnik, Produktion und Personal. Weiterhin Markt-, Technologie- und Produktionsportfolien, die in konzentrierter Form die Unternehmensposition gegenüber dem Wettbewerb und deren Veränderungen nach Durchführung der Investitionsplanung wiedergeben.

Die Auswahl geeigneter Handlungsalternativen wird zusätzliche durch qualitative Argumente für die einzelnen Maßnahmen in einer "Argumentenbilanz" unterstützt (Bild 12).

Mit der Integration von Unternehmensplanung und Ressourcenallokation ist eine wettbewerbsbezogene Investitionsplanung erreicht. Zugleich werden für den Einsatz von CIM-Lösungen die Erfolgschancen erhöht und die Risiken vermindert. Durch die Integration von Teilsystemen kann eine deutliche Verbesserung der Unternehmensproduktivität und damit der Rendite erreicht werden /7/.

6. Wirtschaftliche und qualitative Bewertung der strategischen Investitionsplanung

Bei der Bewertung der Investitionen gehen die bisherigen betriebswirtschaftlichen Ansätze in der Regel von einer isolierten, auf das Objekt im Detail ausgerichteten Betrachtung, aus. Dabei ist die Problematik stets die gleiche. Zum Erhalt oder Ausbau der Wettbewerbsfähigkeit sind Investitionen einzuleiten, die heute erhebliche finanzielle Belastungen bedeuten und erst zu einem wesentlich späteren Zeitpunkt Rückflüsse erlauben. Die Unsicherheit liegt in der Planung und damit in den Annahmen über die Eintrittswahrscheinlichkeit der Prämissen sowie der Verzinsung des eingesetzten Kapitals und führt in letzter Konsequenz zu einem vielschichtigen Finanzierungsbedarf /8/.

Entscheidungen für oder gegen eine Investition werden dann meist über Renditekennzahlen abgeleitet. Dies führt in vielen Fällen zu einem Teiloptimum, da z.B. die Auswirkungen von CAD auf die Produktion, Materialwirtschaft und den Vertrieb erst im nachhinein richtig erkannt werden. Die Investitionsverantwortlichen stehen damit vor dem Dilemma, mit Maßnahmen, die auf den ersten Blick unwirtschaftlich erscheinen, Herstellkosten zu senken. Aber nur auf den ersten Blick. Die Addition der beeinflußbaren Kostenelemente entlang der Wertschöpfungskette zeigt, daß hier noch erhebliche Kosteneinsparungen außerhalb der Produktion möglich sind. Die Möglichkeiten der Kostenbeeinflussung von Technologiebausteinen der Produktionsarchitektur verdeutlicht dies (Bild 13).

Allgemein gilt, daß auch künftig für eine Investitionsentscheidung die Wirtschaftlichkeit im Vordergrund steht. Denn Sachanlagenzugänge, insbesondere für CIM-Lösungen, ohne positive Ertragsauswirkungen, führen sehr schnell zu einer unrentablen Unternehmenssituation.

Die strategische Investitionsplanung sollte deshalb eindeutig nach der Wirtschaftlichkeit aber auch nach qualitativen Maßstäben beurteilt werden. Zur wirtschaftlichen Beurteilung werden die Finanzmittel der jeweiligen Detailkonzepte zusammengefaßt und eine betriebswirtschaftliche Bewertung der Investitionen anhand von Rentabilitätsaussagen durchgeführt. Dabei ist insbesondere darauf zu achten, daß alle durch das Investitionskonzept beeinflußten Kosten in ihren Veränderungen in die Investitionsrechnung einfließen.

Eine durch die strategische Investitionsplanung abgesicherte Verbesserung der Marktausschöpfung muß durch einen erhöhten Ansatz in der Mengenplanung incl. höherer Vertriebsaufwendungen ebenso in die Wirtschaftlichkeitsrechnung einfließen, wie sich Veränderungen in der Informationstechnik auch in den Organisationskosten bemerkbar machen müssen. Unterbleibt eine derartige konsequent umfassende Betrachtungsweise und bleiben wichtige Einflußparameter unberücksichtigt, stimmt das Investitionskonzept nicht, oder die integrierende Wirkung wurde falsch eingeschätzt.

Zur qualitativen Bewertung der strategischen Investitionsplanung wird die Wirkungsanalyse herangezogen. Darin werden die Auswirkungen der Maßnahmen bezogen auf die Ressourcen sowie kritischen Erfolgsfaktoren nach den Regeln der Nutzwertanalyse abschließend zusammengefaßt (Bild 14). Einzelkennzahlen und Summendarstellungen geben in geraffter Form einen Überblick über die qualitative Verbesserung der Wettbewerbssituation nach der Durchführung der Investitionskonzepte (Bild 15). In den verschiedenen Portfolien können ebenfalls die geplanten Veränderungen ausgewiesen werden.

Werden die angestrebten Veränderungen erreicht, kann die strategische Investitionsplanung abgeschlossen und das Investitionskonzept mit dem entsprechenden Finanzbedarf zur Entscheidung vorgelegt werden.

7. Zusammenfassung

Der Einsatz von CIM-Technologien sichert nur Wettbewerbsvorteile, wenn eine deutliche Verbesserung der Ressourcen und damit der kritischen Erfolgsfaktoren erreicht wird. Dies setzt eine ganzheitliche Betrachtungsweise sowie eine veränderte Atmosphäre und Vision in den Unternehmen voraus.

Erfolg oder Mißerfolg bei der Anwendung von CIM-Technologien hängen entscheidend von der Planungsqualität ab. Der hier vorgestellte Ansatz für eine strategische Investitionsplanung erhöht nicht nur die Erfolgswahrscheinlichkeit, sondern fördert zugleich auch einen Wandel in der Unternehmenskultur aufgrund der interdiziplinären Betrachtungsweise.

Da in der Regel das Kapital für die Investitionen nur einmal vergeben werden kann, ist bei steigendem Investitionsrisiko Sorge dafür zu tragen, daß die Qualität der Investitionsplanung den betrieblichen und marktwirtschaftlichen Anforderungen voll entspricht. Geht man allerdings davon aus, daß die Verfügbarkeit von Kapital keine besondere Hürde darstellt, kommt es einzig und allein auf die Qualität des Planungsprozesses an. Planung und strategisches Handeln sollten deshalb zu dem normalen Unternehmensalltag gehören. Wichtig ist, den Prozeß der strategischen Investitionsplanung zu beherrschen und ihn auch konsequent einzuhalten.

Strategisch abgeleitete Investitionskonzepte erhöhen die Wahrscheinlichkeit, auch bei veränderten Umweltbedingungen, die geplanten Ergebnisse zu erreichen.

Eine Beschränkung auf die Optimierung der quartalsmäßigen Liquidität, schnell realisierbarer Marketingmaßnahmen und kurzfristige Kostensenkungsmaßnahmen ist geradezu kontraproduktiv für eine auf lange Sicht angelegte Verfahrens-, Produkt- und Qualitätsinnovation.

Literaturverzeichnis

/1/	Neipp, G.:	Die Fabrik der Zukunft Technische Mitteilungen der Fried. Krupp GmbH, Essen, KRUPP 1/1986
/2/	Wildemann, H.:	Strategische Investitionsplanung für neue Technologien in der Produktion ZFB-Ergänzungsheft 1/86
/3/	Meffert, H.: Wehrle, F.	Strategische Unternehmensplanung Harvardmanager 1983, Heft 2, S. 50 - 60
/4/	A.D. Little: International	Management im Zeitalter der strategischen Führung Verlag Dr. Th. Gabler GmbH, Wiesbaden 1985
/5/	Pfeiffer, W.: u.a.	Methoden des strategischen Innovationsmanagements ZFO Heft 5/6 1983, S. 252 - 261
/6/	Neipp, G.:	Strategische Investitionsplanung IX: Nur was Wettbewerbsvorteile bringt, ist auf die Dauer sinnvoll angelegt Handelsblatt Nr. 103, 1986
/7/	Wildemann, H.:	CIM senkt Kosten CIM Praxis, September 1986, S. 39 - 40
/8/	Tippelskirch v.A.:	Die unsichtbaren Investitionen gewinnen gegenüber den Sachanlagen immer mehr an Gewicht Handelsblatt 13.11.1986, Nr. 219, S. 27

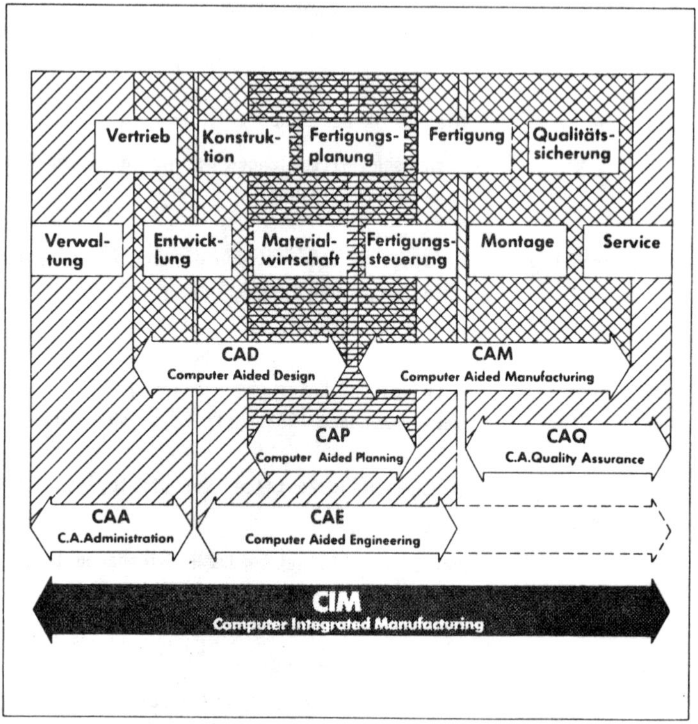

Bild 1: Rechnerunterstützung in den Funktionsbereichen
- Begriffe -

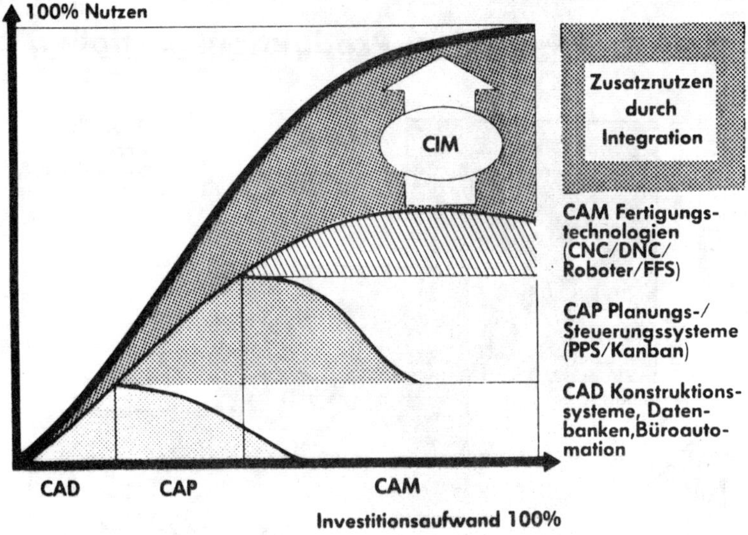

Bild 2

Probleme der strategischen Planung

- Fehlende Vision und Führung an der Spitze werden sichtbar
- Eine strategische Unternehmensplanung fehlt
- Strategische Planung ist nicht an Wertsystem und Vergütung gekoppelt
- Strategisch denkende Mitarbeiter werden zum größten Engpaß

(Quelle: McKinsey)

Bild 3

Markt-, Produkt- u. Produktionsportfolien

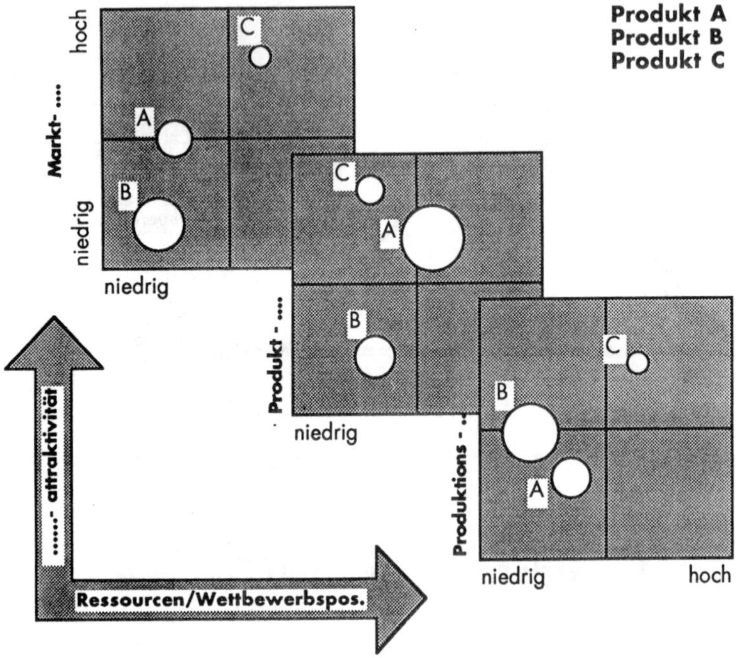

Bild 4

Zusammenführung von strategischer Unternehmensplanung mit der strategischen Investitionsplanung

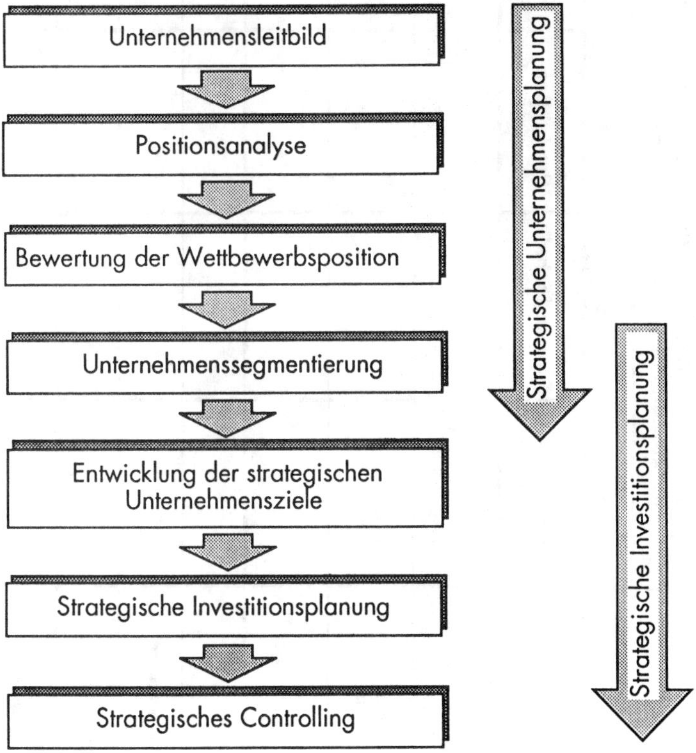

Bild 5

Geschäftsentwicklung: Umsatz, Ergebnis, Programm, Marktvolumen, Marktanteil, u.s.w.

	Bereiche →	Markt/Vertrieb	Produkttechnik	Produktion	Personal
Strategische Analyse	Begründung der Nachfrage				
	Erfolgsfaktoren im Wettbewerb				
	Ressourcen (Stärken/Schwächen)				
Strategisches Konzept Strateg. Investitionspl.	Strategische Zielsetzung				
	Investitionskonzepte				
	Beteiligungskonzept				
	Wirtschaftliche und qualitative Bewertung				

Struktur einer strategischen Unternehmens- und Investitionsplanung

Bild 6

Ablauf der strategischen Investitionsplanung

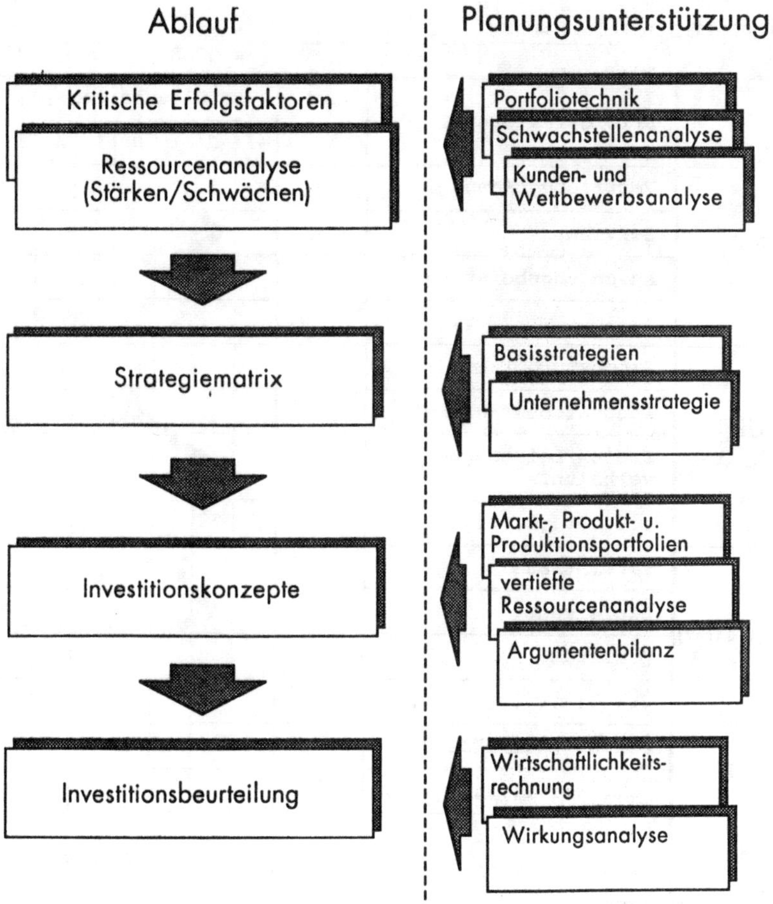

Bild 7

Erfüllungsgrad der kritischen Erfolgsfaktoren										Tab 1
Produktgruppe: A			o IST x SOLL							
	Erfolgsfaktoren	**Gew. %**	**Erfüllungsgrad (n)** -3	-2	-1	0	1	2	3	**n·G**
VERTRIEB	**Vertriebspräsenz**	35			o					-0,35
	Service			o						-0,7
	Anwendungsberatung				o					-0,35
	....									
PRODUKT-TECHNIK	**Produktprogramm**	30				o				-
	Innovationsfähigkeit					o				-
	Preis-/Leistungsverhältnis			o						-0,6
	....									
PRODUKTION	**Termintreue**	20			o					-0,2
	Lieferzeit			o						-0,4
	Qualität					o				-
	....									
PERSONAL	**Gesamtqualifikation**	15				o				-
	....									
SUMME		**100**	**Wettbewerber** ↑							-2,6

Bild 8: Beispiel für kritische Erfolgsfaktoren

Ressourcenanalyse — **Tab 2**

Produktgruppe: A

o IST
x SOLL

Bereiche	Ressourcen	Gew.	Erfüllungsgrad (n)							n•G
		%	-3	-2	-1	0	1	2	3	
VERTRIEB	Vertriebspräsenz			o						-0,5
	Marketing	25			o					-0,25
	Logistik				o					-0,25
	....									
PRODUKT-TECHNIK	Produktprogramm					o				-
	Innovationsfähigkeit	30					o			0,3
	Preis-/Leistungs-verhältnis				o					-0,3
	....									
PRODUKTION	Produktionstechnik				o					-0,35
	Informationstechnik	35		o						-0,6
	Fertigungsorganisation			o						-0,6
	....									
PERSONAL	Gesamtqualifikation				o					-0,1
	Personalentwicklung	10				o				-
	Personalpolitische Standorteinschätzung					o				-
	....									
SUMME		100	Wettbewerber ↑ (0)							-2,65

Bild 9: Beispiel für eine Ressourcenanalyse

G	Z1	n·G	G	Z2	n·G	G	Z3	n·G
	Vertrieb			Vertriebspräsenz			Vertrieb Inland Vertrieb Ausland Vertriebsorganisation Anwendungsberatung	
				Marketing			Messen Produktwerbung Produktunterlagen	
				Logistik			Lieferzeit Service	
	Produkt- technik			Produktprogramm			Programmbreite Programmergänzung Referenzen	
				Innovations- fähigkeit			Konstruktion Entwicklungssystem Entwicklungszeiten Sonderentwicklungen Patente/Lizenzen	
				Preis-/Leistungs- verhältnis			Servicefreundlichkeit Verfügbarkeit Lebensdauer Produktqualität Garantie	
	Produktion			Produktions- technik			CNC FFS Prozeßinnovation Lagertechnik FTS Integration der Produktionstechnik	
				Informations- technik			PPS CAD CAP CAM CAQ Integration der Informationstechnik	
				Fertigungs- organisation			Termintreue Durchlaufzeit Vorräte	
	Personal			Gesamt- qualifikation			Fachqualifikation Managementqualifikat. Flexibilität Markt-/Erfolgsorient. Qualifikationsreserve	
				Personal- entwicklung			Aus- und Weiterbildung Mitarbeiterentwicklung Anreize/Entlohnung	
				Personalpolit. Standorteinsch.			Standortumfeld Qualifikationspotential	
	Summe							

Bewertungssystem für die Beurteilung von Ressourcenveränderungen

Bild 10

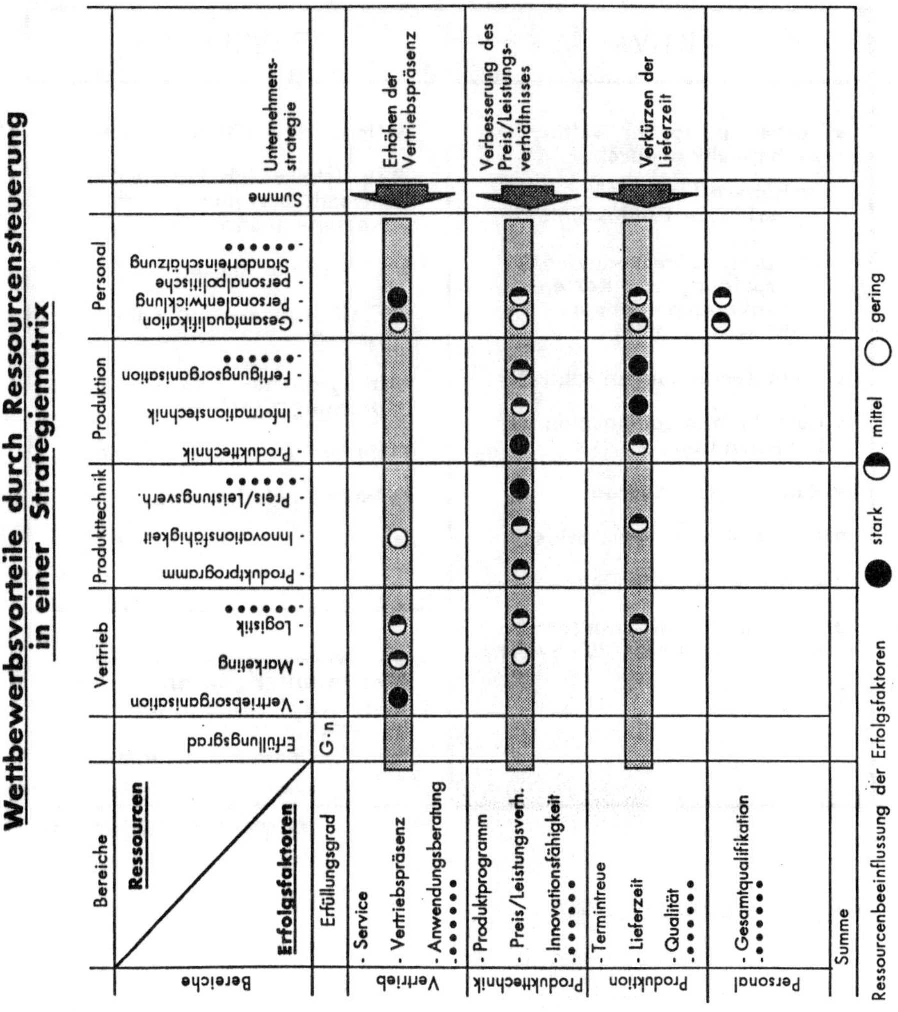
Wettbewerbsvorteile durch Ressourcensteuerung in einer Strategiematrix
Bereiche
Ressourcen
Erfolgsfaktoren
Erfüllungsgrad
G·n
Vertrieb
- Vertriebsorganisation
- Marketing
- Logistik
Produkttechnik
- Produktprogramm
- Innovationsfähigkeit
- Preis/Leistungsverh.
Produktion
- Produkttechnik
- Informationstechnik
- Fertigungsorganisation
Personal
- Gesamtqualifikation
- Personalentwicklung
- personalpolitische Standorteinschätzung
Summe
Unternehmens-strategie
Erhöhen der Vertriebspräsenz
Verbesserung des Preis/Leistungs-verhältnisses
Verkürzen der Lieferzeit
- Service
- Vertriebspräsenz
- Anwendungsberatung
- Produktprogramm
- Preis/Leistungsverh.
- Innovationsfähigkeit
- Termintreue
- Lieferzeit
- Qualität
- Gesamtqualifikation
Ressourcenbeeinflussung der Erfolgsfaktoren
stark
mittel
gering

Bild 11

AKTIVA	PASSIVA
• Verbesserung der Wettbewerbsposition durch: – höhere Flexibilität – verkürzte Produktanlaufzeiten – Durchlaufzeitreduzierung – Eröffnung von Kostensenkungspotentialen – höhere Qualität • Hohe Technologieattraktivität • Gute Technologieposition der Unternehmung • Hoher Nutzungsgrad • Ausgleich von Marktrisiken • Attraktive Arbeitsplätze • Baustein für die stufenweise Einführung eines CIM-Systems • ...	• Hohes Investitionsvolumen • Unsichere Schätzungen von Investitionsvolumen und Kosteneinsparungen • Finanzielle Risiken • Einführungs- und Anlaufrisiken • Integrations- und Anpassungsprobleme • Höhere Personalabhängigkeit • Technologiefixierung • ... Argumentengewinn für eine Kapitalallokation in FFS

(Quelle: Prof. Wildemann)

Bild 12: Argumentenbilanz

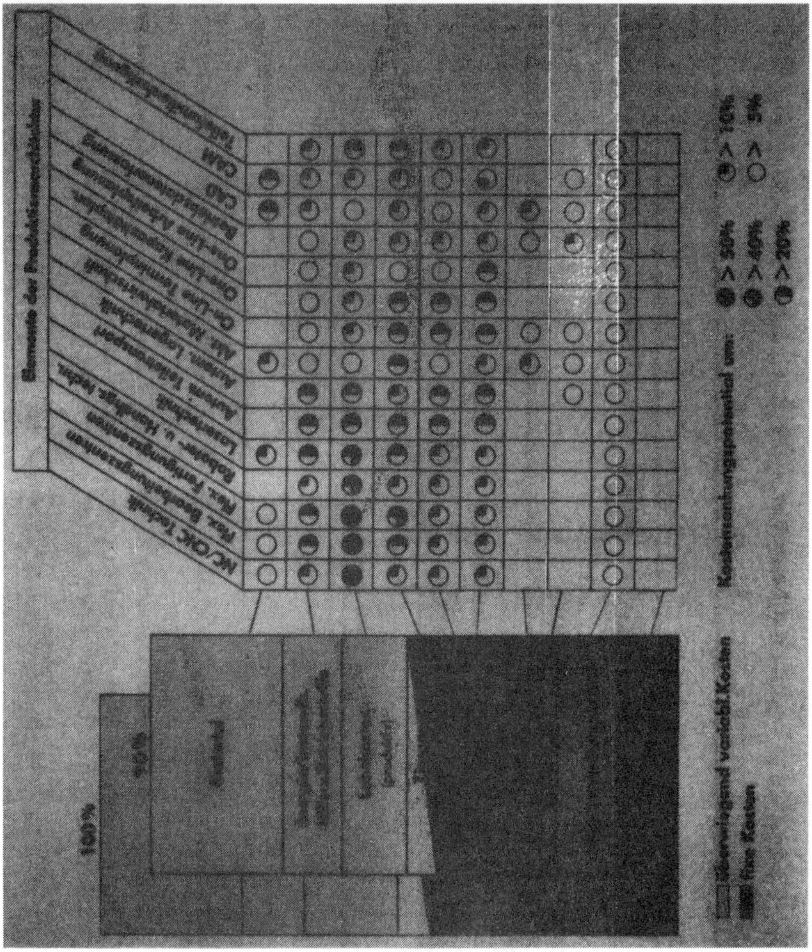

Bild 13: Einfluß der Produktionsarchitektur auf die Kostenstruktur

Bild 14

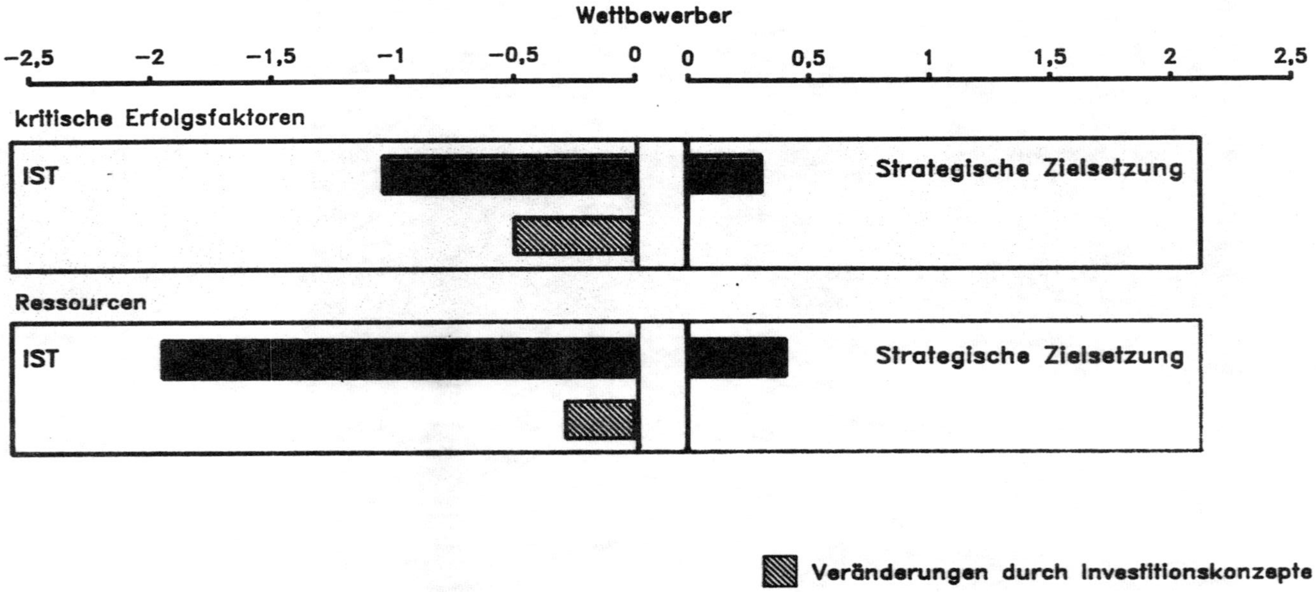

Wirkungsanalyse von Investitionskonzepten auf die kritischen Erfolgsfaktoren und Ressourcen einer strategischen Geschäftseinheit

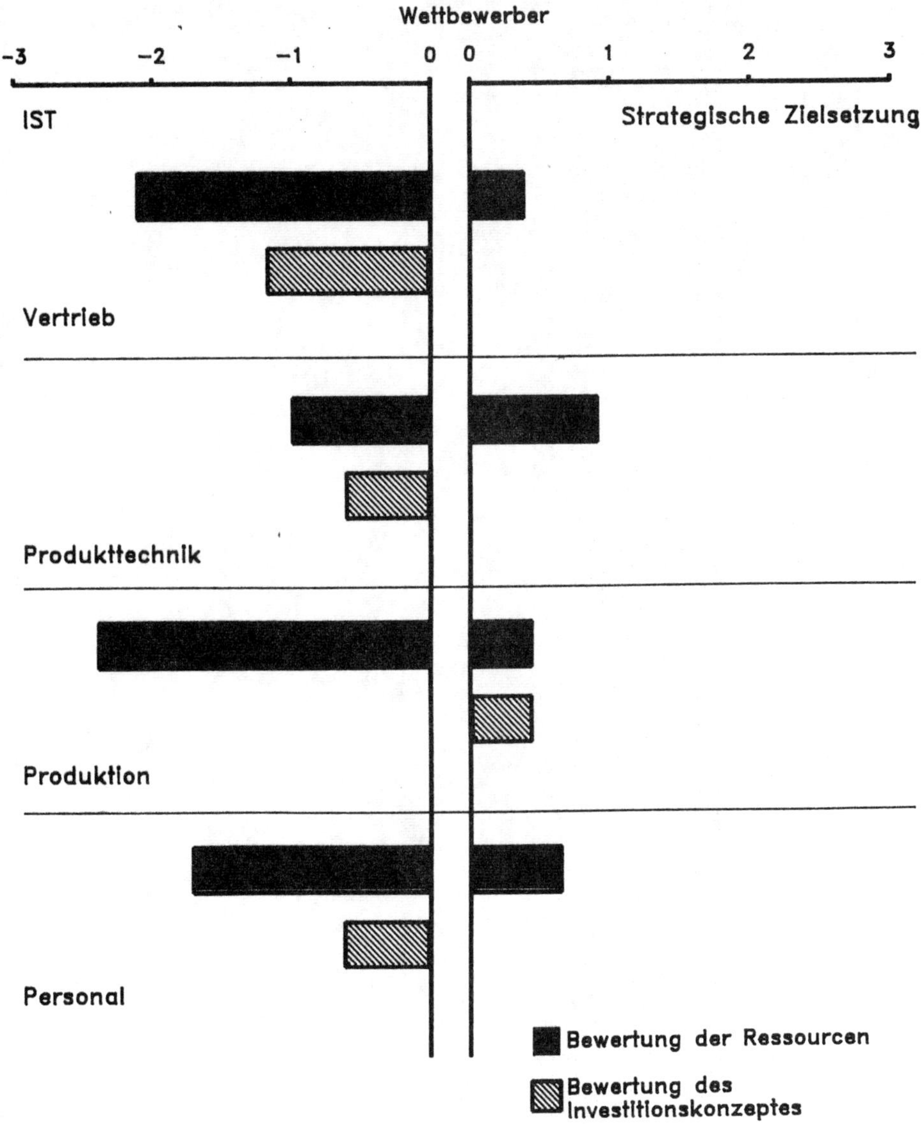

Wirkungsanalyse von Investitionskonzepten auf die Ressourcen einer strategischen Geschäftseinheit

Bild 15

PRODUKTIONSAUTOMATISIERUNG:
Integrationsaufgaben und Integrationstechniken

Dipl.-Ing. Elmar Götz
AEG, Frankfurt

1. Zielsetzung

Integration von Materialfluß und Informationsfluß kennzeichnen die Automatisierung in der Produktion von Anfang an. Vollzog sich diese Entwicklung zunächst an einzelnen Maschinen und Anlagen, so breitete sie sich im Laufe der Zeit auf immer größere Bereiche der Fabrik aus. Die ganzheitlich automatisierte Fabrik der Zukunft integriert alle Bereiche - Bearbeitung und Produktionslogistik - zu einem Gesamtsystem. Dieses Gesamtsystem ist ein intelligent strukturiertes Mensch-Maschine-System.
Neue technische Strukturen und daran angepaßte Organisationen sind die Hauptmerkmale solcher Systeme. Dieser technische Prozeß dient bei der Fabrik für Stückgüter der stufenweisen Formung der Ausgangsmaterialien bis zum fertigen Produkt. Das richtige Objekt, also Material, Güter, Informationen, Dienstleistungen, Energien zum richtigen Zeitpunkt, in der richtigen Qualität und Quantität, versehen mit den richtigen Begleitinformationen, am richtigen Ort, auf wirtschaftliche Weise bereitzustellen und verfügbar zu machen, ist die Aufgabe der Produktionslogistik. Sie erhält bei produkt- und auftragsgerechter Arbeitsweise mit Produkten, die immer kurzlebiger, komplexer, variantenreicher, höherwertiger und für Aufträge, die immer kleiner, kurzfristiger, kundenspezifischer werden, erfolgsentscheidenden Stellenwert und wird zum wichtigen Realisierungselement für CIM.

2. CIM

Für die Automatisierung der Fabrik der Zukunft sind folgende Bausteine kennzeichnend:

- konsistente Datenbasen,
- Kommunikationstechnik,
- verteilte Informationsverarbeitung,
- leistungsgestaffelte Rechner zum Überwachen, Steuern, Regeln, Leiten, Planen und Konstruieren,
- Bedienoberflächen, die Werker, Straßenführer, Instandhalter und Leitstellenoperateure qualifiziert unterstützen

Diese Begriffe bezeichnen die Automatisierungsmittel zum Entwurf und zur Realisierung von autonomen, inselförmigen wie von integrierten Produktionssystemen (Bild 1). Sie werden oft auch als CIM-Bausteine [1]) bezeichnet. AEG arbeitet seit Entstehung dezentraler Automatisierungssysteme- Mitte der 70er Jahre - auf diesem Gebiet und entwickelt Produkte, Systeme, Strukturen und Konfigurationen laufend weiter und realisiert entsprechende Anlagen.

Die Frage nach der zweckmäßigen Struktur bzw. Segmentierung solcher Systeme ist von der Systemwirksamkeit her zu beurteilen, d. h. aus der Leistungsfähigkeit, der Verfügbarkeit und der Sicherheit des Systems bei unterschiedlichen Betriebsarten und Anlagenzuständen. Die Grundstruktur ergibt sich aus dem betrieblichen Informationsfluß, dem Materialfluß, der Funktionalität und örtlichen Anordnung von Arbeitsplätzen, Maschinen, Hallen usw. sowie Losgrößen, Variantenbreite, Auftragsvorgabe und Produktinnovationen. Zur wirtschaftlichen Einordnung von Strukturen liefert das Verhältnis von Systemwirksamkeit zum Aufwand Hinweise zum Vergleich unterschiedlicher Lösungen.

----

[1]) CIM = Computer Integrated Manufacturing

Was immer man erreichen will, kann man auf eine einfache Formel bringen:
Information und Material müssen fließen.
Für Produktionsstrukturen bedeutet dies, daß das Wissen über das Beeinflussen sowie Verarbeiten der Vorgänge und Zustände aus dem gesamten Produktionssystem - soweit erforderlich - an jedem Arbeitsplatz, unabhängig von Aufgabe und Ausstattung, gegeben sein muß. Jedes Produktionssystem wird ein integriertes System.

Herkömmliche Systeme dieser Art verhalten sich starr, da die Informationsübertragung und -verarbeitung beim Zusammenwirken vieler Menschen ohne Unterstützung durch Automatisierungseinrichtungen sehr schnell an Grenzen stößt. Automatisierungsstrukturen unterstützen dagegen die Flexibilität einzelner Inseln. Ein herausragendes Beispiel ist hierzu die NC-Maschine, bei der die Steuerung als informationsverarbeitender Teil und die Maschine zur Ausführung der Fertigungsaufgabe zu einem integrierten System verschmolzen sind.
Die informationstechnische Koppelung solcher Inseln mit Förderanlagen und Lägern, Leitstellen und Instandhaltungsstellen, Planungs- und Konstruktionsstellen, Qualitätssicherungs-, Beschaffungs- und Absatzstellen, die ihrerseits automatisiert oder wenigstens den Menschen Ein-/Ausgabeeinrichtungen für Informationen bieten, führt zum integrierten Gesamtsystem. Da sich die Informationsverarbeitung in jeder Insel durch einen Rechner - sei er auch noch so klein - konkretisiert, ist die Automatisierungsstruktur des integrierten Produktionssystems ein Rechnernetz.

An dieser Betrachtungsweise orientiert sich auch die Definition des CIM' wenn dieses als ein System mit rechnerunterstützter Informationsverarbeitung und Informationsübertragung bzw. rechnergestütztem Informationsfluß in allen mit der Produktion befaßten Bereichen eines Unternehmens umrissen wird.

Für Produktionsbetriebe mit dieser Strukturierung sind charakteristisch: integrationsfähige, flexible, hoch automatisierte Materialfluß-, Bearbeitungs- und Prüfinseln.

Ziel der CIM-Strategie ist, die Auftragsabwicklung durch einen besseren Informationsfluß zu beschleunigen. Vor allem durch die Rechnerintegration, d.h. Integration des Informationsflusses zwischen allen beteiligten betrieblichen Funktionen über die Datenintegration (Verknüpfung über eine gemeinsame Datenbank), werden große Vorteile erwartet. CIM basiert auf folgenden wesentlichen Grundüberlegungen:

- Daten nur am Anfang einer Vorgangskette erfassen und danach nur noch verändern bzw. aktualisieren
- Einmal vor Ort erfaßte Daten durch Auswertung nach verschiedenen Merkmalen allen Abteilungen zur Verfügung stellen
- Innerhalb der Datenbanken werden Datenstrukturen aufgebaut, die das Sollgeschehen abbilden
- Von der passiven Versorgung mit Daten auf die aktive Besorgung von Informationen übergehen
- Dezentrale Datenhaltung mit zentraler Logik und Koordination
- Informationssysteme sind Voraussetzung, um den Produktionsfaktor Information zu gewinnen und richtig zu nutzen
- Kontinuierlicher, rechnergestützter Informationsfluß von der Entwicklung eines Produktes bis hin zur hochautomatisierten Fertigung, Montage und Qualitätskontrolle
- CIM verändert Abläufe und schafft neue Zuständigkeiten. Voraussetzung für CIM ist

die strukturelle Veränderung der Fabrik, die Digitalisierung des gesamten Informationsflusses und die Schaffung von allgemein nutzbaren Informationssystemen

- o CIM ist kein Produkt, sondern eine Strategie und ein dynamischer Prozeß, der alle am Produktionsprozeß direkt oder indirekt beteiligten Bereiche eines Unternehmens aufeinander abstimmen und integrieren soll
- o CIM integriert im wesentlichen drei organisatorische Teilbereiche und deren charakteristische Datenströme:
  - Die gesamte Auftragsabwicklung und das Planungssystem (PPS) von der Produktionsprogrammplanung bis zur Betriebsdatenerfassung (BDE), um die Produktionsaufträge mit Hilfe des Rechners durch sämtliche Abteilungen eines Unternehmens zu schleusen
  - Die Daten aus der Konstruktion an die Planung und Steuerung, um von dort an die Werkstatt durchzuladen (CAD- und CAP-Systeme)
  - Die Daten der Werkstatt durch Rechnernetze, um ein zeitnahes Führen aller Vorgänge zu ermöglichen (CAM-Systeme)

Abschließend sei zu den neuen Produktionsstrategien erwähnt, daß deren gemeinsames Ziel eine grundlegende Effizienzsteigerung in der Produktion ist, d. h. Verbesserung insbesondere logistischer Einflußgrößen, wie z. B. Durchlauf-, Lieferzeiten, Bestände etc. Es ist davon auszugehen, daß die "Fabrik der Zukunft" in obigem Sinne eine "gesamtintegrierte Fabrik" sein wird (Bild 2 und Bild 3).

3. Integrationstechnik

Jedes System ist eine Anordnung aufeinander wirkender Gebilde. Insofern ist jede Feststellung zum Verhalten oder zum Aufwand eines Systems eine Aussage, die das Integrationsverhalten der einzelnen Systemteile berücksichtigen muß. Im engeren Sinne eines automatisierten Systems versteht man unter Integration das Zusammenwirken der einzelnen informationsverarbeitenden Teile eines solchen Systems mit technischen Mitteln. Es ist somit der Grad definierbar, der die Integration eines System beschreibt (Bild 4).Als Integrationsgrad I kann man die Multiplikation dreier Bewertungsgrößen z, f, a heranziehen. z beschreibt dabei das Verhältnis der von einem automatisierten Teil eines Systems über technische Kommunikation erreichbaren übrigen Teile des Systems zur Gesamtzahl der Teile des Systems. a bewertet Art und Umfang der übertragbaren Daten und f den Kehrwert des Zeitbedarfs für Datenübertragungen. Normiert man z, a, f jeweils auf Bereiche zwischen 0 und 1, dann ist I = 0 für das nicht integrierte System, bei dem alle Informationen indirekt über Menschen (Papier) übertragen werden und der Integratonsgrad I = 1 bezeichnet das voll integrierte System , bei dem jedes Systemteil mit jedem anderen Systemteil mit allen erforderlichen Datentypen und ohne zeitliche Engpässe für die zu lösende Aufgabe zusammenwirken kann.

Das Anforderungsprofil für integrierte Produktionssysteme ist in deren flexiblen Nutzbarkeit bei auftragsabhängiger Produktion mit sehr kleinen Losgrößen bis herunter zu Losgröße 1 begründet.Integrierte Systeme ermöglichen wirtschaftliche Produktion bei kurzen Durchlaufzeiten. Die Haupttriebkraft für die Realisierung integrierter Automatisierungssysteme geht von der generellen Entwicklung der Elektronik aus.

In den letzten zwei Jahrzehnten ist es gelungen, die Integrationsdichte der Informations-Elektronik-Bauelemente laufend zu steigern.Dieser Vorgang hat ausschließlich positive Wirkungen auf die Elektronik-Bauelemente hinsichtlich Geschwindigkeit,Leistungsaufnahme, Zuverlässigkeit und Kosten. So hat die Integration in dieser Zeit den Faktor 10 hoch 5 und die Kosten je aktive Funktion den Faktor bis zu 10 hoch - 5 erreicht. Die einzelnen Phasen dieser Entwicklung werden als SSI, MSI, LSI, VLSI [2]) bezeichnet (Bild 5). Heute sind Mikrorechner auf einer Steckkarte mit einem Speichervolumen von einem Mbit und mehr möglich. Dafür hätte man vor zwei Jahrzehnten noch mehrere Schränke mit vielen Karten benötigt. Entsprechend unterscheiden sich die Kosten. Einen besonderen Innovationsschub brachte 1971 die Schaffung von Mikroprozessoren und Speichern als integrierte Schaltkreise. Heute verbreitete Mikroprozessoren haben meist 8 und 16 bit Wortlänge, solche mit 32 bit Wortlänge führen sich aber zusätzlich zunehmend ein. Die Verarbeitungsleistung in MIPS [3]) steigt laufend und wird sich in den nächsten Jahren weiter vervielfachen (Bild 6. Diese Entwicklung gibt der Geräte- und Systementwickung immer neue Chancen zur Steigerung der Leistungsfähigkeit und vor allem auch als Systemwert definierten des Verhältnisses von Leistungsfähigkeit zum Aufwand. Da andererseits die Anforderungsprofile potentieller Automatisierungsanlagen für die Produktion gerade auch bei Integrationsaufgaben reichlich ungelöste Probleme auf viele Jahre hinaus bereit halten, wird die Triebkraft Elektronik auf den Fortschritt bei diesen Systemen durchdringen.

---

[2]) SSI Small scale integration
MSI Medium scale integration
LSI Large scale integration
VLSI Very large scale integration

)[3]) MIPS Millionen Instruktionen pro Sekunde

In der Zeit der Verfügbarkeit von Mikroprozessoren waren Verarbeitungseinheiten aufwendig und teuer. Sie mußten bei der Realisierung von Anlagen entsprechend hoch ausgenutzt werden. Es entstanden Automatisierungssysteme mit zentralem Charakter, d. h. die programmierbare Intelligenz solcher Einrichtungen war in **einem** Verarbeitungssystem konzentriert (Bild 7).
Die Informationen von und für Aktoren und Sensoren einer in der Regel verteilten Produktionsanlage (z. B. mehrerer Maschinen oder Teilmaschinen, Fördereinrichtungen u. a. m) wurden dabei in einem Sammler/Verteiler zusammengeführt. Die Integration der einzelnen Teilaufgaben erfolgt bei solchen Systemen in der Software der Verarbeitungseinheit, die dadurch sehr komplex werden konnte. Bereits zu dieser Zeit kamen aber, die Situation erheblich entlastend, die speicherprogrammierbaren Steuerungen auf, die wenigstens bei Verknüpfungs- und Ablaufsteuerungen mit einfachen, von jedem Fachmann erlernbaren Sprachen (Kontakt-, Funktionsplan, Anweisungsliste) eingesetzt werden konnten. Die Kommunikation von mehreren speicherprogrammierbaren Steuerungen untereinander und mit Prozeßrechnern geschah weitgehend über deren Wirkungen und weniger über die Kommunikation zwischen den intelligenten Teilen. **Integration geschah also auf individuelle und komplexe Weise.**

Mit der Verfügbarkeit der Mikroprozessoren wurde es möglich, die Verarbeitungsleistung zu dezentralisieren. Die Dezentralisierung ist funktional und topologisch zu verstehen. Hierbei können jedem Teil eines Verbundprozesses eigene Automatisierungssysteme zugeordnet werden (Bild 8.Die Dezentralisierung bringt dabei gleich zwei Vorteile, nämlich

- die Aufgliederung der Funktionen in überschaubare Pakete
- die Zuordnung von jeweils abgegrenzten Automatisierungseinheiten zu jedem Teil eines Verbundprozesses

Maschinenbauliche Struktur und Automatisierungsstruktur entsprechen nun einander. Dies ist ein wichtiger Beitrag für die Überschaubarkeit. Arbeiten die einzelnen Automatisierungseinheiten überdies autonom, dann kann jeder Teilprozeß für sich betrieben, gewartet und in Betrieb gesetzt werden. Neu tritt bei einer solchen Struktur der Kommunikationsweg hinzu, über den die einzelnen Automatisierungszellen untereinander und mit der Leitstelle Informationen austauschen. Er - auch als LAN [4]) bezeichnet - ist das äußere Kennzeichen und wesentliche technische Element zur Integration der Zellen zu einer ganzheitlich wirkenden Anordnung.

Dezentralisierung der Intelligenz setzt sich aber auch in die einzelnen Zellen fort. Hierbei tritt anstelle der bitseriell übertragenden LAN zwischen topologisch auseinander liegenden Einheiten der parallel arbeitende Systembus der z. B. mehrere Mikrorechner einer entsprechend strukturierten speicherprogrammierbaren Steuerung (Bild 9) über kurze Abstände verbindet und auf diese Weise zu einer Funktionseinheit integriert.

Lokale Netze (LAN) rechtfertigen vor allem dann ihre Bezeichnung, wenn sie offen sind. Ein integriertes System wird als **geschlossen** bezeichnet, wenn es überhaupt nicht verändert oder mit festgelegten, oft sehr speziell aufeinander abgestimmten Bausteinen nur bis zu einer festen Grenze ausgebaut werden kann und alle Teile des Systems nur über insgesamt festgelegte Relationen untereinander in Beziehung treten können. Als **offene Systeme** bezeichnet man dann solche, die sich nicht nur mit der Gesamtheit ihrer

Relationen untereinander darstellen, sondern auch noch Relationen unterhalten oder unterhalten können zu dem, was man Systemnachbarschaft nennt.
Als Systemnachbarschaft sind Teilnehmer anderer technischer Generationen oder anderer Hersteller zu verstehen. Man spricht von Generationen- oder Herstellertoleranz der Systeme. Offenheit wird erreicht, wenn entsprechende Normen wie z. B. das ISO/OSI-Referenzmodell technische Basis aller Hersteller werden. Dies ist die Zielsetzung bei MAP [5]) und TOP [6]).

---

4) LAN local area network = lokales Netzwerk

5) MAP manufacturing automation protocol

6) TOP technical and office protocol

Dezentralisierung und Integration führen schließlich zum gleichen Ziel (Bild 10) .Dezentralisierung macht die Aufgliederung komplexer Systeme möglich, Integration verbindet dezentrale Inseln zu Gesamtsystemen. Als gemeinsames Ergebnis ergibt sich eine Systemstruktur mit Automatisierungseinheiten, die ihrerseits die Integration von Funktionseinheiten zu einem System darstellen, und die über lokale Netze (LAN) und öffentliche Netze (WAN [7]) ein Gesamtsystem bilden.

---

[7]) WAN wide area network

4. Wirksamkeit von Automatisierungsstrukturen

Jede Automatisierungseinrichtung für die Produktion muß sich schließlich an den klassischen Einsatzfaktoren dieses Arbeitssystems

- Mensch
- Technik
- Prozeß

orientieren (Bild 11). Die Zusammenführung dieser drei Faktoren zu einem integrierten Gesamtsystem stellt besondere Anforderungen an die zum Einsatz kommenden Strukturen.

Anfangs wurden nach und nach einzelne Inseln an Maschinen in der Werkstatt, der Arbeitsvorbereitung und der Konstruktion automatisiert (Bild 12). Diese wurden dann in einer ersten Automatisierungsstufe zu Verfahrensketten - z. B. durchgehender, direkter Informationsfluß von der Konstruktion zur Maschine (CAD-CAM) [8] - integriert bei gleichzeitiger Zuordnung der Elemente einer solchen Kette zu den einzelnen betrieblichen Ebenen (Bild 13). In Fortsetzung der Integration erhalten diese Ketten bei Beihaltung des Bildes vom Weben einen "Schuß". Dieser vollzog und vollzieht sich durch die Einführung von lokalen und öffentlichen Netzen innerhalb der Ebenen und über die Ebenen hinweg. Dadurch können bei höheren Ebenen gleichartige Aufgaben aus den Verfahrensketten zusammengelegt werden, so daß pyramidenförmige Strukturen entstehen. Diese sind in die fünf betrieblichen Ebenen von den

Produktionsanlagen ausgehend für

- Aktoren, Sensoren
- Steuerung, Regelung
- Leiten in Realzeit
- Koordinieren, Planen einer Fabrik
- Koordinieren, Planen eines Unternehmens

gegliedert und werden durch

- Bedien- und Darstelleinrichtungen
- Werkzeuge und
- Dienstleistungen

unterstützt.
Hierarchische Netze, konsistente Datenbasen und Bedienoberflächen sind wesentliche Teile einer solchen Struktur. Sie bietet auch die Möglichkeit die Gesamtleistungsfähigkeit, die Verfügbarkeit wie die Teilverfügbarkeit und die Sicherheit z. B. bezüglich der Haltung relevanter Daten in konsistenten Basen angemessen zu dimensionieren.

---

[8]) CAD Computer aided design
CAM Computer aided manufacturing

5. Hierarchische Netze

Die Beantwortungszeit von Datenanforderungen ist in den verschiedenen betrieblichen Ebenen eines Produktionsunternehmens sehr unterschiedlich. In der peripheren Ebene 1 sind Zeiten im

s ...ms-Bereich einzuhalten, während in der Unternehmensebene (Ebene 5) solche im min...h-Bereich ausreichen. Da andererseits bei Öffnung von Netzen erhebliche Organisationsdatenumfänge mit jeder Nutzdatensendung übertragen werden müssen, sinkt die Realzeitfähigkeit entsprechender Protokolle selbst bei hoher Übertragungsgeschwindigkeit mit zunehmender Öffnung der Netze. Daraus ergibt sich, daß mit einer Netzart nicht alle Anforderungen in einem Betrieb überstrichen werden können. Als geeignete Lösung bietet sich eine Hierarchie lokaler Netze mit unterschiedlichen Leistungsfähigkeitsdaten an. Zweckmäßig ist eine Struktur mit drei Typen lokaler Netze

- Feldbusnetz
- Linien-/Zellennetz
- Fabriknetz

und einem

-Unternehmensnetz

über das öffentliche Netz (Bild 14). Alle diese Netze müssen der Norm für offene Kommunikation, dem OSI-Referenzmodell, folgend, entsprechende Protokolle leisten (Bild 15). Dies schlägt sich auch in der Entwicklung der Automatisierungsstrukturen wieder. Die zu übertragenden Telegramme müssen neben den Nutzdaten einen erheblichen Aufwand von Steuerdaten transportieren. Um trotzdem den geforderten Datendurchsatz zu gewährleisten , müssen entsprechend große Kanalkapazitäten bereitgestellt werden. Auf die in Normung befindlichen Protokolle MAP und TOP kann in diesem Zusammenhang nur hingewiesen werden.

Besonders im harten Realzeitbereich werden diese Protokolle noch durch firmenspezifische ergänzt, die jedoch zweckmäßig verfügbare Normen bereits berücksichtigen sollten.

6. Konsistente Datenbasen

Gleichgültig ob vom Dezentralisierungsstandpunkt oder von der Integration aus betrachtet, zwischen den einzelnen Teilen eines entsprechenden Systems bestehen nicht nur Kommunikationsbeziehungen. In den jeweiligen Teilen des Systems befinden sich auch Speicher, die mindestens partiell datenverarbeitungstechniche Abbildungen, sog. Datenmodelle von Produktionsanlagen, Aufträgen und Werkstücken, darstellen. Solche Modelle sind meist laufender Aktualisierung durch das Prozeßgeschehen oder Beeinflussung durch die Operateure unterworfen und somit nur zu bestimmten Zeiten in sich konsistent. Werden Inhalte dieser Modelle an andere Systemteile übertragen, die ihrerseits Modelle führen, dann ist bei integrierter Nutzung der verschiedenen Modellinhalte auf die übergreifende Konsistenz zu achten (Bild 16). Insgesamt ist eine gemeinsame Datenbasis erforderlich, die jederzeit das Betreiben, Anfahren und den Teilbetrieb des Systems aus gegebenen Situationen heraus gestattet (Bild 17).

Die Hauptmerkmale von Automatisierungsstrukturen für integrierte Systeme sind also leistungsgestaffelte Kommunikationseinrichtungen mit lokalen und öffentlichen Netzen und, wenn erforderich, auch Parallelbussen zur Integration von Funktionseinheiten zu einem Funktionsblock sowie konsistente Datenbasen, die örtlich konzentriert oder über das System verteilt ausgeprägt sein können.

7. Materialflußtechnik

7.1. Materialflußsteuerung

Materialflußsysteme dienen als Rückgrat der Produktionslogistik zum Verteilen, Sortieren, Kommissionieren, Be- und Entladen. Die Materialflußtechnik begleitet somit alle Objekte - Teile, Werkstücke, Halbfertigteile und Fertigteile - der Produktion von der Bestellung bis zur Fertigstellung eines Produktes, bindet die Zulieferer ein und setzt sich in der Warenverteilung zum Endabnehmer fort.

Die wesentlichen Elemente eines solchen Materialflußsystems sind die Transporttechnik, die Fördertechnik und die Lagertechnik.

Die leittechnischen Einheiten im Materialfluß beschreiben und steuern, welche Waren zu welchem Zeitpunkt an welchem Ort zu sein haben. Sie verarbeiten Informationen über Warenströme, Transportwege, Lagermengen und -orte, Kommissionierung und Verteilstrategien.

7.2 Fördertechnik

Die Fördertechnik ist die zweite wesentliche Säule der Materialflußsysteme. Zur Lösung der unterschiedlichen Aufgabenstellungen stehen vielfältige Techniken zur Verfügung. Dabei kann zwischen Flurförderung und Förderung in einer zweiten Ebene unterschieden werden. Im einfachsten Falle verbindet die Fördertechnik einzelne Maschinen oder Bearbeitungszentren oder sie versorgt z. B. eine gesamte Produktionslinie mit Material über mehrere, technisch aufwendige Teilanlagen. Auch die Entsorgung der Produktion von Abfall, von Halbfabrikaten und den Fertigprodukten erfolgt über Transportsysteme. Diese Systeme werden automatisch gesteuert und haben bei komplizierten Aufgaben eigene Prozeßrechner (Bild 18).

Elektrotechnisch wird das Gebiet Fördertechnik durch die Steuerungstechnik geprägt.

7.3 Lagertechnik

Die Lagertechnik ist die dritte Säule dieses Technologiebereiches.

Für die Automatisierung von Hochregallagern sind für Regalförderzeuge Automatisierungssysteme erforderlich, welche eine flexible Anpassung an die verschiedenen Aufgaben im Lager erlauben. Konstruktiv ist das System in zwei Gruppen aufgeteilt: den Antriebsteil und den Steuerungsteil. Beide Gruppen sind so platzsparend aufgebaut, daß sie mitfahrend auf dem Regalbediengerät betrieben werden können.

7.4 Objektidentifikation

Die Verfolgung von Objekten in der Produktion kann durch Datenmodelle in Rechnern erfolgen oder durch Identifizierung an wichtigen Durchlaufpunkten, den I-Punkten. Die Identifizierung kann automatisiert werden, wenn den durchlaufenden Objekten Kennungen beigegeben werden, die von technischen Systemen gelesen werden können.

Eine sehr interessante Lösung ergibt sich, wenn wie bei dem System OIS von AEG für die Beigabe der Kennungen zu Objekten Mikroelektronik und Mikrowellentechnik zum Einsatz kommen (Bild 19).

OIS ist ein elektronisches Objekt-Identifikations-System, bei dem ein berührungsloser Datenaustausch zwischen einem mobilen Datenträger und einer stationären Schreib-/Leseeinheit stattfindet.

Durch die Verwendung umprogrammierbarer Datenspeicher können Objekt-bezogene Daten laufend aktualisiert und zum

Auslesen an entsprechenden Stellen im betrieblichen Ablauf angesehen werden.

Der Schreib-Lese-Kopf erzeugt ein Mikrowellenstrahlungsfeld mit einer gerichteten Feldverteilung. Das Lesen und Beschreiben der Datenträger erfolgt im Einflußbereich des Strahlungsfeldes. Die Daten werden per Funk übertragen.

Der batterielose Datenträger entnimmt die Energie für seine Stromversorgung aus dem elektromagnetischen Feld des Schreib-Lese-Kopfs. Die Hybridschaltung des Datenträgers ist in einem robusten, hermetisch dichten und chemikalienbeständigen Gehäuse untergebracht. Eine spezielle Fertigungstechnologie macht es möglich, den Datenträger Temperaturzyklen bis zu 250 °C Eigentemperatur auszusetzen.

8. Produktionslogistik-Leitstand

Zur Realisierung logistikgerechter Produktionsweise setzen sich zunehmend Leitstände durch, die zwischen herkömmlicher Produktionsplanung und -steuerung (PPS) und Werkstatt ihren Platz haben (Bild 20) und auf Regelungsprinzipien aufgebaute Informationsverarbeitungssysteme darstellen.

Die Notwendigkeit solcher Leitstände begründet sich im wesentlichen dadurch, daß

- zunehmend eine CIM-integrierte und logistikgerechte Produktionsweise, hauptsächlich zur grundlegenden Verkürzung der Durchlaufzeiten angestrebt wird
- die bisher vorhandenen Produktionsplanungs- und Steuerungssysteme (PPS) auf traditionellen Planungs- und Steuerungsphilosophien beruhen und keine oder nur schwach ausgeprägte Regelungsmodule enthalten.

  Von den drei Komponenten einer CIM-integrierten und logistikgerechten Produktionsweise

- Planen
- Steuern
- Regeln

  fehlt daher vorhandenen PPS-Systemen die dritte Komponente, nämlich das Regeln (Bild 21).

Der Produktionslogistik-Leitstand soll ein Instrument für die Materialfluß-, Werkstatt-, Fertigungs- bzw. Produktionsabwicklung und -regelung darstellen, mit dem folgende wesentlichen Aufgaben durchgeführt werden können:

- Feinplanung freigegebener Werkstattaufträge auf die einzelnen Kapazitäten und Arbeitsplätze einschließlich der Arbeitsverteilung
- Echtzeitregelung in der Fertigung bei Abweichungen und damit Reaktionsmöglichkeit auf Störungen (z.B. Ausfälle)
- Darstellung der Konsequenzen einer getroffenen Entscheidung
- Problemorientierte Umplanung bei Abweichungen
- Generierung von Transportvorgängen
- Änderung der Fertigungsmittelauswahl
- Umsetzung der Kurzzeitplanung in Echtzeit
- Simulation und Neueinplanung bei Veränderungen, durchgeführt vom Werkstattpersonal selbst

Damit soll der Produktionslogistik-Leitstand die bisherigen, als PPS-Systeme im Werkstattbereich konzipierten Leitstände ergänzen bzw. ablösen. Er besteht aus

- dem planenden und regelnden Teil: der elektronischen Plantafel
- dem abwickelnden und verwaltenden Teil: dem Leitsystem, das mehrere Plantafeln miteinander verbindet

Ein solcher Produktionslogistik-Leitstand dient der technisch ablauforientierten Fertigungsregelung - üblicherweise Werkstattsteuerung genannt- und ist damit das Bindeglied zwischen dem betriebswirtschaftlich-planerisch orientierten PPS-System, dem technisch-geometrisch orientierten CAD/CAP-System und dem eigentlichen Produktionsprozeß. Typischerweise entstehen dabei im Gesamtbetrieb Vernetzungsstrukturen mit einzelnen Leitstandskomplexen, die untereinander kommunizieren.

9. Bedienoberflächen

Produktionseinrichtungen sind soziotechnische Systeme. Sie haben somit Schnittstellen zwischen Menschen und Betriebsmitteln, wie dem Produktionsprozeß. In der zunehmenden Mächtigkeit der Funktionalität von Automatisierungssystemen gewinnen diese Schnittstellen immer größere Bedeutung. Das Bedien- bzw. Darstellgerät entwickelt sich zur Benutzeroberfläche. Diese kann mit der hohen Leistungsfähigkeit moderner Elektronik so ausgelegt werden, daß sie den Menschen in seiner Tätigkeit umfassend wie auch spezifisch unterstützt. Ganzheitlicher Einsatz des Fachwissens und der Facherfahrung wird möglich und Bediengeräte-abhängige Fertigkeiten können weitgehend entfallen.

9.1. Kommunikation zwischen Menschen und Fertigungsein richtungen

Die Einsatzfaktoren des Arbeitssystems "Produktion" sind geistige und handwerkliche Arbeit von Menschen, technologische Betriebsmittel und Arbeitsgegenstände in Form von Material, Energie und Information.

Wie gesagt, ist die Produktion ein soziotechnisches System (Bild 22), eine Anordnung, bei der Menschen mit technologischen Gebilden und Prozessen zusammenwirken, Technologien zum Fahren von Prozessen benutzen, sich der Technik bedienen. Schnittstellen treten dabei zwischen Mensch und Technik, zwischen Mensch und Mensch und Technik und Technik auf.

Der Schnittstelle zwischen Mensch und Technologie wie dem Prozeß ist besonders beim automatisierten System ein hoher Stellenwert beizumessen.Ihre Gestaltung sollte daher bei jeder Produktionseinrichtung die vollen technisch-wirtschaftlichen Möglichkeiten ausschöpfen, ganz besonders aber die Leistungsfähigkeit des Menschen unter Berücksichtigung der Ergonomie, der Leistung der Sinnesorgane, der Wahrnehmungs- und Entscheidungsfähigkeit, des Gedächtnisses, des Wissens und Könnens, der Reaktionsgeschwindigkeit, der Konzentration und Ermüdung, der Belastung durch Lärm und ungewöhnlichen Temperaturen, des Schutzes vor aggressiven Umgebungen und der Gefahren und Beeinträchtigungen der Gesundheit, kurz: der zwischen Mensch und Technologie bzw. Prozeß entstehende Regelkreis ist in jeder Hinsicht zu optimieren.

Jede Produktionseinrichtung hat bei allen Betriebszuständen wie Vorbereiten, Einrichten, Produzieren und Instandhalten Schnittstellen zu Menschen, die sie bedienen, überwachen und auswerten. Diese Benutzerschnittstellen treten in unterschiedlicher Weise auf, je nachdem, ob die Produktioneinrichtung als kompakte Einheit (z. B. eine Einzelmaschine oder ein Arbeitsplatzrechner) oder als verteiltes System mehrerer Module (z. B. ein flexibles Fertigungssystem mit Maschinen, Handhabungssystemen und Fördereinrichtungen) oder als Plätze eines Leitstandes aufgebaut ist (Bild 23).

Bei automatisierten Einrichtungen schiebt sich zwischen die eigentliche Produktionseinrichtung und ihre Benutzer ein informationsverarbeitendes System, das den Teil in Höhe des Automatisierungsgrades der erforderlichen Funktionen zum Betrieb der Fertigungseinrichtung dem Menschen abnimmt.

Der Benutzer wird dadurch von der Fertigungseinrichtung einerseits entkoppelt, andererseits durch zusätzliche Angaben ausführlicher über das Technologie- und Prozeßgeschehen informiert.

Eine ganze Reihe von Gründen für größere Produktivität und höhere Wirtschaftlichkeit liegt somit in der Qualität der Mensch-Maschine-Kommunikation, vor allem an der dem Menschen angepaßten Auslegung der Benutzeroberfläche und dem ausschließlich für den Umgang mit der Benutzeroberfläche erforderlichen Wissen, das als Ballast erkannt und minimiert werden muß.

Diese Feststellung gilt generell, sie gilt aber in besonderem Maße bei CIM-strukturierten Systemen, deren einzelne Automatisierungsinseln über Netze zu Gesamtsystemen verbunden sind. Der einzelne Bedien-/Darstellplatz hat dabei nicht nur lokale Bedeutung für die jeweilige Insel, sondern auch globale Aufgaben.

Für die Bezeichnung der Gesamtheit der Schnittstellen zwischen Mensch und Informationssystem hat sich der Begriff der **Benutzeroberfläche** eingeführt, der deutlich machen soll, daß die Bedien- und Darstellfunktionen sich gleichsam auf einer Ebene zwischen Benutzer und Fertigungseinrichtung abbilden und die Wirksituation und Wirkmöglichkeit der technologischen Aufgabe symbolisch oder mit analogen Abbildungen wiedergeben.

Benutzeroberflächen haben sich in den letzten Jahren umwälzend verändert. So sind beispielsweise aus dem Sammelpunkt für Meldungen und Meßwerte mit Tastern und Ziffernschaltern für Befehle und große Meldebildtafeln mit Befehlsgebern flexible, lichtgriffelgeführte Bildschirmplätze geworden. Für sich sprechende Hintergrundbilder, wie im gezeigten Beispiel (Bild 24) auf Farbvideosystemen und in diese laufend eingeblendete Variablen des technologischen Geschehens sind dafür Beispiele. Sie können gleichermaßen in Produktionsstraßen wie in Leitständen oder Programmierbüros installiert sein (Bild 25).

9. 2. Vom Bedien- und Darstellgerät zur Benutzeroberfläche

Die ursprünglichen Bediengeräte an Fertigungseinrichtungen wie Handkurbeln oder Schalthebel haben eine feste Kopplung von Bedieninformation und durch diese beeinflußbare Stellenergie für einzelne Maschinenfunktionen.

Benutzt man zur Beschreibung der Gesamtfunktionalität von Bedienung und Darstellung auch für so ausgerüstete Einrichtungen (Bild 26) das neuere Wort Benutzeroberfläche, dann ist diese durch alle Einrichtungen beschrieben, die speziell für die menschliche Beeinflussung oder menschliche Erfassung des Verhaltens einer Fertigungseinrichtung vorgesehen sind. Oberfläche meint hier die insgesamt zugänglichen Stellen für die Mensch-Maschine-Kommunikation.

Sinnvoller wird der Begriff der Benutzeroberflächen aber dann, wenn zwischen den vom Benutzer zu gebenden bzw. zu empfangenden Informationen und den maschineninternen Funktionen eine Informationsumsetzung und Informationsverarbeitung stattfindet, die dem Benutzer einerseits und der Maschine andererseits angepaßte Informationsdarstellungen bietet. Die Intelligenz dieser Anpassung bietet sich zur Gestaltung der Funktionalität der Benutzeroberfläche an (Bild 27).

Beim Übergang von direkten Bedien- und Darstellelementen auf Tafeln und Pulten (Schalter, Taster, Leuchten, Zeigerinstrumente und anderes mehr) zu Bildern auf Bildschirmen gewinnt man gleichzeitig einen beachtlichen Zuwachs der Flexibilität der Benutzeroberfläche, da viele Bilder in Speichern abgelegt und abrufbar bereit gehalten und mit Variablen entsprechend der aktuellen Situation versorgt werden können. Werden dabei Zugänge (Bild 28) zu allen gespeicherten und zur Verarbeitung und Übertragung von bzw. zu anderen Automatisierungssystemen vorgesehenen Daten und Programmen geschaffen, kann die Vielfalt von Bediengeräten auf eines reduziert werden, das auf diese Weise für alle Anforderungen transparent gemacht wird. Prozeßbedienung, Programmierung, Parametrierung, Prozeßdiagnose, Systemdiagnose laufen dann über **eine** Benutzeroberfläche. Die besondere Leistung solcher Geräte besteht darin, daß sie nicht aufgerufene Bilder im Hintergrund laufend aktualisieren, während über das gezeigte Bild bedient wird. Auch die Funktionalität eines Expertensystems kann auf diese Weise eingebunden und genutzt werden.

9.3 Benutzeroberflächen in den verschiedenen betrieblichen Ebenen

Der CIM-strukturierte Produktionsbetrieb wird heute üblicherweise in Ebenen gegliedert, die einzelnen Automatisierungsbereichen zugeordnet sind.

Auf allen Ebenen sind Bedienplätze erforderlich, die primär den jeweiligen lokalen Bedienaufgaben zugeordnet sind, zusätzlich aber in erforderlichem Maße globale Informationen darstellen und Bedieneingriffe ermöglichen.

Bei ikonischen Bedien-/Darstellgeräten (Bildschirmplätzen) bietet sich dabei die Möglichkeit, Bilder aus unterlagerten Ebenen auch auf überlagerten Ebenen zeigen und den Bildvorrat auf den überlagerten Ebenen mit zusätzlichen Übersichtsbildern anreichern zu können (Bild 29). Für Bedieneingriffe müssen freilich die Berechtigungen geordnet werden, ein Hinweis darauf, daß im CIM-strukturierten Produktionsbetrieb nicht nur die Technik und Mensch-Maschine-Kommunikation weiterentwickelt werden muß, sondern auch die Organisation des Betriebs.

9.4 Inhalte von Benutzeroberflächen

Wie bei jedem Produkt, so hat auch bei einem Produkt zur Bedienung und Darstellung die Oberfläche entscheidenden Anteil an seiner Qualität und Akzeptanz durch den Benutzer.

9.4.1 Modelle

Für die Anwendung von Benutzeroberflächen sind Modelle erforderlich. Dies sind Datenfelder, die Betriebsmittel und Prozesse, wie die zu produzierenden Objekte, datentechnisch beschreiben und die laufend zeitgerecht aktualisiert werden. Auf diesen Modellen setzen die Funktionen des Automatisierungssystems für den Betrieb der Produktionseinrichtung auf. Sie liefern die Daten für die Benutzeroberfläche.

9.4.2 Ikonische Benutzeroberflächen

Ikonische Benutzeroberflächen nutzen Bilder von Videosystemen für die Mensch-Maschine-Kommunikation. Dabei werden in den Bedien-/Darstellgeräten aufrufbare Hintergrundbilder gespeichert, welche die jeweilige Situation veranschaulichen und Ausschnitte frei lassen, in die Größen aus dem Datenmodell direkt oder entsprechend aufbereitet eingeblendet werden können, so daß das Hintergrundbild um aktuelle Daten ergänzt und "lebendig" wird (Bilder 30, 31). Damit lassen sich aber auch Balkendarstellungen, Segmentdarstellungen und Kurven zeitlicher Veränderungen einschließlich histografischer Daten darstellen und über Lichtgriffel oder Maus abrufen. Zur Eingabe von Bediendaten dienen Tastaturen.

Das Hauptaugenmerk liegt hier auf den von der Software bereitzustellenden Mechanismen, die den Kommunikationsprozeß zwischen Rechner und Benutzer unter Zuhilfenahme der Hardwarekomponenten steuern, Informationen zur Ausgabe aufbereiten und geeignete Eingabefunktionen zur Verfügung stellen.

Die Leistungsfähigkeit ikonischer Benutzeroberflächen soll am Beispiel einer Lackierstraße (Bilder 32, 33) für Automobile gezeigt werden. Die Bilder veranschaulichen die Konfiguration der Straße mit den Bedien-/Darstellgeräten. Eine lichtgriffelgeführte Bedien-/Darstellstation als Steuerplatz für einen Arbeitsbereich wird zum benutzerfreundlichen, leistungsfähigen und flexiblen Platz zum optimalen Fahren der Anlagen.

Hilfefunktionen zur Bedienerführung, wie z. B. für das Editieren, stehen zur Verfügung.
Im Beispiel ist ein Fenster für einen Baustein aufgerufen
(Bausteinnummer 11, Netzwerknummer 4),
der als Programmbaustein (PB) arbeitet,
als Funktionsplan (FVP) eingegeben ist und
dessen Signale symbolisch adressiert bietet.

9.4.3 Audiolinguale Bedienoberfläche

Neben ikonischen gewinnen auch audiolinguale Bedienoberflächen Bedeutung (Bild 34). Oft ist die freie Beweglichkeit von Werkern vorteilhaft. In solchen Fällen kann ein auf Sprache basierende Benutzeroberfläche eingesetzt werden, bei dem der Werker lediglich einen Funktionskopfhörer und ein Funktionsmikrofon tragen muß. Auf diese Weise läßt sich zum Beispiel ein Sprachein-/ausgabesystem für die Montageendkontrolle in einem PKW-Werk realisieren.

Bei der Aufgabenstellung des Spracherkennungssystems hat man sich dabei für eine Bedienoberfläche entschieden, die im großen und ganzen dem bisherigen Produktionsablauf entspricht. Dieser Forderung kommt ein werkergeführtes Spracherkennungssystem am nächsten. Durch besondere einprogrammierte Steuerworte werden vom System Sonderfunktionen aktiviert, die entsprechende Vorgänge einleiten.

Bei der Konfiguration des Systems wurde darauf Wert gelegt, daß viele Kontrollplätze untereinander vernetzt werden können. Der Wegfall der bisherigen Prüfprotokolle und das damit verbundene Ausfüllen von Listen (d. h. papierloses Arbeiten) erlaubt es dem Werker, Augen und Hände für andere Tätigkeiten frei zu haben. Durch den Anschluß einer Datenbank hat man die Möglichkeit, große Datenmengen zu speichern, mit Suchmenüs schnell Daten bestimmter Art zu finden und ein Protokoll zu erstellen.

9.5 Partizipation

An den beschriebenen modernen Benutzeroberflächen laufen weit mehr Informationen als bei konventionellen Systemen zusammen. Sie werden überdies erheblich stärker aufbereitet und machen nicht nur Einzelfakten zugänglich, sondern Zusammenhänge deutlich.

Besonderes Augenmerk läßt sich dabei auf die Herausstellung der eigentlichen Produktionsaufgabe an der jeweiligen Benutzeroberfläche legen. Der agierende Mensch hat dadurch umfassenderen Einblick in die ihm gestellte Aufgabe und kann sein fachliches Know-how umfassender als bisher zur Geltung bringen. Die Partizipation von einzelnen Menschen wie von Teams kann dadurch wirkungsvoller und motivierender gestaltet werden (Bild 35, 36).

Die aus der Anfangszeit der Automatisierung kommende und dabei übliche bzw. damals (nur mögliche) geringe Vor-Ort-Automatisierung mit zeitlicher, örtlicher und sachlicher Entkopplung der an zentraler Stelle durchgeführten vorauslaufenden, faktisch unflexiblen Datenvorbereitung stufte den Werker gegenüber dem nicht automatisierten Handbetrieb auf sehr
niedrige Partizipation herunter.
Diese Unterforderung der für Qualität und Durchsatz oft entscheidenden Fachleute und deren gleichzeitige Überforderung mit unnötigen Bedienbarrieren, d. h. an der Benutzerschnittstelle zusammenhanglos auftretenden Signalen, kann mit den neuen Benutzeroberflächen überwunden werden.

Dem Organisationsfachmann stehen damit neue Wege für die Verteilung von Kompetenz und Verantwortung offen. Meistern und Facharbeitern können ihren Fähigkeiten und Erfahrungen entsprechende Bedienplätze angeboten werden. Diese wichtige Steigerung der Partizipation der beteiligten Menschen kann auf allen betrieblichen Ebenen erreicht werden.

Alles in allem dürfen wir eine generelle Wandlung bei Benutzeroberflächen an Produktionseinrichtungen verzeichnen, eine Entwicklung, die trotz ihres schon hohen Standes und ihrer praktischen Bewährung erst im Anfang ist.

Das "Human Centered CIM" - der Mensch mit all seinen Fähigkeiten im Mittelpunkt - kann wahr gemacht werden. Es ist dadurch auch Pflicht der planenden und gestaltenden Ingenieure, diese Chance voll zu nutzen.

10. Zusammenfassung

Produktionsautomatisierung ist ohne technische Unterstützung der dazu notwendigen Informationsflüsse und ohne Automatisierung im marktorientierten Produktionsbetrieb nicht denkbar. Automatisierungssysteme solcher Betriebe haben naturgemäß dezentrale Struktur, d. h. Informationsquellen und senken wie die Informationsverarbeitung sind an örtlich auseinander liegenden Stellen und werden über Kommunikationssysteme integriert. Der Dualismus von Dezentralsierung und Integration ist prägendes Kennzeichen von Gesamtsystemen.

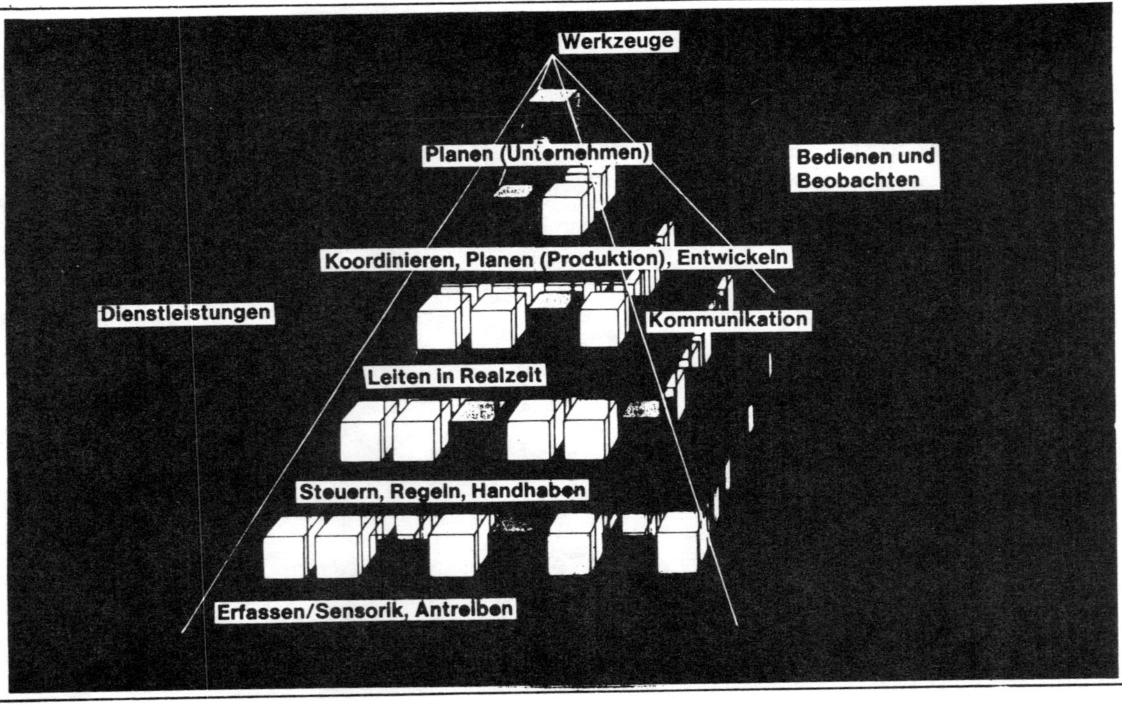

Automatisierungsstruktur für integrierte Systeme

Bild 1

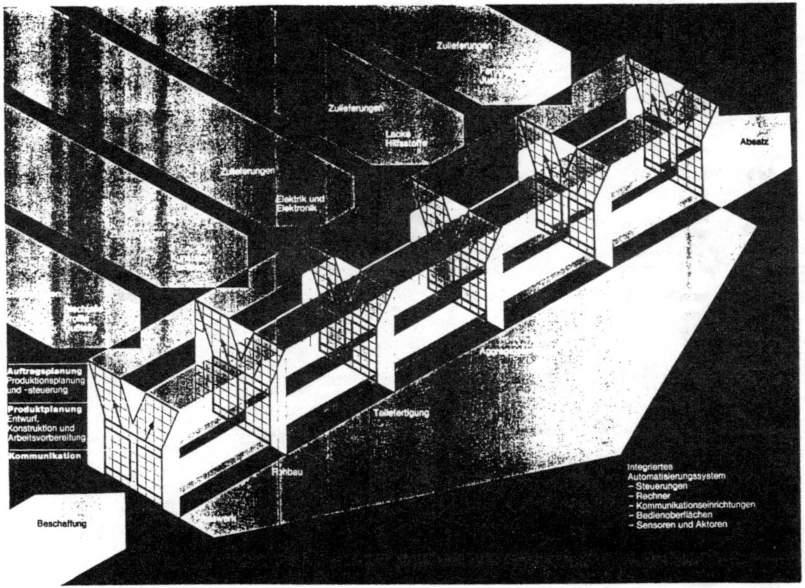

Prinzip der CIM-strukturierten Fabrik

Bild 2

Produktionsautomatisierung
541/88

AEG

Ziel der Automatisierungsstrukturen in integrierten Systemen:

Information

und

Material
müssen fließen

Hauptziel von CIM

Bild 3

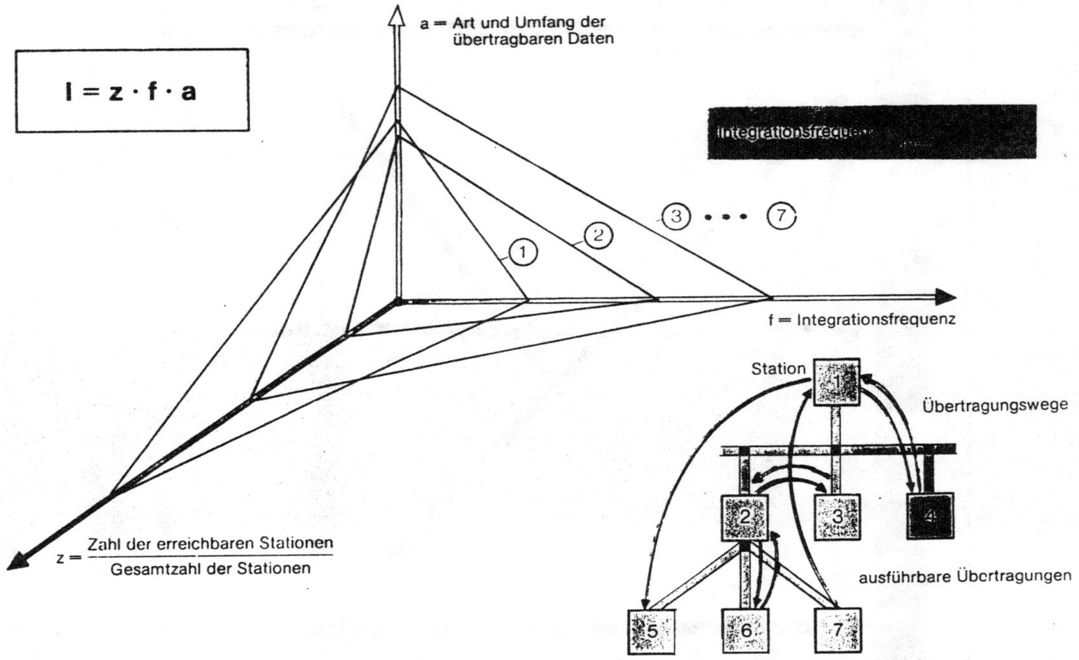

Beispielhafte Verdeutlichung des Integrationsgrades I

Bild 4

Produktionsautomatisierung
003/87 **AEG**

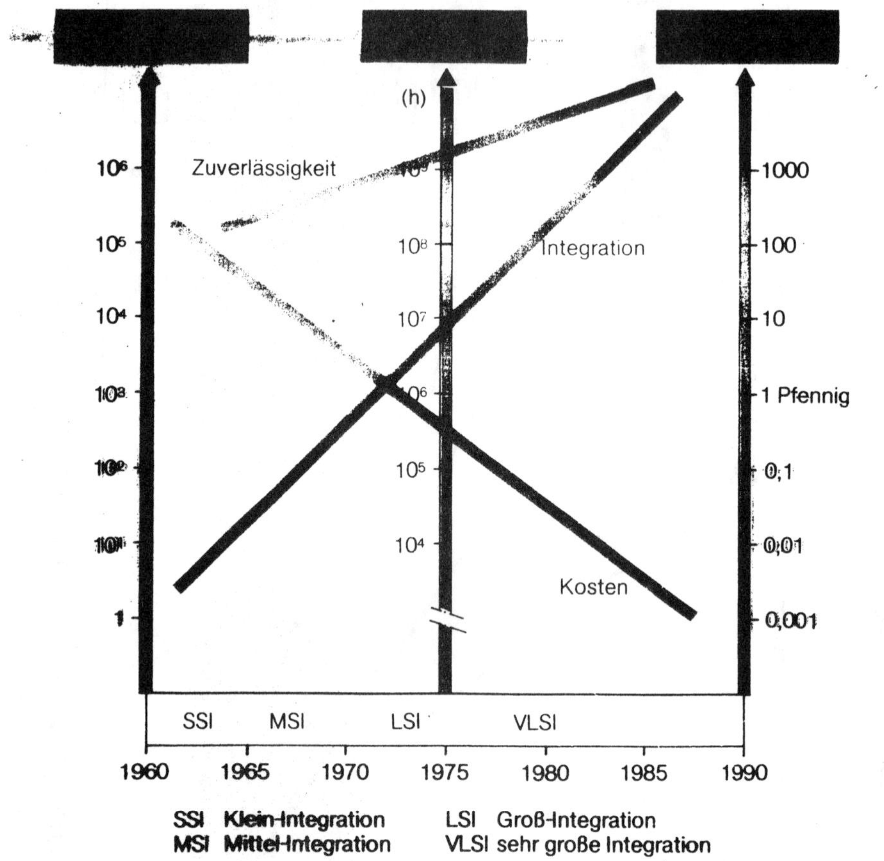

Halbleiterbauelemente Entwicklung

Bild 5

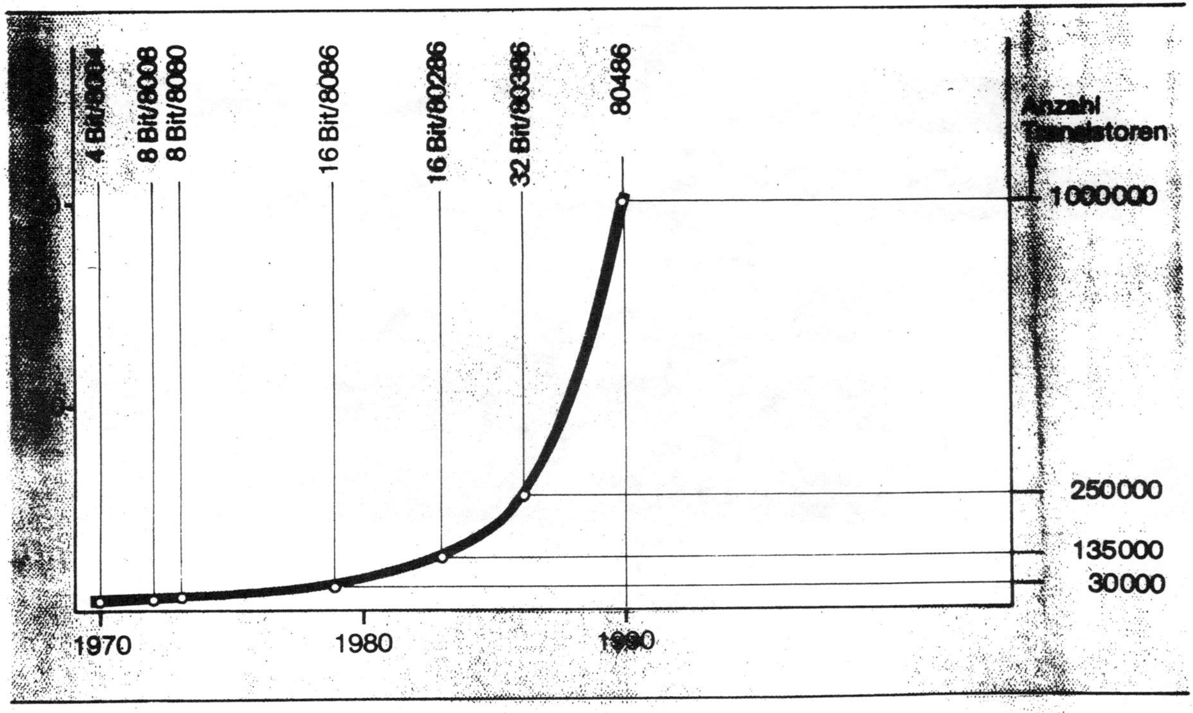

Leistungsfähigkeit von Mikrorechnern (Beispiel: INTEL)

Bild 6

Produktionsautomatisierung
007/87

Zentrales Automatisierungssystem für die Produktionsautomatisierung

Bild 7

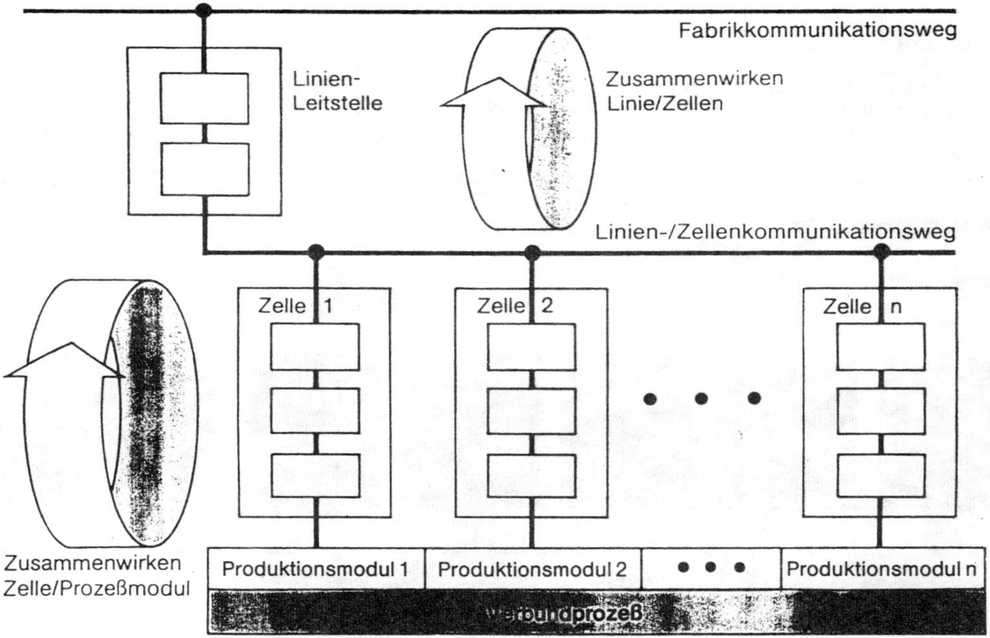

Zellen/Linien-Struktur dezentraler Systeme in der Produktion

Bild 8

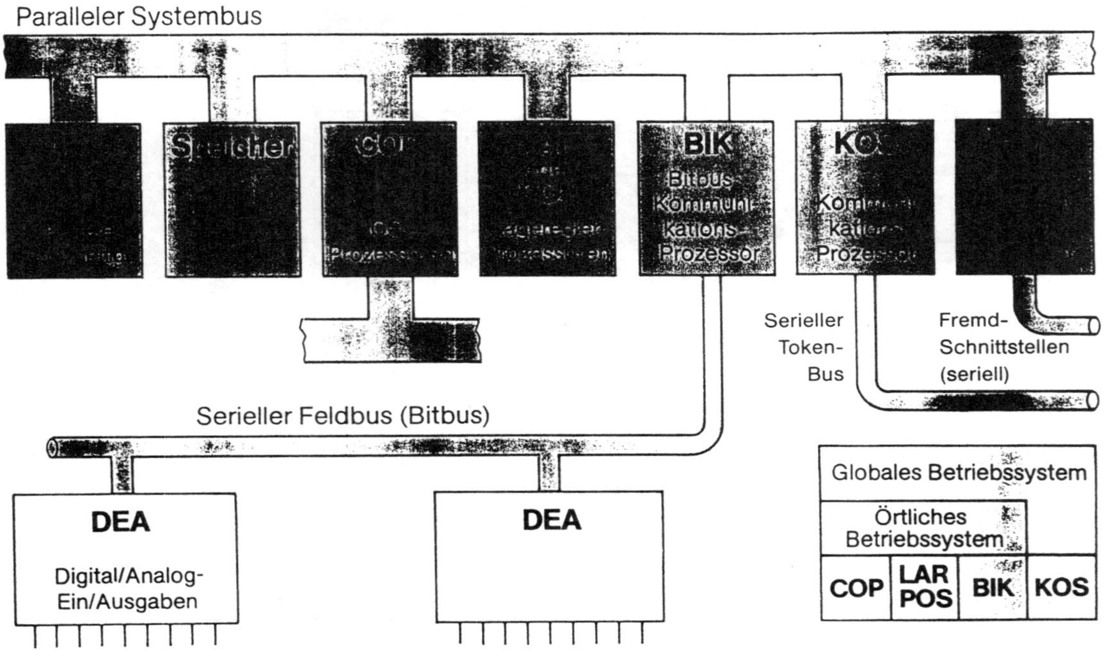

Moderne SPS-Architektur (Logistat CP80 A500)

Bild 9

Produktionsautomatisierung
076/87

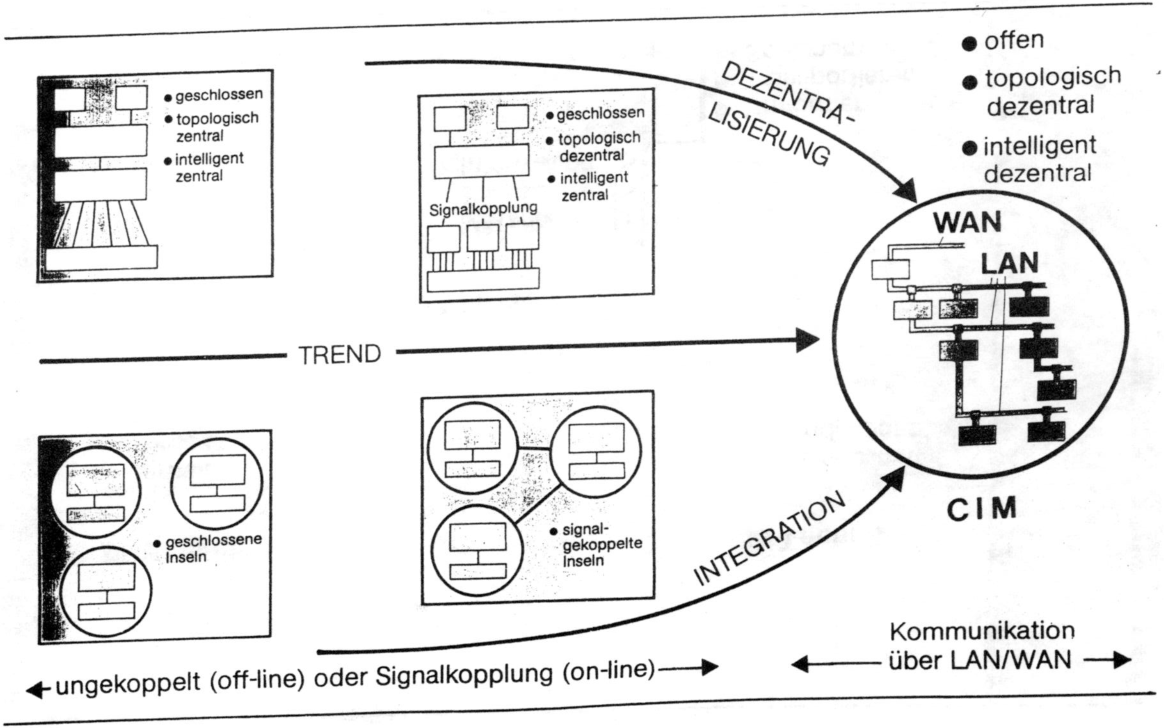

Entwicklungstrend „Dezentralisierung" und „Integration" in der Produktionsautomatisierung

Bild 10

AEG

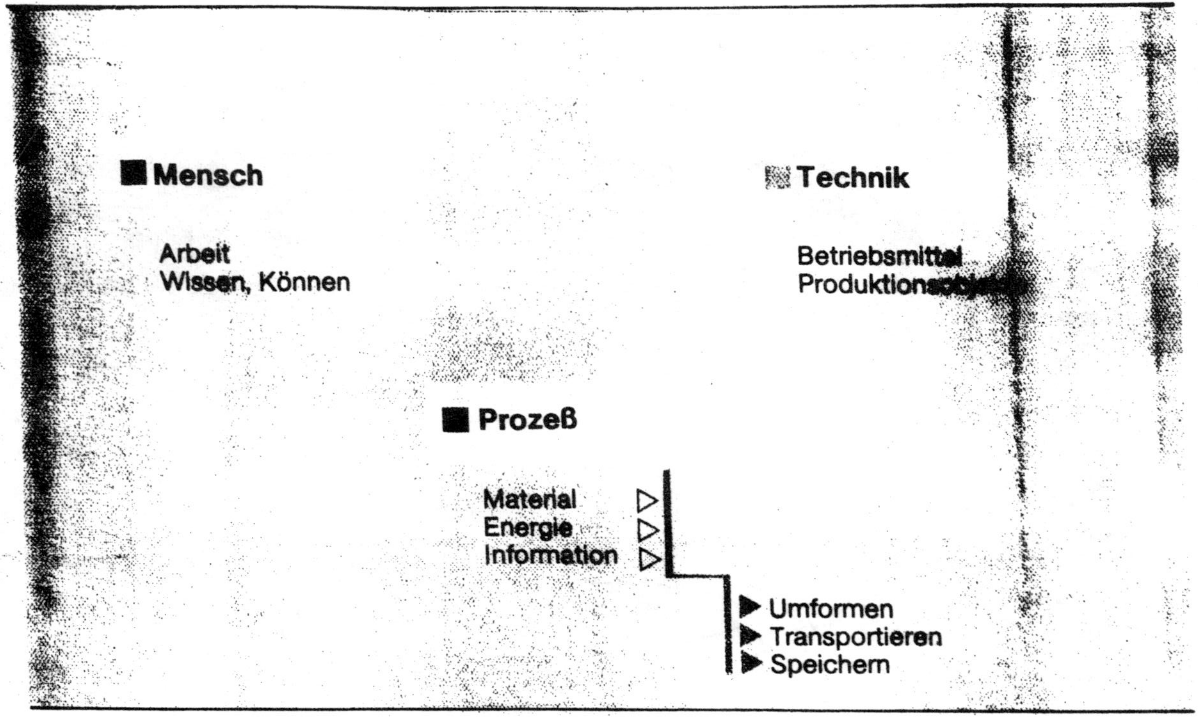

Einsatzfaktoren des Arbeitssystems „Produktion“

Bild 11

AEG

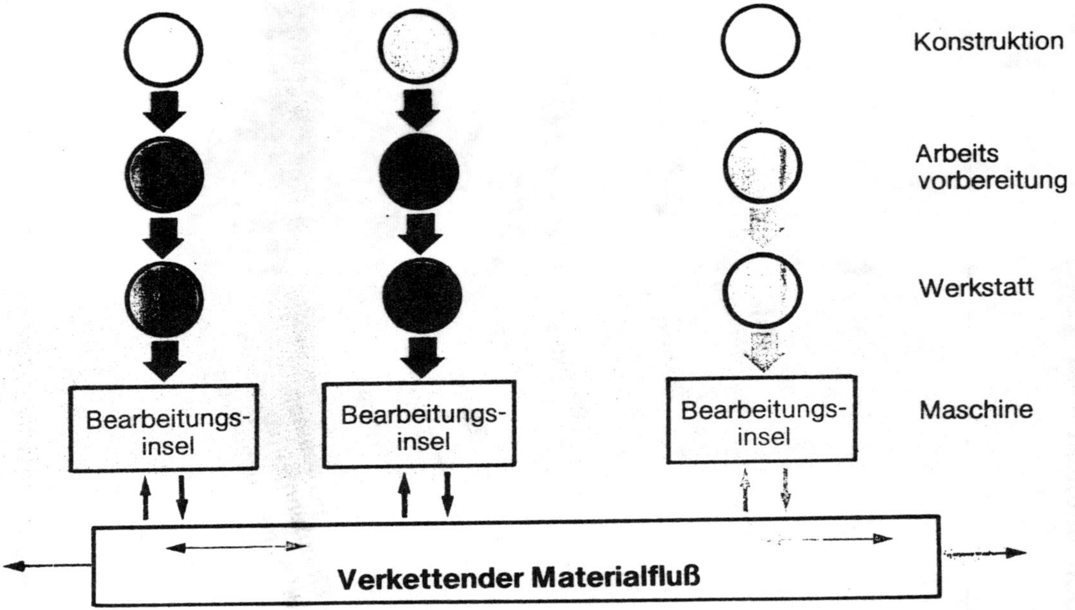

CIM-Vorstufe: Verfahrensketten

Bild 12

Produktionsautomatisierung
484/88

AEG

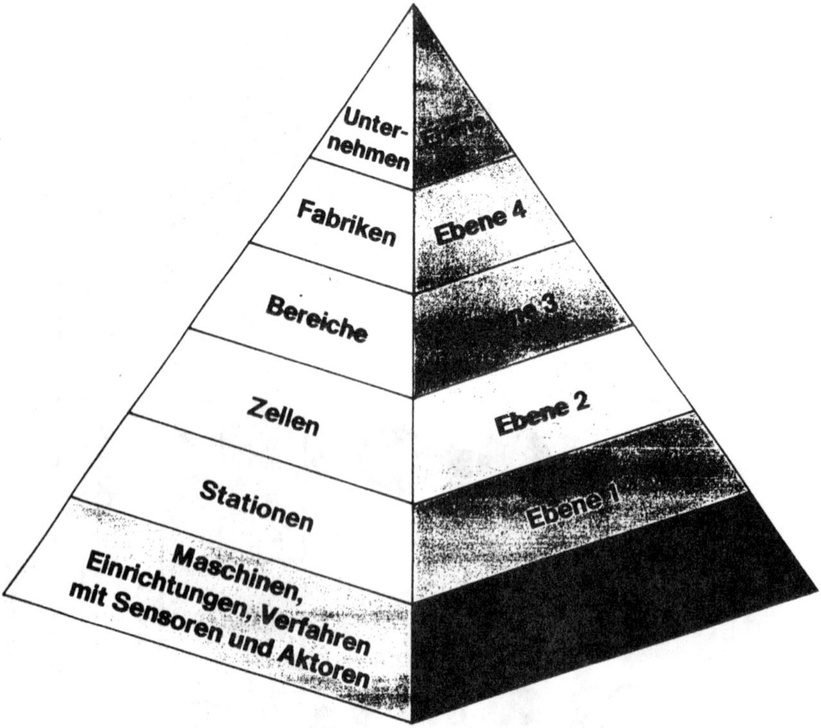

Ebenen des automatisierten Unternehmens

Bild 13

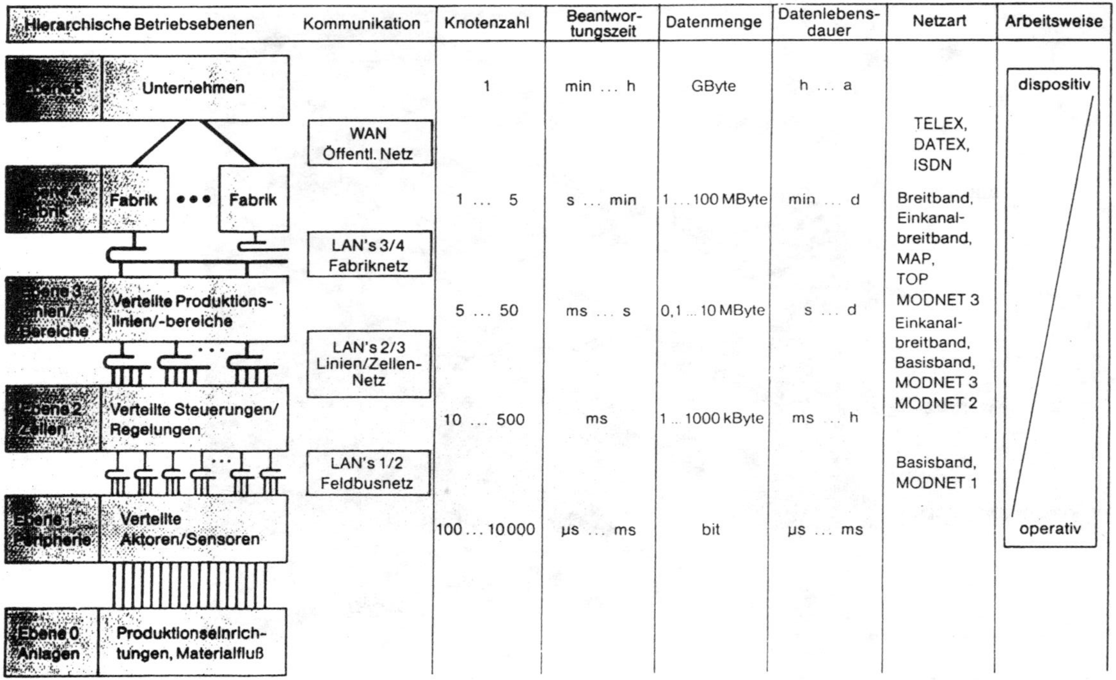

Kommunikationsarchitektur in Produktionsunternehmen

Bild 14

x.25/Datex P
ISDN

CSMA/CD (Ethernet)
10 MBit/s
Basisband
Token Bus
10 MBit/s
Breitband

ISO 8802/4 Token Bus
ISO 8802/2 LLC3/Proway
5 MBit/s Carrierband
<1 km
Koaxialkabel
Lichtwellenleiter
DIN 19241
Master/Slave
≤19,2 kBd
<10 km
Fernmeldekabel

Feldbus
Master/Slave
62,5 kBd/375 kBd
300 m–1,3 km
Twisted – Pair Kabel
Lichtwellenleiter

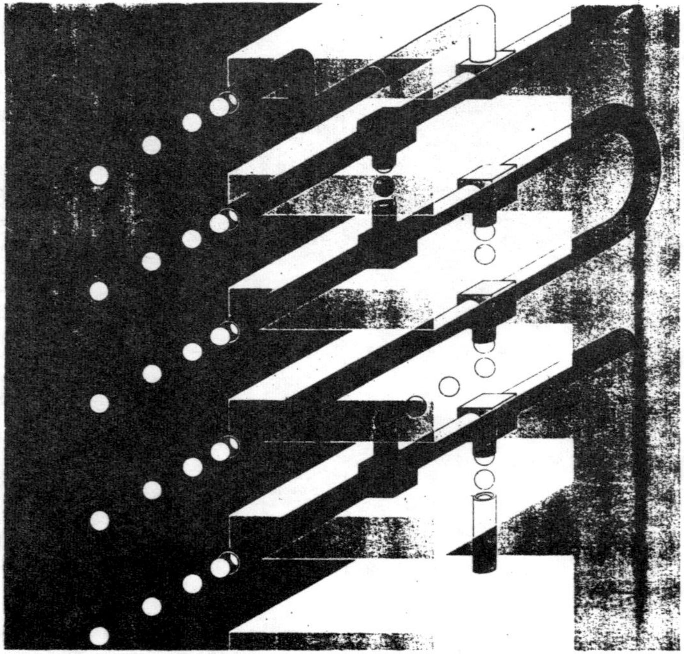

Unternehmensleitebene
Produktionsleitebene
Prozeßleitebene
Gruppenleitebene
Feldebene
Prozeß

Geamatics Reihe K (Hierarchische Kommunikationstechnik)

Bild 15

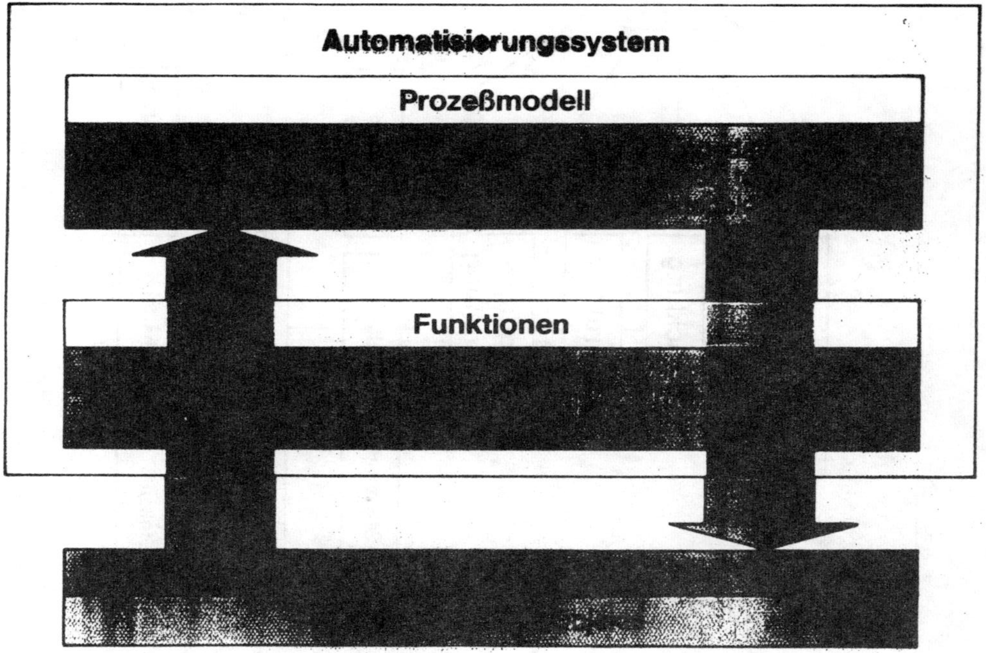

Automatisierung der auftragsabhängigen Produktion

Bild 16

Produktionsautomatisierung
253/87

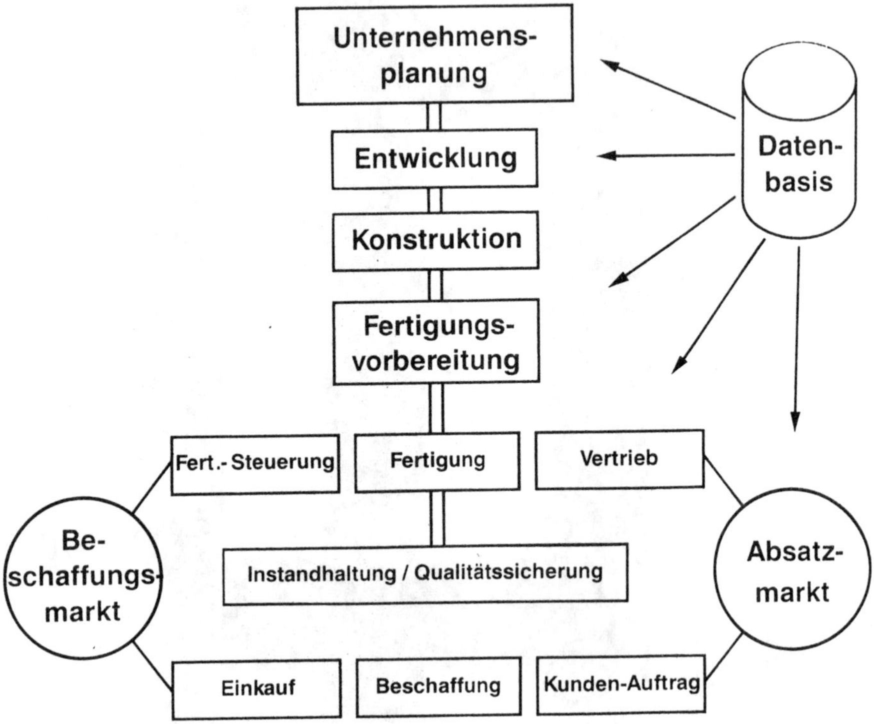

CIM-Umfeld: In CIM einbezogene Bereiche

Bild 17

LOGISTIK-optimierender Materialfluß a) Fördertechnik und Kommissionierung, b) Fahrerloses Transportsystem, c) Hochregallager

Bild 18

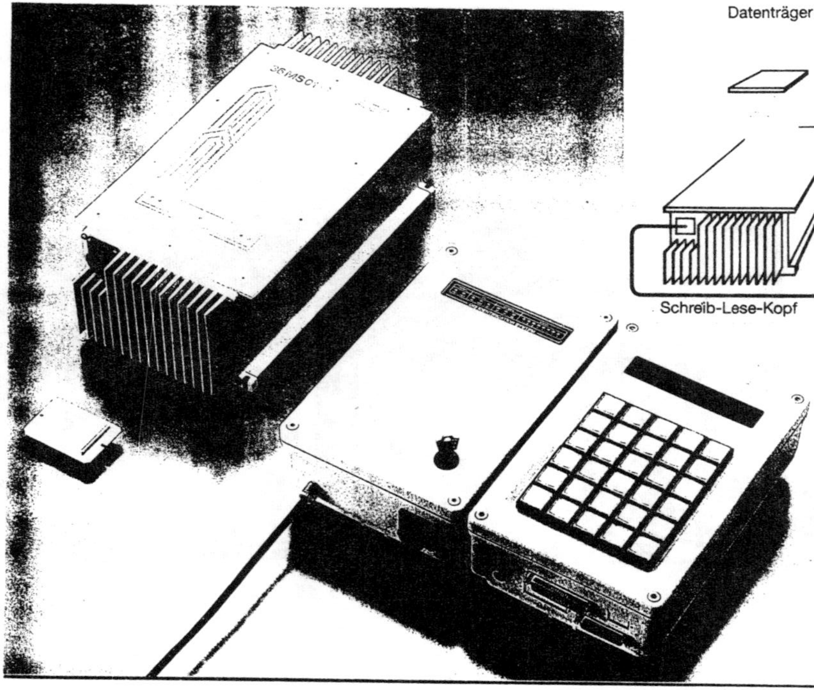

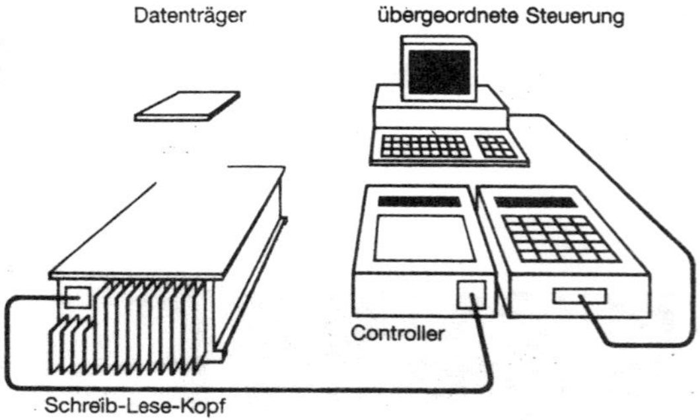

Datenträger
Schreib-Lese-Kopf
Controller

OIS = **O**bjekt **I**dentifikations **S**ystem

Bild 19

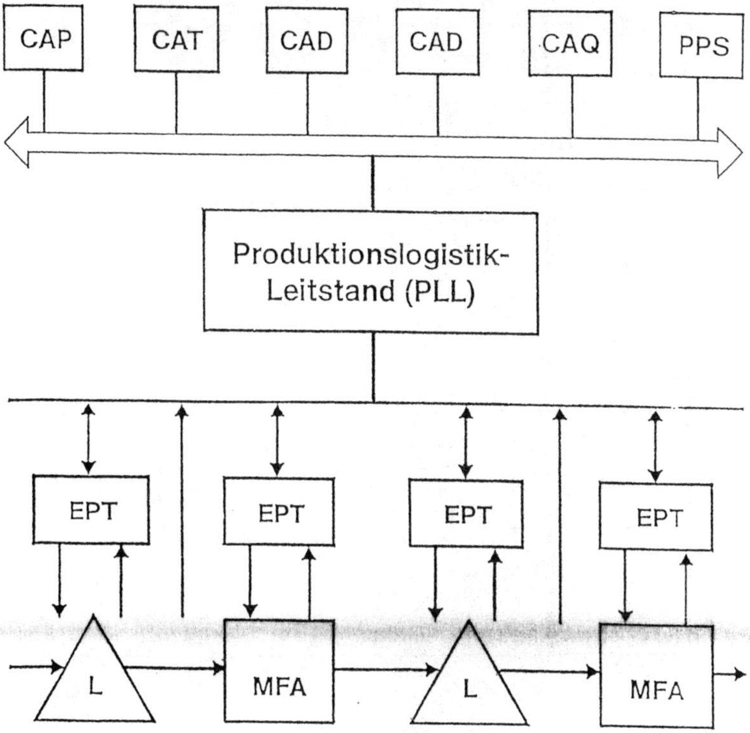

EPT = Elektronische Plantafel
MFA = Materialflußabschnitt
L = Lager

Konzeption eines Produktionslogistik-Leitstandes

Bild 20

Produktionsautomatisierung
598/88

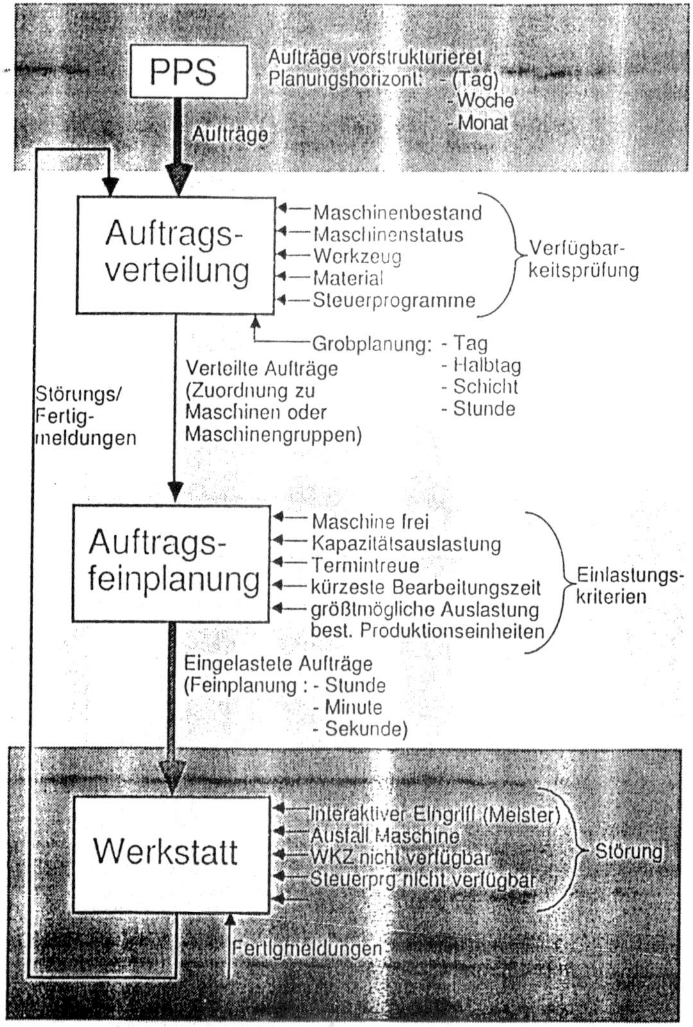

Aufgaben des WSS bei der Auftragseinplanung und -ausführung

Bild 21

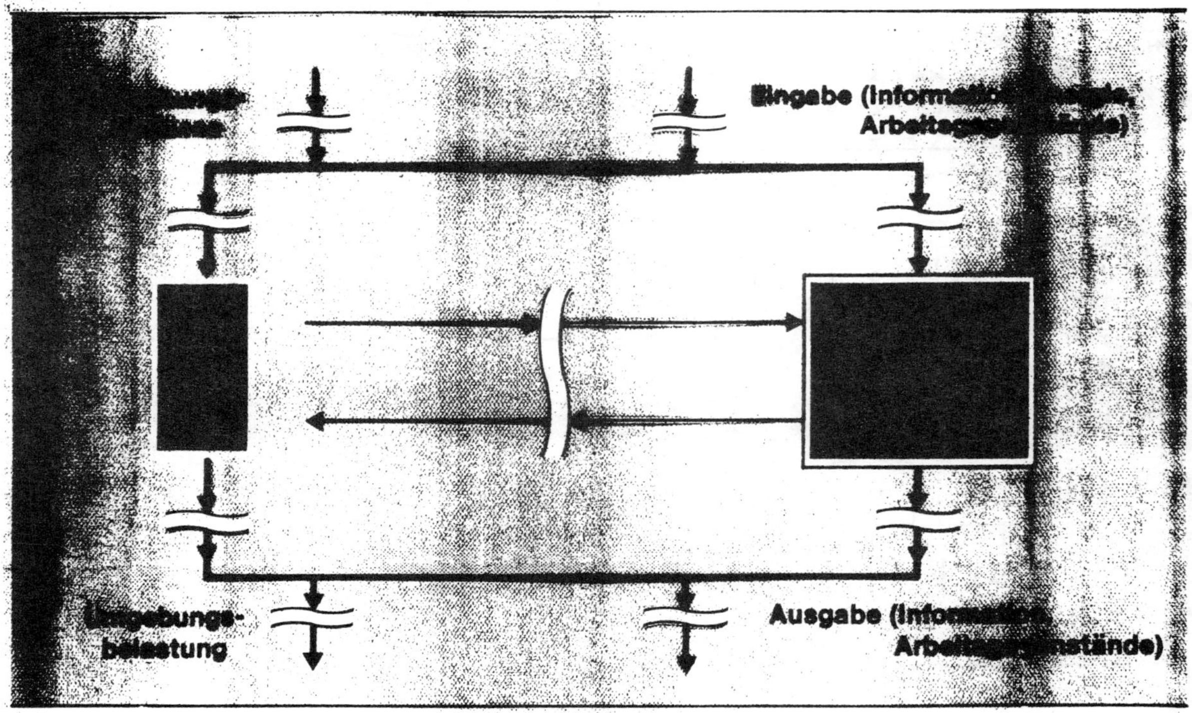

Schnittstellen eines soziotechnischen Arbeitssystems
(-⟆⟆- Schnittstelle)

Bild 22

Produktionsautomatisierung
559/88

AEG

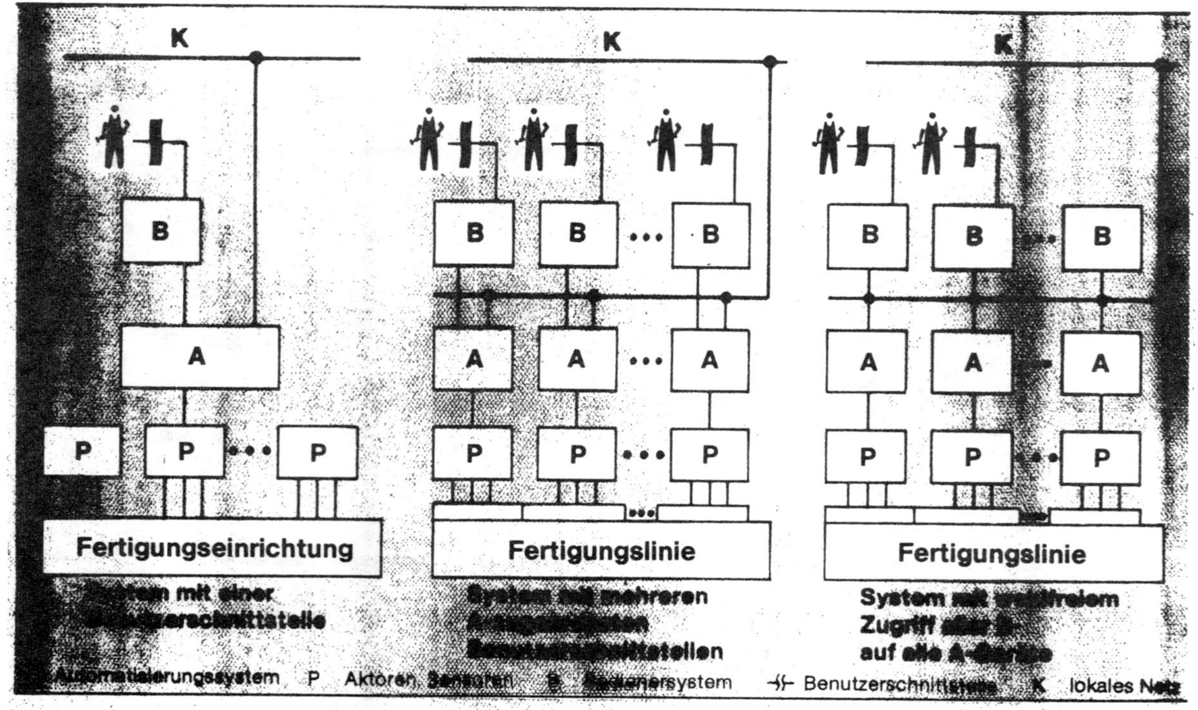

Einzelne und verteilte Benutzerschnittstellen bei Fertigungseinrichtungen

Bild 23

Prozeßleitebene Decklackstraße

Bild 24

Bild 25

AEG

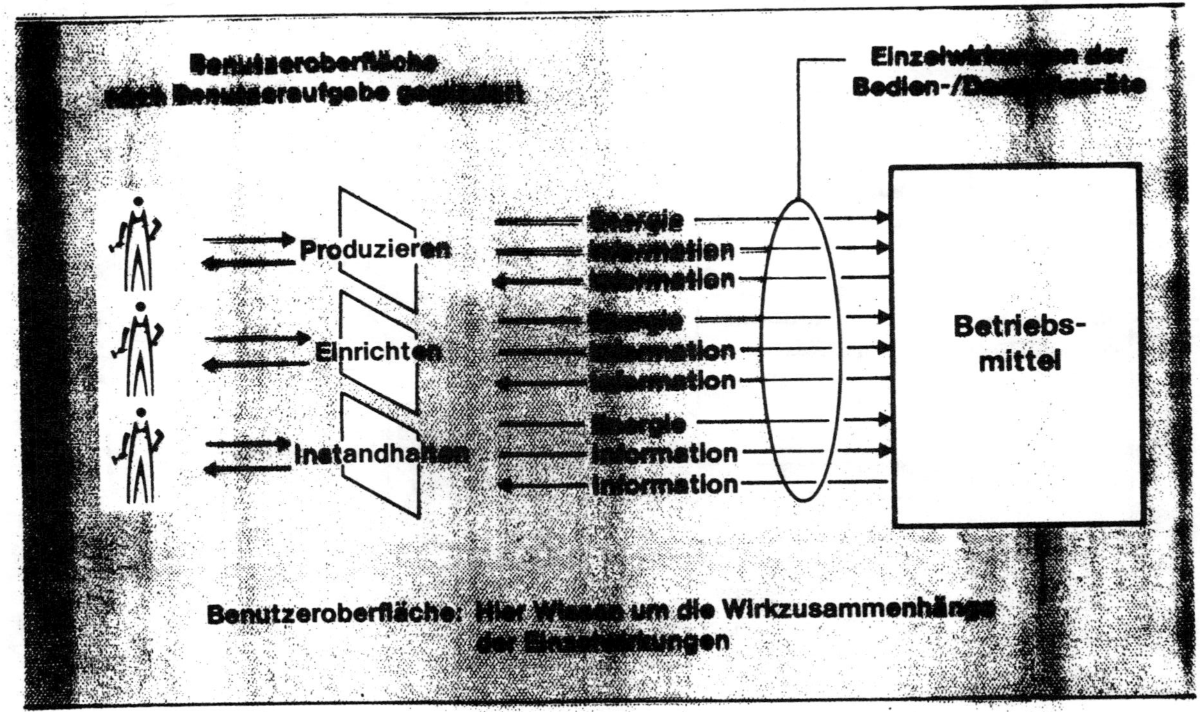

Vom Bedien-/Darstellgerät zur Benutzeroberfläche
bei direkter Bedienung

Bild 26

AEG

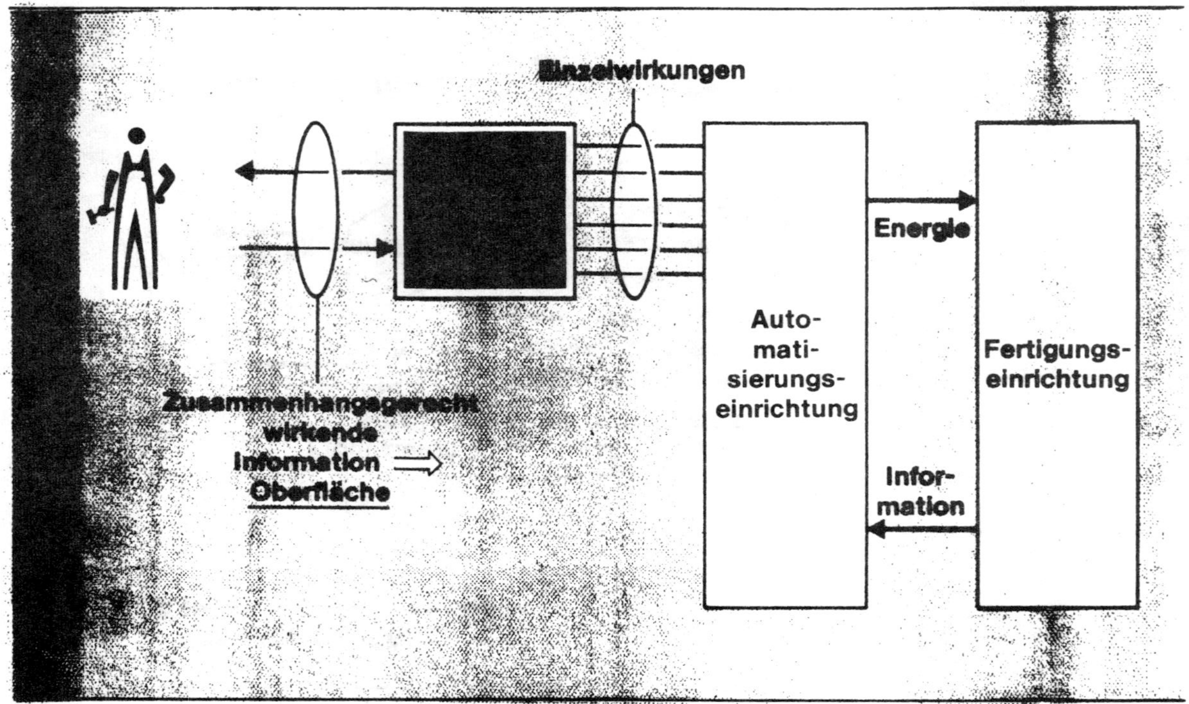

Vom Bedien-/Darstellgerät zur Benutzeroberfläche bei EDV-gestützter Bedienung

Bild 27

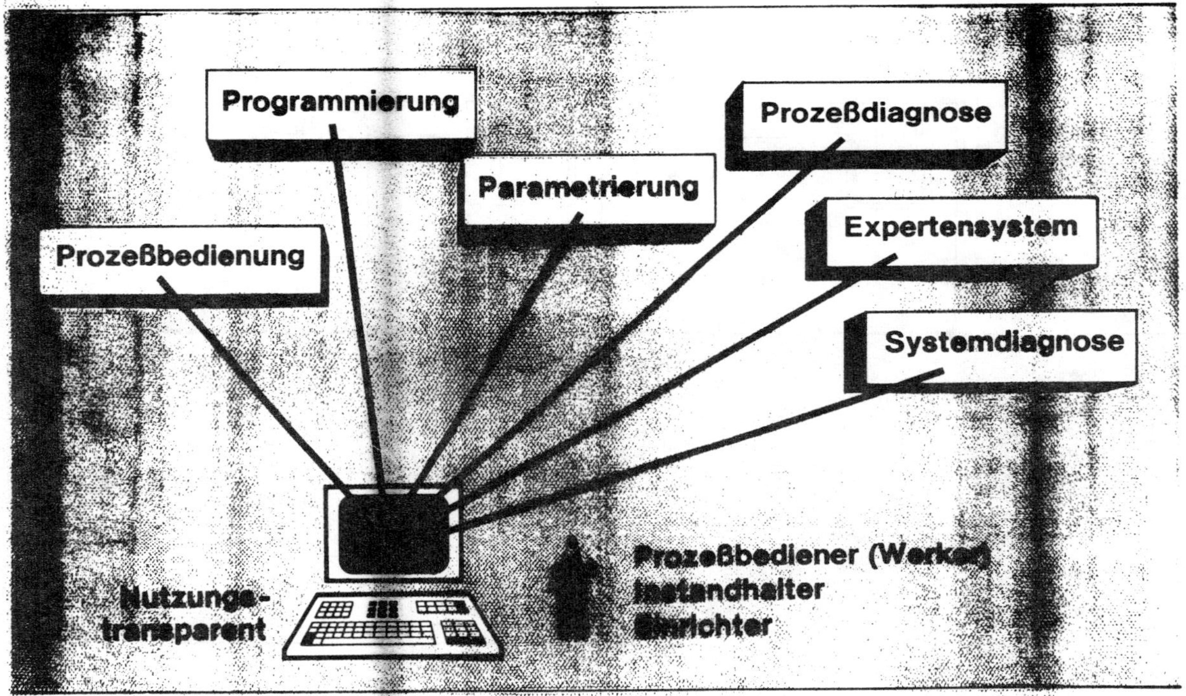

Transparente Bedienplätze

Bild 28

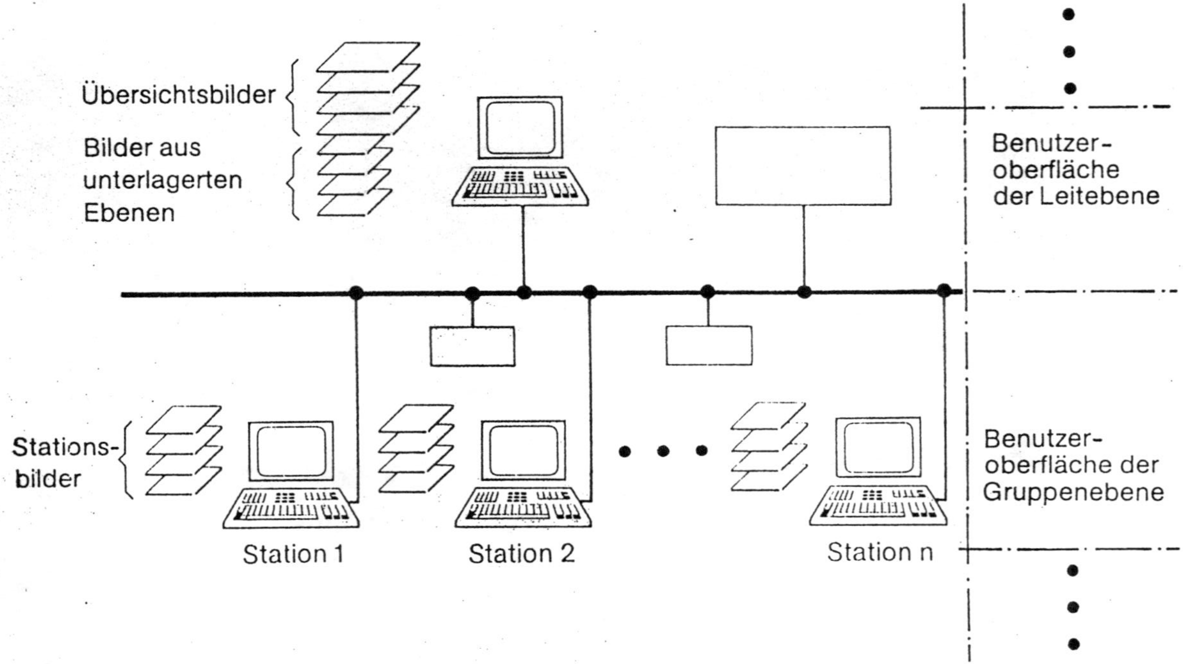

Benutzeroberflächen bei ikonischen Bedien- und Darstellgeräten

Bild 29

Quelle: DB

Lackierstraßenautomatisierung

Produktionsautomatisierung

Bild 30

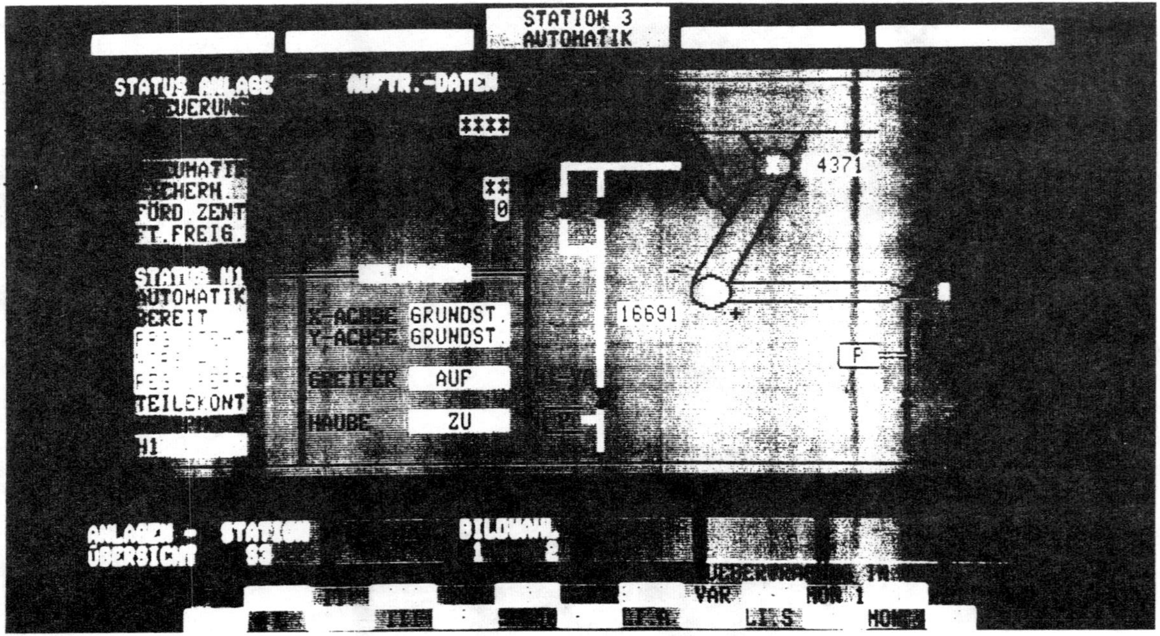

Lackierstraßenautomatisierung

Bild 31

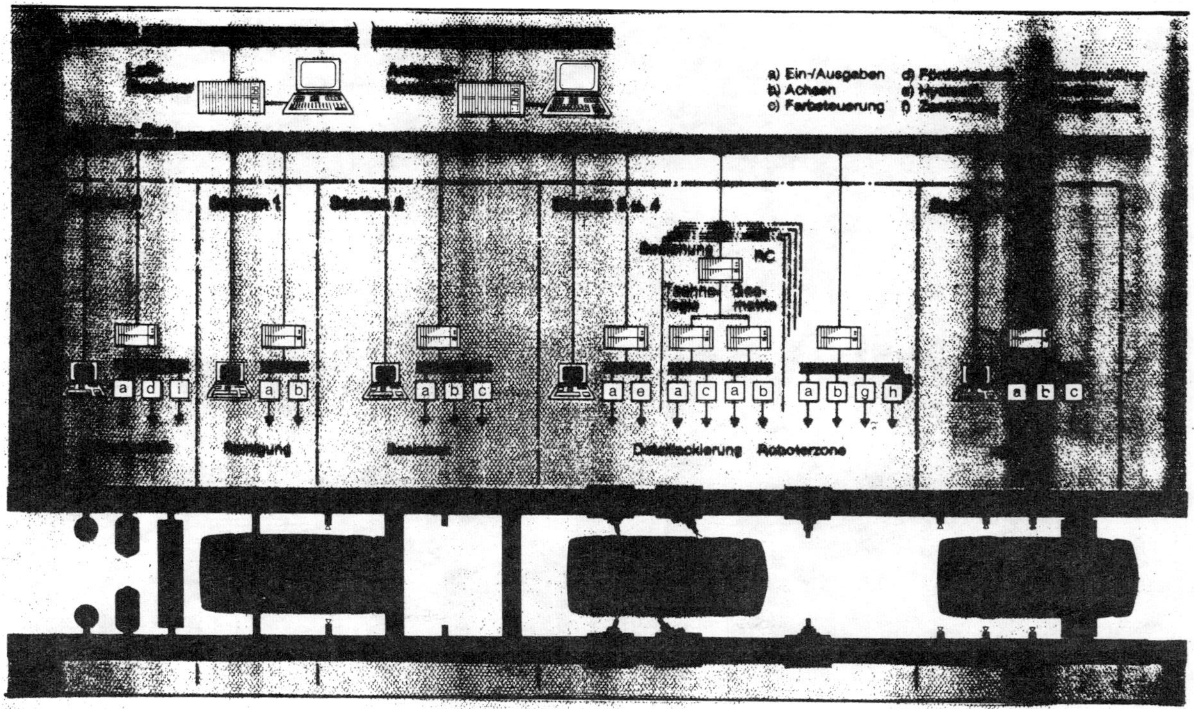

Struktur einer vollautomatischen Lackierstraße

Bild 32

Produktionsautomatisierung
665/88

Lackierstraßenautomatisierung

Bild 33

Produktionsautomatisierung
531/88

AEG

Systemkonfiguration Geamatics WSL (Sprachdialogsystem zur Qualitätssicherung)

Bild 34

Produktionsautomatisierung
673/88

Lackierstraßenautomatisierung

Bild 35

Produktionsautomatisierung
204/87

AEG

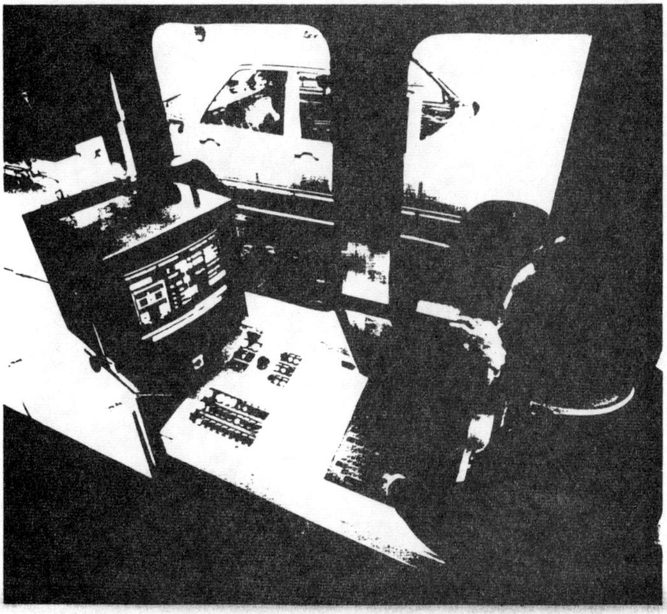

CIM-strukturierte Bearbeitungsstation
an einer Decklackstraße mit ikonischer Bedienoberfläche

Bild 36

CIM-INTEGRATION:
Integrierte Werkstattsteuerung als CIM-Komponente

Dipl.-Ing. Diedrich Fischer
Fraunhofer-Institut für Produktionsanlagen und
Konstruktionstechnik, Berlin

Integrierte Werkstattsteuerung als CIM-Komponente

Dr.-Ing. Kai Mertins, Dipl.-Ing. D. Fischer
IPK-Berlin

Die Fabrik der Zukunft wird gekennzeichnet sein durch die integrierte Informationsverarbeitung in der Produktion. Während in der Vergangenheit die Automatisierung auf die Massenfertigung ausgerichtet war, ermöglicht der rechnerintegrierte Fabrikbetrieb in Verbindung mit flexiblen Fertigungseinrichtungen eine Ausweitung der Automatisierung auf die Einzel- und Serienfertigung.

Integrierte Produktionsanlagen, wie flexible Fertigungszellen, flexible Fertigungslinien und flexible Fertigungsnetze haben einen hohen Entwicklungsstand erreicht. Die Kapitalintensität dieser Anlagen erfordert eine hohe Auslastung und stellt neue Anforderungen an Entwicklung, Arbeitsvorbereitung, Produktionsplanung und Produktionssteuerung. Daneben führt die Marktentwicklung direkt zu steigenden Anforderungen, wie erhöhter Lieferbereitschaft und kürzeren Durchlaufzeiten. Den komplexer werdenden Produkten entsprechen umfangreiche Informationsbeziehungen innerhalb der Fertigungsstrukturen.

Die Realisierung der computerintegrierten Fertigung (CIM) muß als ein evolutionärer Prozeß verstanden werden, der aus heutiger Sicht noch nicht vollständig beschrieben werden kann.

Die Entwicklung von CIM als Computer Integrated Manufacturing zielt auf

- die Vernetzung von Konstruktion, Planung, Fertigung und kaufmännischem Bereich,
- die automatische Fertigung eines variablen Produktionsprogrammes bei direkter Rechnersteuerung,
- eine kontinuierliche Optimierung der Fertigungssteuerung und Ablaufsteuerung,

- eine direkte Regelung des Materialflusses und der Bearbeitungsoperationen sowie
- eine dynamische Bereitstellung, Koordination und Zuweisung aller zu disponierenden Fertigungsmittel, wie beispielsweise von Materialien, Werkzeugen und Werkzeugmaschinen sowie von Transport-, Spann- und Prüfmitteln.

Der Schwerpunkt künftiger technischer und organisatorischer Planung ist auf die

- Senkung der Herstellkosten,
- Verkürzung der Durchlaufzeiten und
- Verbesserung der Produktqualität

gerichtet. Diese Rationalisierungspotentiale können nur längerfristig realisiert werden. Sie erfordern nicht nur ein erhebliches Umdenken hinsichtlich der betrieblichen Abläufe, sondern auch eine entsprechende Motivation, Information und Qualifikation darin eingebundener Mitarbeiter.

Der Produktionsprozeß in der Fertigungstechnik ist nicht vollständig vorherbestimmbar, so daß der Informationsfluß zur Fertigungssteuerung als Regelkreis ausgebildet sein muß. Die meisten heute eingesetzten EDV-Programme zur Fertigungssteuerung arbeiten noch immer in Form einer einfachen Steuerungskette. Aus den Unternehmenszielen werden durch ein Planungssystem Führungsgrößen, die Sollwertvorgaben, entwickelt. Sie enthalten beispielsweise Fertigungsaufträge und Fertigungstermine. Während des Prozeßablaufes treten eine Vielzahl ungeplanter Ereignisse auf, die eine planmäßige Durchsetzung der Vorgaben verhindern. Die Rückmeldungen der Ist-Daten des Realsystems zum Modellsystem erfolgen bei dieser einfachsten Stufe der Fertigungssteuerung zufällig oder unorganisiert durch informelle Informationssysteme, die daher nicht zielgerichtet das Betriebsoptimum erreichen können.

Die Einführung einer formalen Rückführung, einem BDE-System, das Fertigungsdaten an das Modellsystem übermittelt, führt zu einem nach übergeordneten Zielen beeinflußbaren Informationsregelkreis. Dadurch werden realistische Sollvorgaben für die Fertigung erzeugt und die grundsätzliche Fertigungsmöglichkeit des Produktionsprogrammes sichergestellt.

Während des Fertigungsprozesses treten weitere Veränderungen auf, die durch das langfristig orientierte, über mehrere Hierarchiestufen reichende Durchsetzungssystem nicht bewältigt werden können. Einerseits ist der Wirkungsweg zu lang, andererseits sind häufig Erfahrungen erforderlich, die nur nahe am Prozeß verfügbar sind. Ein schnelles, wirkungsvolles Fertigungssteuerungssystem erfordert daher ein mehrstufiges Regelkreiskonzept. Die Fristigkeit und Tragweite der Prozeßstörungen bestimmen dabei den Wirkungsweg der Rückmeldungen.

Speziell in der auftragsbezogenen Fertigung stellt die zunehmende Produktionskomplexität Anforderungen an die Werkstattsteuerung, denen traditionelle Ansätze bisher nicht entsprachen. Mit den heutigen Möglichkeiten der dezentralen Systemarchitekturen können Fertigungsprozesse zunehmend mit Rechnern gesteuert und menschliche Intelligenz und Kreativität durch integrierte Informationsverarbeitung verstärkt werden.

Die Werkstattsteuerung als integrierter Bestandteil einer CIM-Lösung

- kommuniziert mit CAD, CAP- und PPS-Systemen,
- unterstützt die automatisierte Fertigung eines variablen Produktionsprogramms bei direkter Rechnersteuerung,
- optimiert die kontinuierliche Fertigungs- und Ablaufsteuerung,
- regelt und steuert direkt den Materialfluß und die Bearbeitung,
- koordiniert, veranlaßt und überwacht die Bereitstellung aller zu disponierenden Fertigungsmittel.

Die Integrierte Werkstattsteuerung (IWST, IPK-Berlin) baut auf Informationen aus den funktionalen Bereichen Konstruktion, Arbeitsplanung, Fertigungsvorbereitung, Bearbeiten, Transportieren sowie Lagern auf, verarbeitet die Informationen sofort, indem die betreffenden Daten aktualisiert werden und ermittelt sofort die daraus abzuleitenden Aktionen. Die Erfassung, Verarbeitung und Verteilung von Daten ist vollständig mit den Funktionen der Werkstatt zur Herstellung von Gütern integriert.

Literatur

1. G. Spur; K. Mertins; W. Süssenguth: Wege zu einem unternehmensspezifischen Referenzmodell der rechnerintegrierten Fertigung. ZwF 83 (1988) 10, S. 481-485.

2. K. Mertins: Steuerung rechnergeführter Fertigungssysteme. München, Wien: Carl Hanser Verlag, 1985.

3. G. Spur: Aufschwung, Krisis und Zukunft der Fabrik. Produktionstechnisches Kolloquium Berlin, 1983.

4. K. Mertins: Entwicklungsstand flexibler Fertigungssysteme - Linien-, Netz- und Zellenstrukturen. ZwF 80 (1985) 6, S. 249-265.

5. W. Gutschke; K. Mertins: CIM: Competitive Edge in Manufacturing. Robotics and Computer Integrated Manufacturing. Vol. 3, No. 1, S. 77-87.

6. G. Spur; G. Seliger; D. Fischer; T. Ludewig; H. Hetmanczyk: Rüstfreie Montage von elektronischen Baugruppen. ZWF (1987) 10, S. 606-612.

7. M. Kang: Entwicklung eines Werkstattsteuerungssystems mit simultaner Termin- und Kapazitätsplanung. München, Wien: Carl Hanser Verlag, 1987.

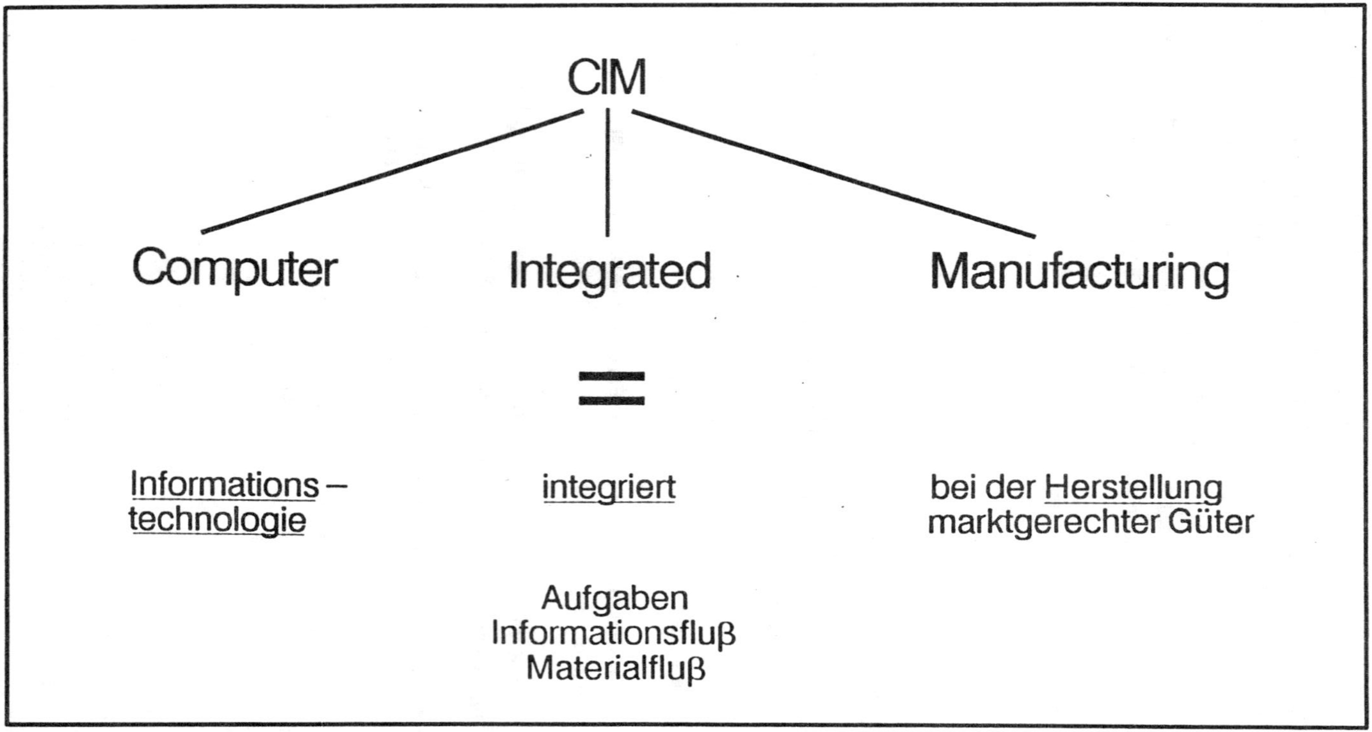

Fraunhofer-Institut für Produktionsanlagen
und Konstruktionstechnik
Leitung: Prof. Dr.-Ing. Dr. h. c. G. Spur

IPK BERLIN

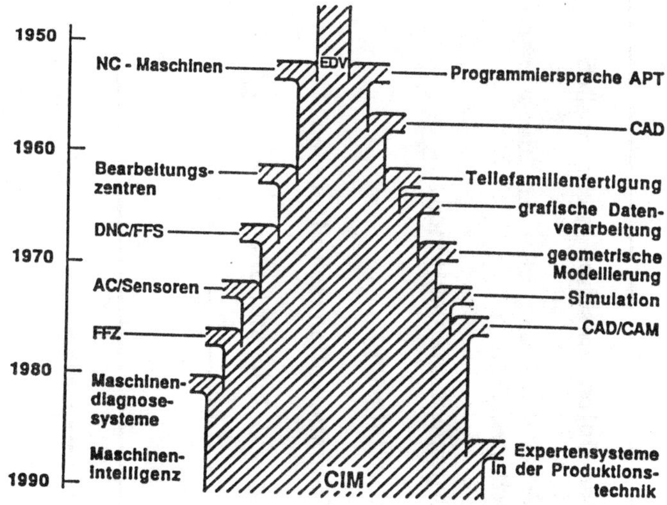

Entwicklung zur CIM-Technik

Entwicklungspotentiale von CIM

- Austausch von mehr Daten zwischen mehr Stellen
- Frühestmögliche Berücksichtigung aller Einflussgrössen zur optimalen Funktionserfüllung
- Verringerung der Organisationsfunktionen
- Verringerung der Arbeitsteilung
- Verringerung der Kommunikationsschnittstellen
- Komplettbearbeitung von Informationen

Fraunhofer-Institut für Produktionsanlagen
und Konstruktionstechnik
Leitung: Prof. Dr.-Ing. Dr. h. c. G. Spur

IPK BERLIN

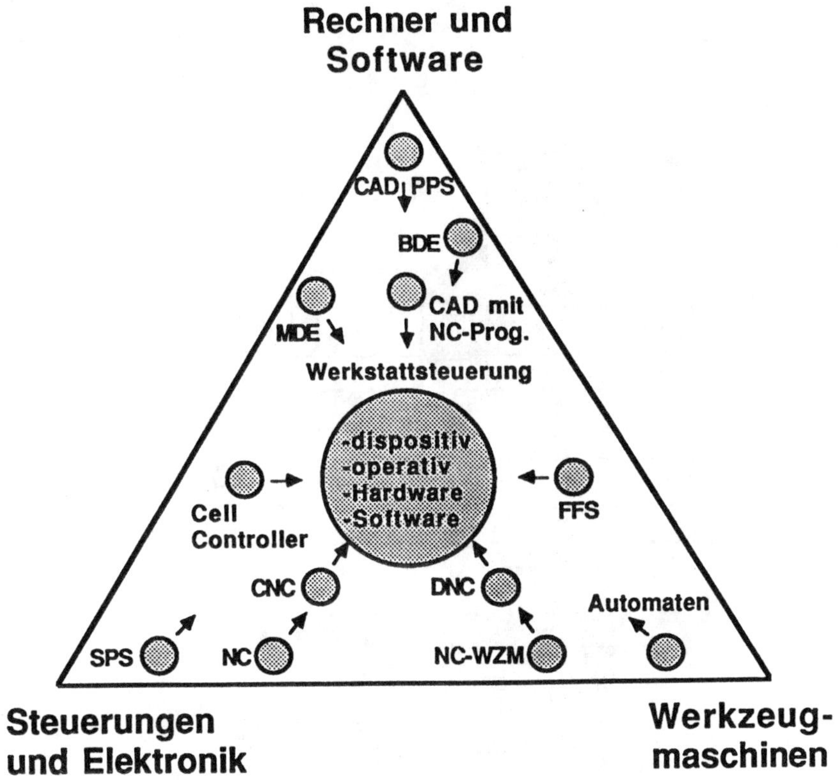

CIM - Komponenten

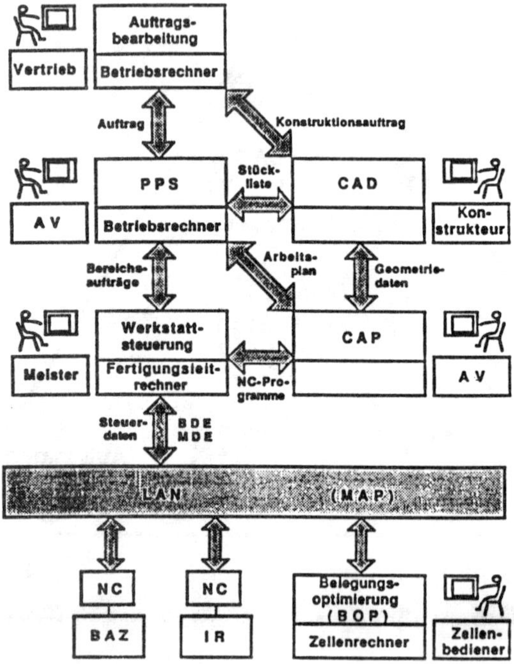

Beispiel eine
CIM -
Prozeßkette

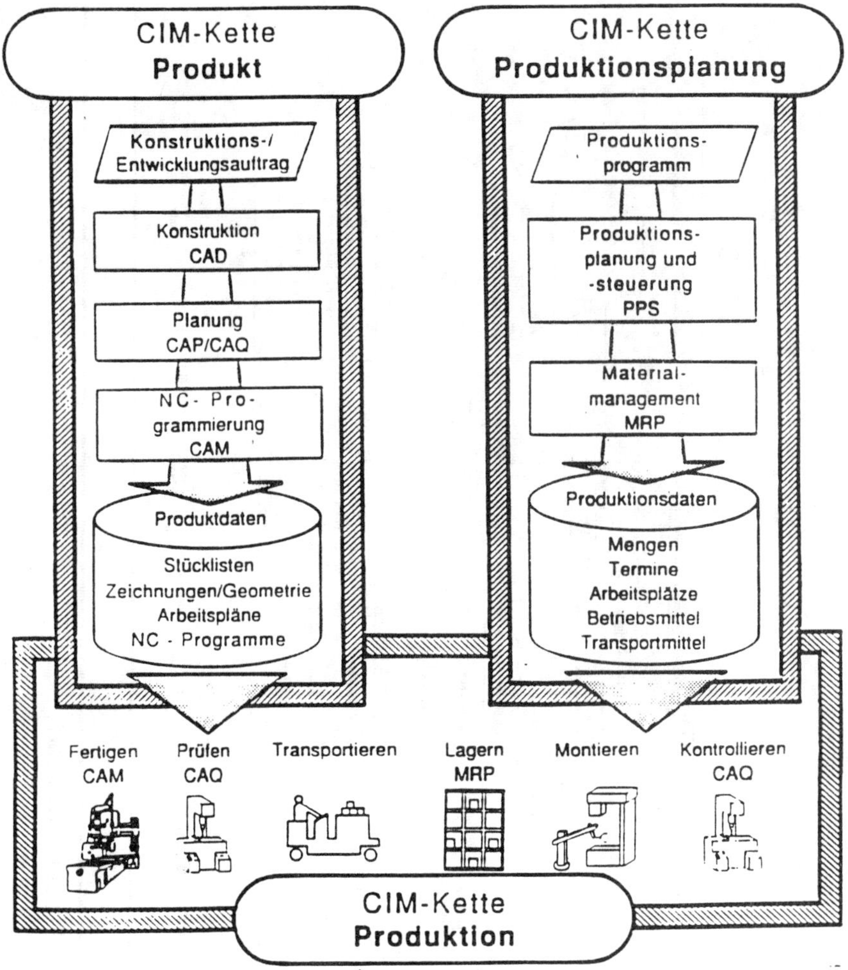
CIM-Kette
Produkt
Konstruktions-/
Entwicklungsauftrag
Konstruktion
CAD
Planung
CAP/CAQ
NC- Pro-
grammierung
CAM
Produktdaten
Stücklisten
Zeichnungen/Geometrie
Arbeitspläne
NC - Programme
CIM-Kette
Produktionsplanung
Produktions-
programm
Produktions-
planung und
-steuerung
PPS
Material-
management
MRP
Produktionsdaten
Mengen
Termine
Arbeitsplätze
Betriebsmittel
Transportmittel
Fertigen
CAM
Prüfen
CAQ
Transportieren
Lagern
MRP
Montieren
Kontrollieren
CAQ
CIM-Kette
Produktion

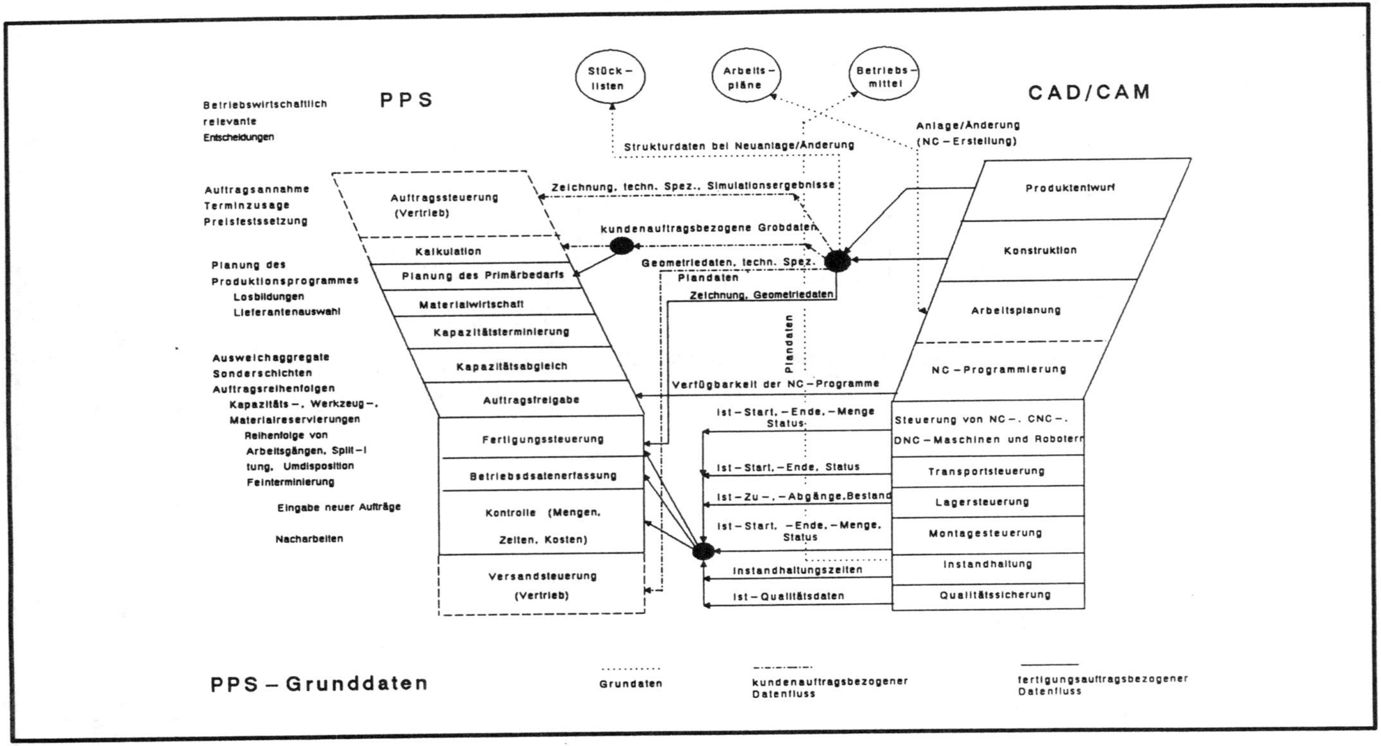

Fraunhofer-Institut für Produktionsanlagen und Konstruktionstechnik

Leitung: Prof. Dr.-Ing. Dr. h. c. G. Spur

BERLIN

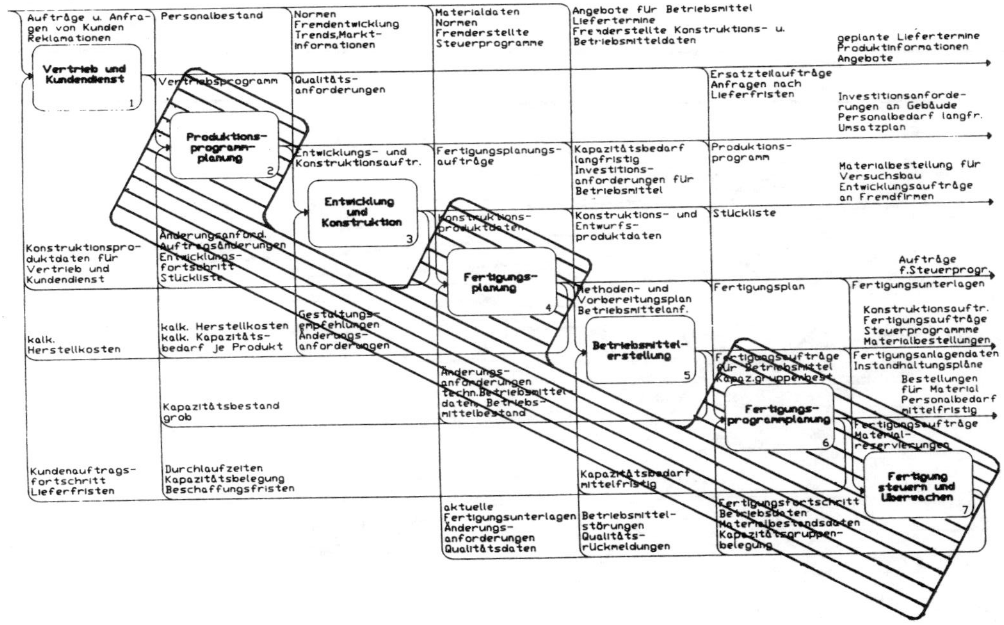

Fraunhofer-Institut für Produktionsanlagen und Konstruktionstechnik

Leitung: Prof. Dr.-Ing. Dr. h. c. G. Spur

IPK BERLIN

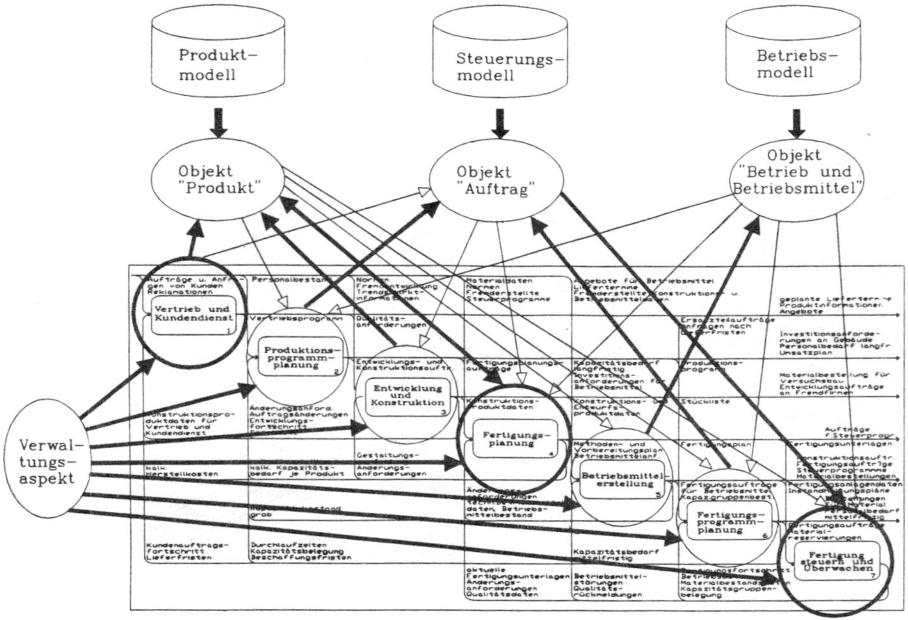

Fraunhofer-Institut für Produktionsanlagen
und Konstruktionstechnik
Leitung: Prof. Dr.-Ing. Dr. h. c. G. Spur

IPK BERLIN

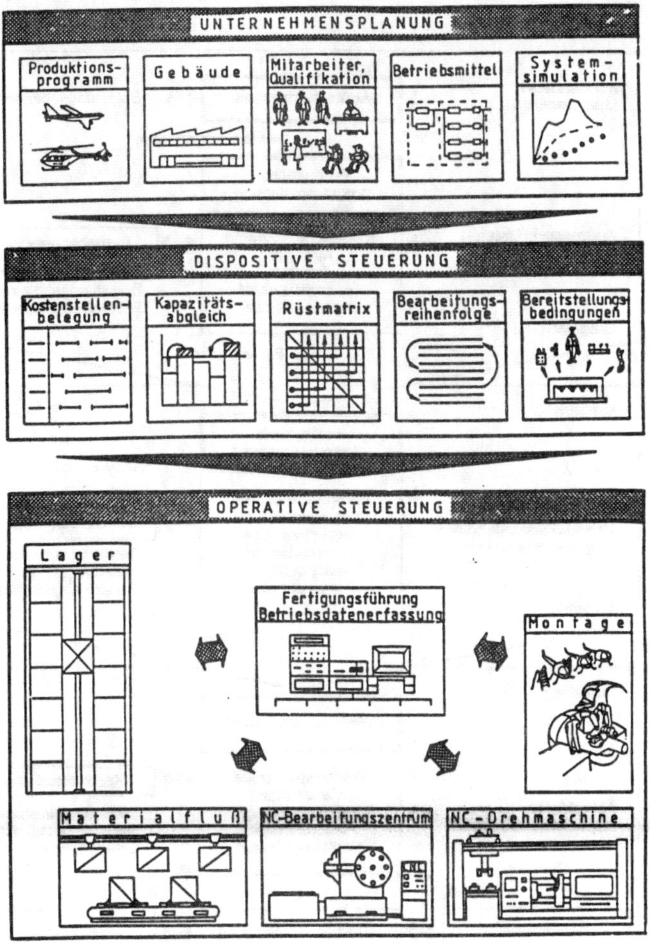

**Planungs-
und Steuerungsebenen
in der Produktion**

Fraunhofer-Institut für Produktionsanlagen
und Konstruktionstechnik

Leitung: Prof. Dr.-Ing. Dr. h. c. G. Spur

IPK BERLIN

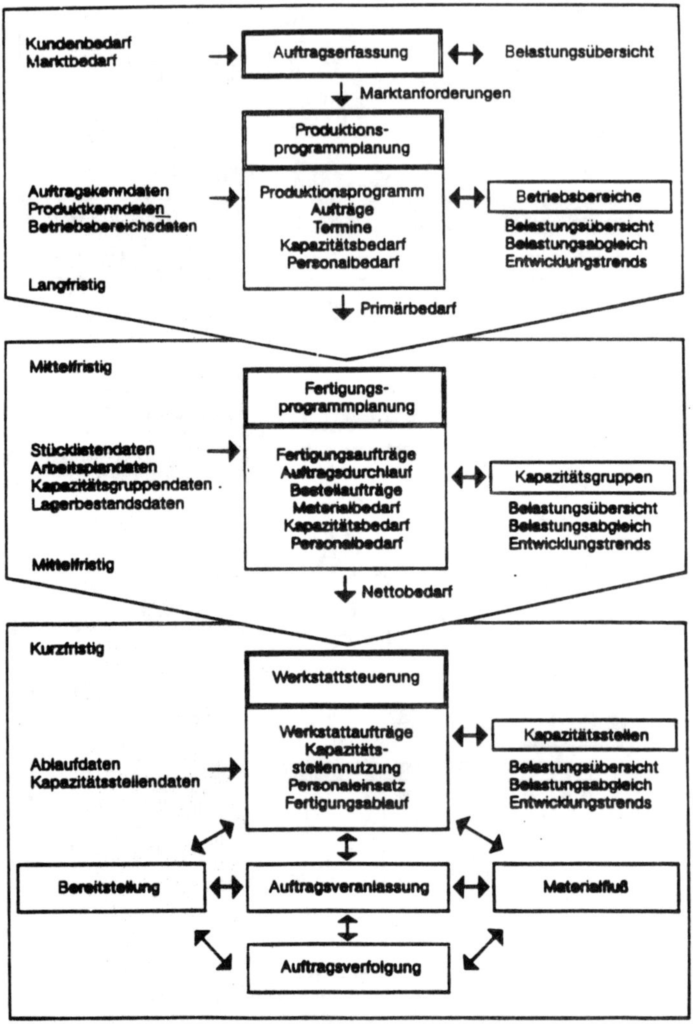

Fraunhofer-Institut für Produktionsanlagen
und Konstruktionstechnik
Leitung: Prof. Dr.-Ing. Dr. h. c. G. Spur

IPK BERLIN

Steuerungsstufe	Langfristig	Mittelfristig	Kurzfristig
Steuerungsmodul	Produktions-programmplanung	Fertigungs-programmplanung	Werkstatt-steuerung
Hauptziele	Lieferbereitschaft Investitionen Personal	Liefertermintreue Bestandeminimum	Kapazitäts-nutzung
Genauigkeit (bezogen auf Werkstatt)	Grob	Mittel	Fein
Planungshorizont	1-5 Jahre	3-12 Monate	4-12 Wochen
Planungszyklus	Quartal u. Fortschreibung	Monat u. Fortschreibung	permanent
Auflösungsgrad	Monat	Woche	Stunde-Tag
Auflösungseinheit	Betriebsbereich	Kapazitätsgruppen	Kapazitätsstelle
Auflösungsobjekt	Produkt	Einzelteil	Arbeitsvorgang

Fraunhofer-Institut für Produktionsanlagen
und Konstruktionstechnik
Leitung: Prof. Dr.-Ing. Dr. h. c. G. Spur

IPK BERLIN

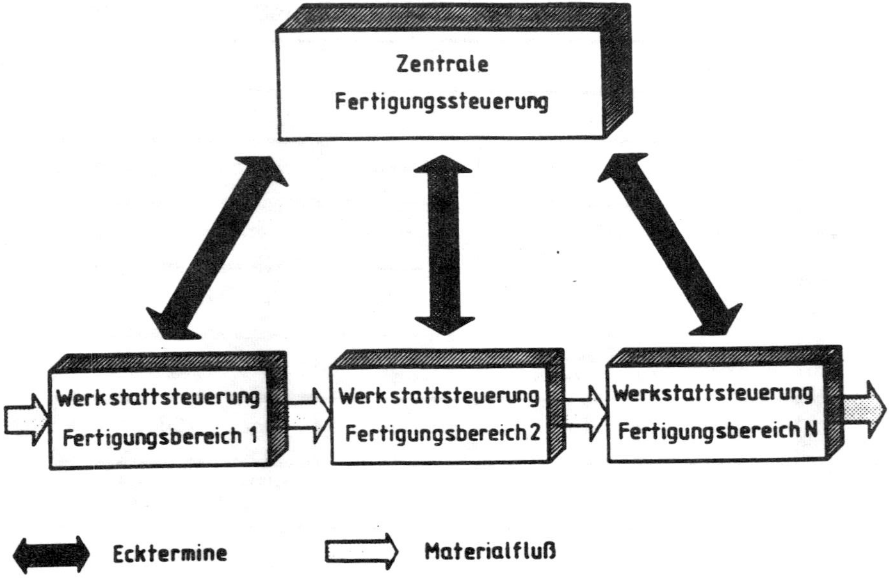

Fraunhofer-Institut für Produktionsanlagen
und Konstruktionstechnik
Leitung: Prof. Dr.-Ing. Dr. h. c. G. Spur

IPK BERLIN

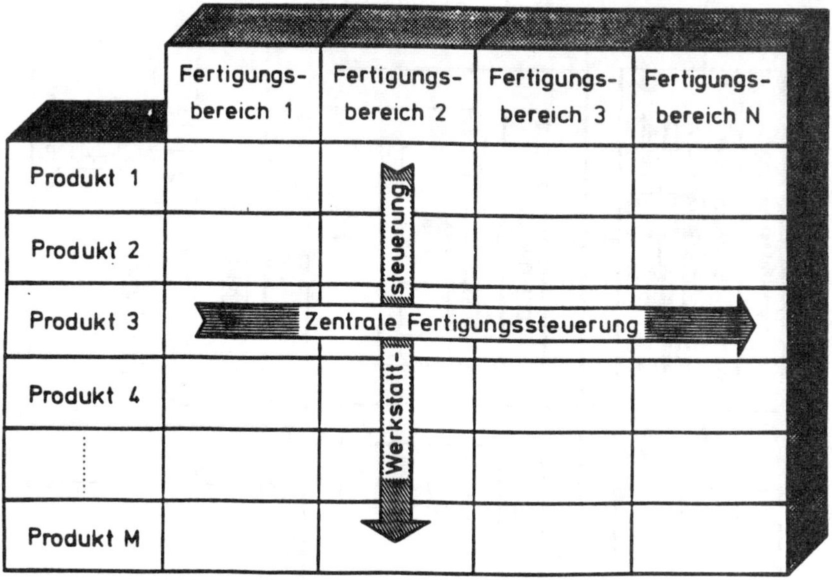
Fertigungs-bereich 1
Fertigungs-bereich 2
Fertigungs-bereich 3
Fertigungs-bereich N
Produkt 1
Produkt 2
Produkt 3
Produkt 4
Produkt M
Werkstatt-steuerung
Zentrale Fertigungssteuerung

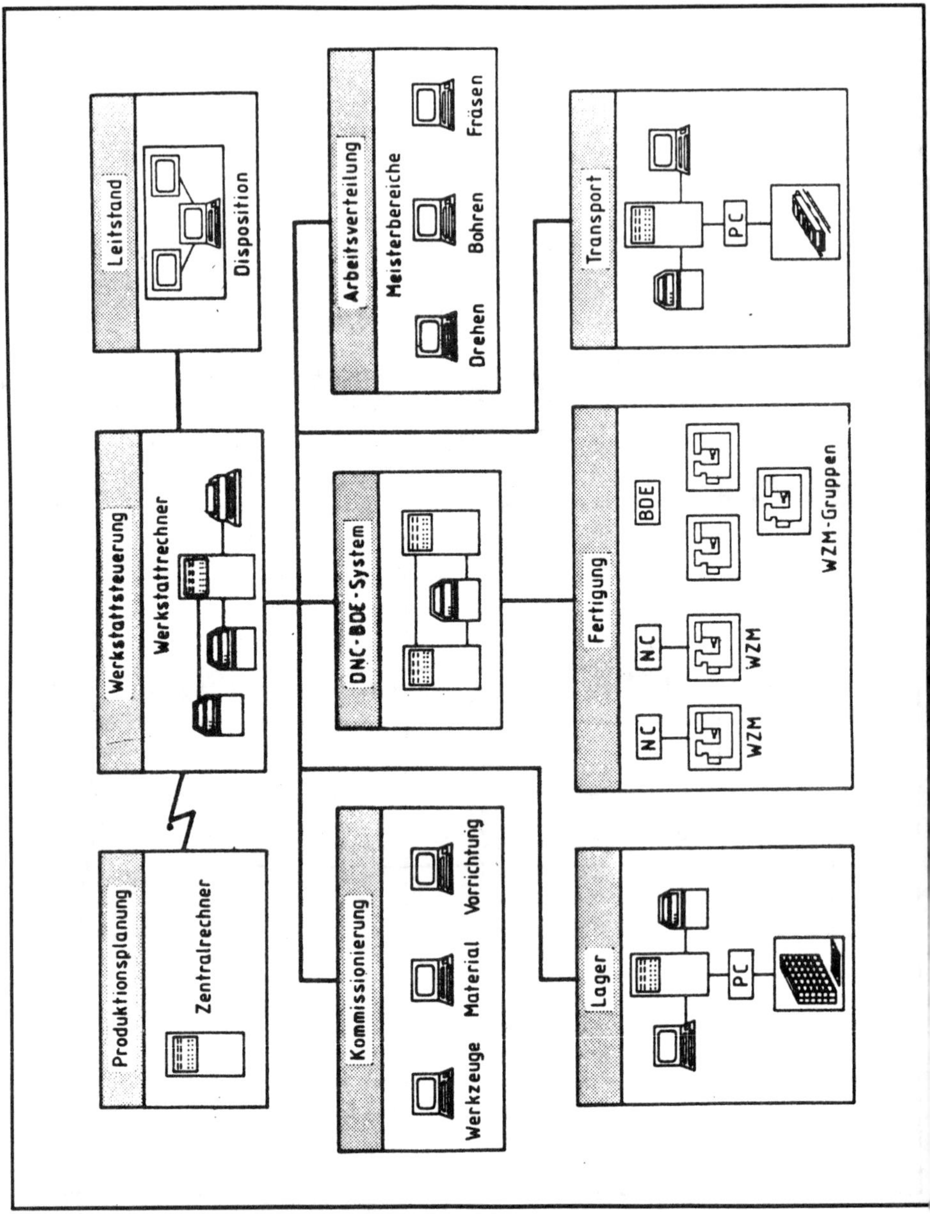

Fraunhofer-Institut für Produktionsanlagen
und Konstruktionstechnik
Leitung: Prof. Dr.-Ing. Dr. h. c. G. Spur

IPK
BERLIN

DISPOSITIVE WERKSTATTSTEUERUNG
Daten-verwaltung
Auftrags-bildung
Auftrags-freigabe
Arbeits-verteilung
Fertigungs-überwachung
Auftrags-daten
Kapazitäts-daten
Personal-daten
Daten-austausch
Durchlauf-terminierung
Kapazitäts-belastung
Scheinserien-bildung
Auftrags-zusammen-fassung
Verfügbar-keitsprüfung
Reser-vierungs-planung
Prioritäts-bestimmung
Warte-schlangen-bildung
Reihenfolge-auswahl
Beleger-stellung
Bereit-stellungs-durchführung
Fertigungs-fortschritt
Fertigungs-unter-brechungen
Qualitäts-sicherung
Trendaus-wertung

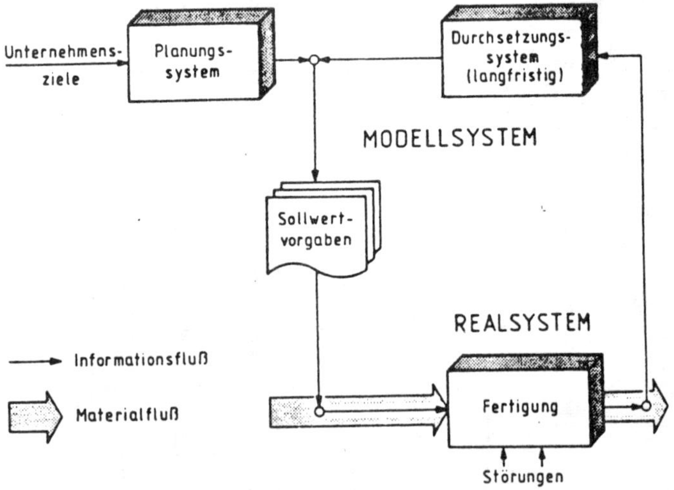
Unternehmens-
ziele
Planungs-
system
Durchsetzungs-
system
(langfristig)
MODELLSYSTEM
Sollwert-
vorgaben
REALSYSTEM
Informationsfluß
Materialfluß
Fertigung
Störungen

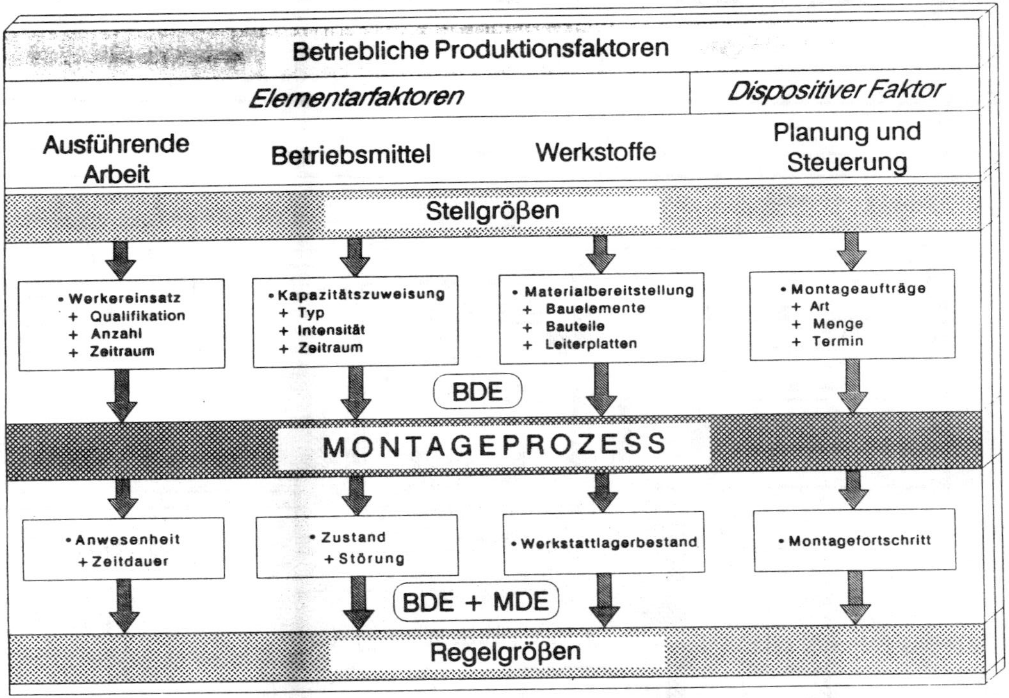

Fraunhofer-Institut für Produktionsanlagen
und Konstruktionstechnik
Leitung: Prof. Dr.-Ing. Dr. h. c. G. Spur

IPK BERLIN.

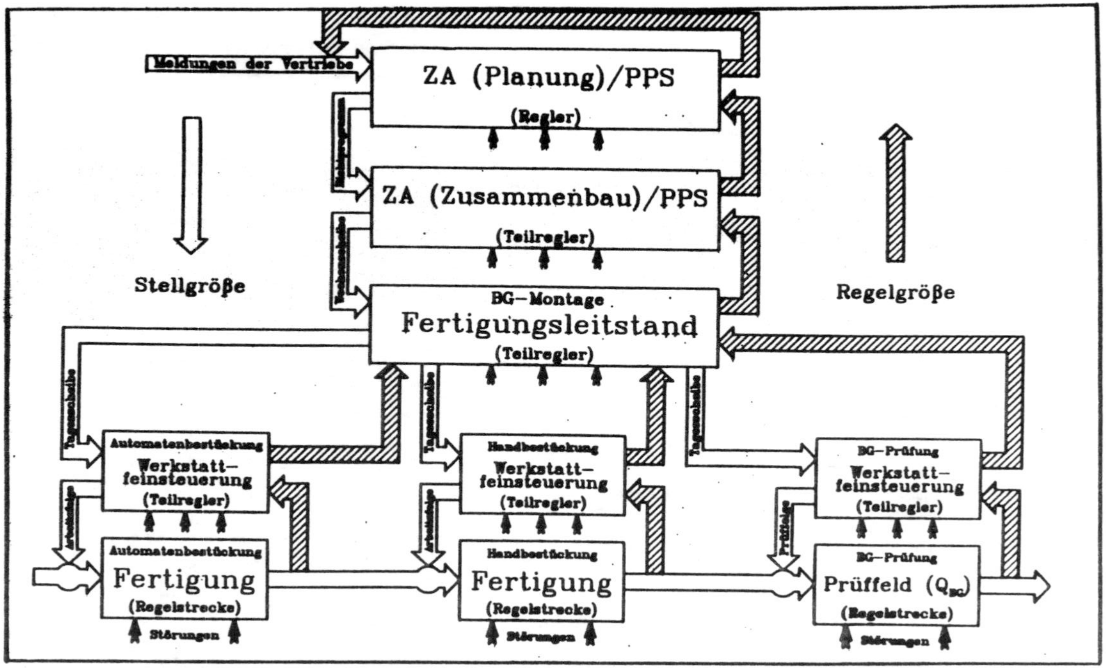

Fraunhofer-Institut für Produktionsanlagen
und Konstruktionstechnik
Leitung: Prof. Dr.-Ing. Dr. h. c. G. Spur

IPK BERLIN

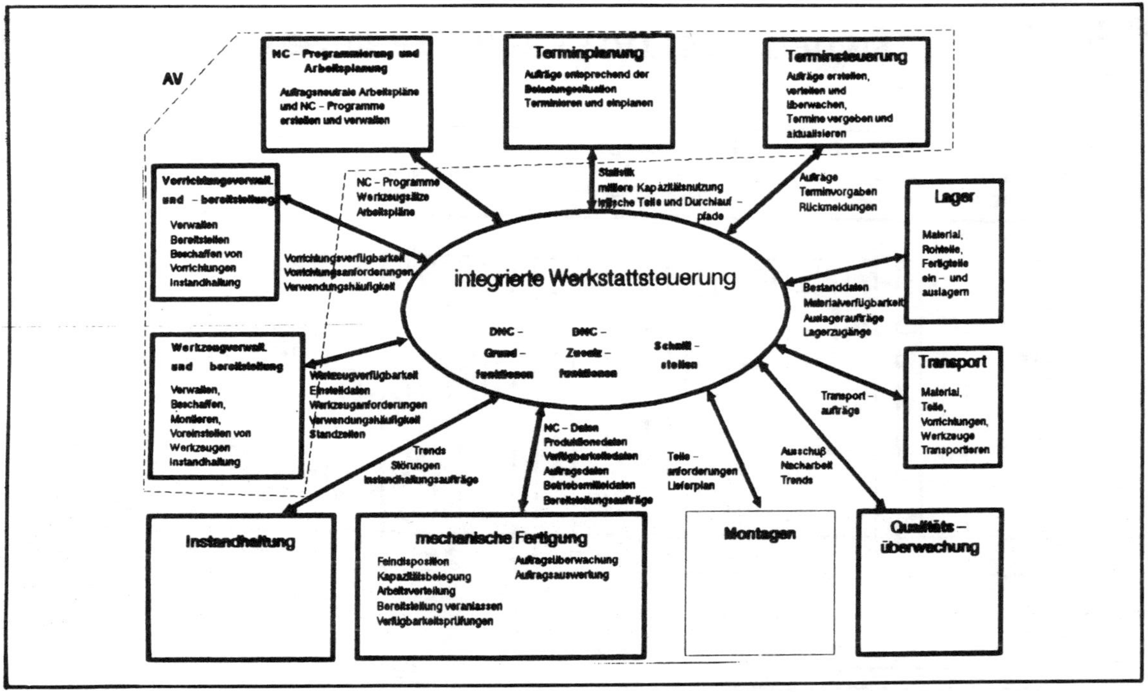
AV
NC – Programmierung und Arbeitsplanung
Auftragsneutrale Arbeitspläne und NC – Programme erstellen und verwalten
Terminplanung
Aufträge entsprechend der Belastungssituation Terminieren und einplanen
Terminsteuerung
Aufträge erstellen, verteilen und überwachen, Termine vergeben und aktualisieren
Vorrichtungsverwalt. und – bereitstellung
Verwalten Bereitstellen Beschaffen von Vorrichtungen Instandhaltung
NC – Programme Werkzeugsätze Arbeitspläne
Statistik mittlere Kapazitätsnutzung kritische Teile und Durchlauf – pfade
Aufträge Terminvorgaben Rückmeldungen
Lager
Material, Rohteile, Fertigteile ein – und auslagern
Vorrichtungsverfügbarkeit Vorrichtungsanforderungen Verwendungshäufigkeit
integrierte Werkstattsteuerung
DNC – Grund – funktionen
DNC – Zusatz – funktionen
Schnitt – stellen
Bestanddaten Materialverfügbarkeit Auslageraufträge Lagerzugänge
Werkzeugverwalt. und bereitstellung
Verwalten, Beschaffen, Montieren, Voreinstellen von Werkzeugen Instandhaltung
Werkzeugverfügbarkeit Einstelldaten Werkzeuganforderungen Verwendungshäufigkeit Standzeiten
Transport
Material, Teile, Vorrichtungen, Werkzeuge Transportieren
Transport – aufträge
Trends Störungen Instandhaltungsaufträge
NC – Daten Produktionsdaten Verfügbarkeitsdaten Auftragsdaten Betriebsmitteldaten Bereitstellungsaufträge
Teile – anforderungen Lieferplan
Ausschuß Nacharbeit Trends
Instandhaltung
mechanische Fertigung
Feindisposition Kapazitätsbelegung Arbeitsverteilung Bereitstellung veranlassen Verfügbarkeitsprüfungen
Auftragsüberwachung Auftragsauswertung
Montagen
Qualitäts – überwachung

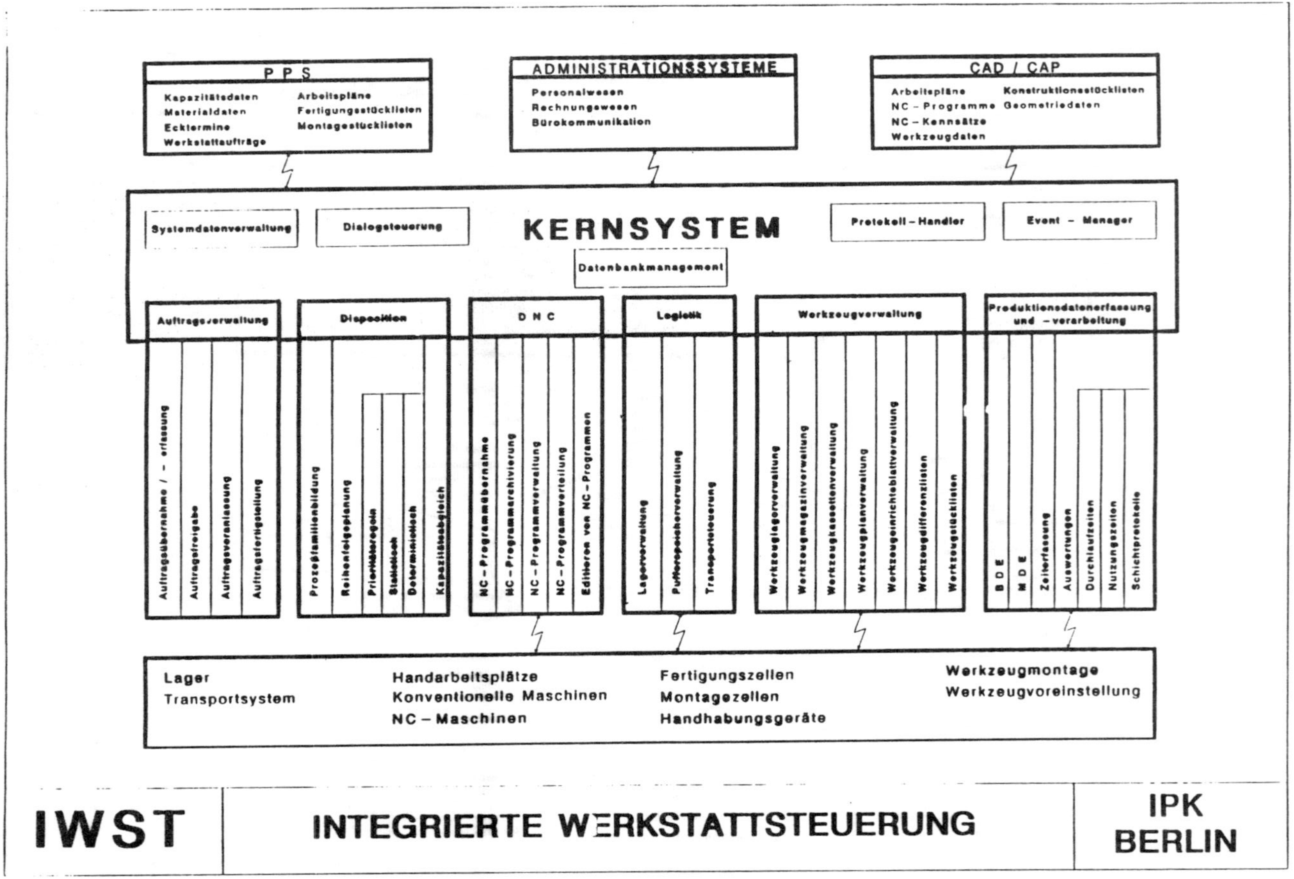
P P S
Kapazitätsdaten
Materialdaten
Ecktermine
Werkstattaufträge
Arbeitspläne
Fertigungsstücklisten
Montagestücklisten
ADMINISTRATIONSSYSTEME
Personalwesen
Rechnungswesen
Bürokommunikation
CAD / CAP
Arbeitspläne
NC – Programme
NC – Kennsätze
Werkzeugdaten
Konstruktionsstücklisten
Geometriedaten
KERNSYSTEM
Systemdatenverwaltung
Dialogsteuerung
Datenbankmanagement
Protokoll – Handler
Event – Manager
Auftragsverwaltung
Auftragsübernahme / – erfassung
Auftragsfreigabe
Auftragsveranlassung
Auftragsfertigstellung
Disposition
Prozeßfamilienbildung
Reihenfolgeplanung
Prioritätsregeln
Statistisch
Deterministisch
Kapazitätsabgleich
D N C
NC – Programmübernahme
NC – Programmarchivierung
NC – Programmverwaltung
NC – Programmverteilung
Editieren von NC – Programmen
Logistik
Lagerverwaltung
Pufferspeicherverwaltung
Transportsteuerung
Werkzeugverwaltung
Werkzeuglagerverwaltung
Werkzeugmagazinverwaltung
Werkzeugkassettenverwaltung
Werkzeugplanverwaltung
Werkzeugeinrichteblattverwaltung
Werkzeugdifferenzlisten
Werkzeugstücklisten
Produktionsdatenerfassung und – verarbeitung
B D E
M D E
Zeiterfassung
Auswertungen
Durchlaufzeiten
Nutzungszeiten
Schichtprotokolle
Lager
Transportsystem
Handarbeitsplätze
Konventionelle Maschinen
NC – Maschinen
Fertigungszellen
Montagezellen
Handhabungsgeräte
Werkzeugmontage
Werkzeugvoreinstellung
IWST
INTEGRIERTE WERKSTATTSTEUERUNG
IPK
BERLIN

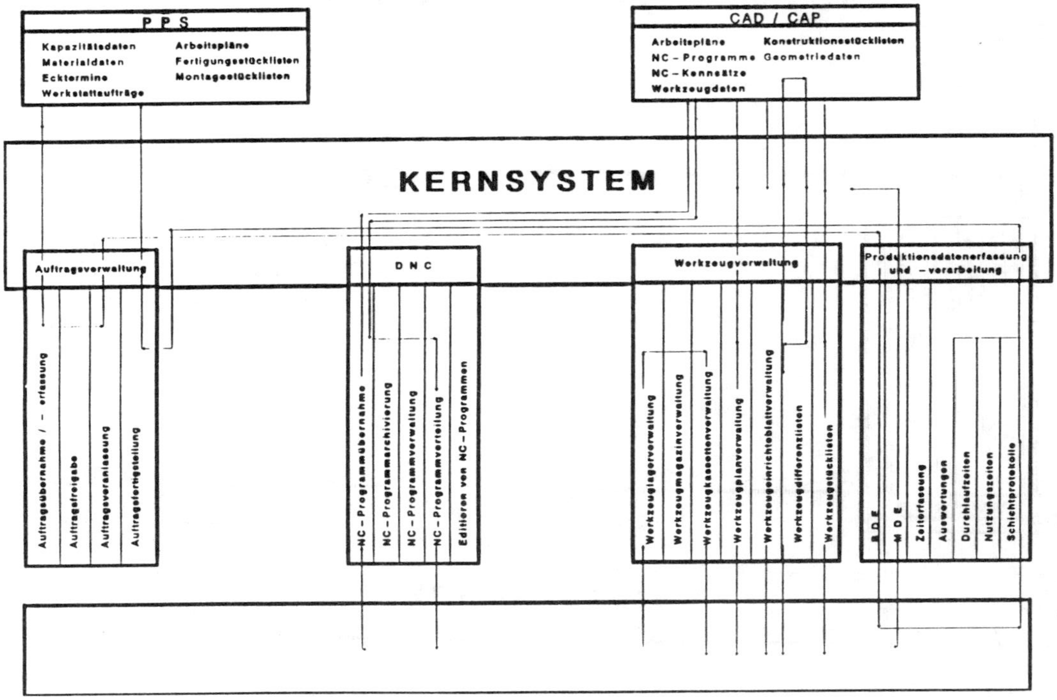

IWST	AUFTRAGSBEARBEITUNG, DNC UND WERKZEUGVERWALTUNG	IPK BERLIN

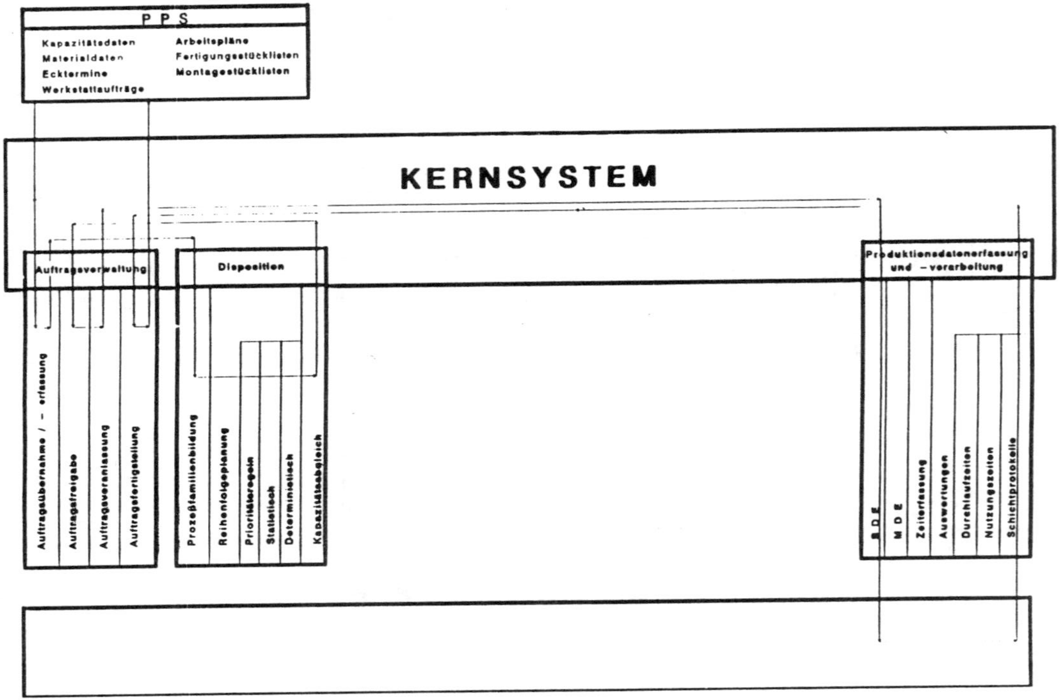

IWST	AUFTRAGSBEARBEITUNG UND DISPOSITION	IPK BERLIN

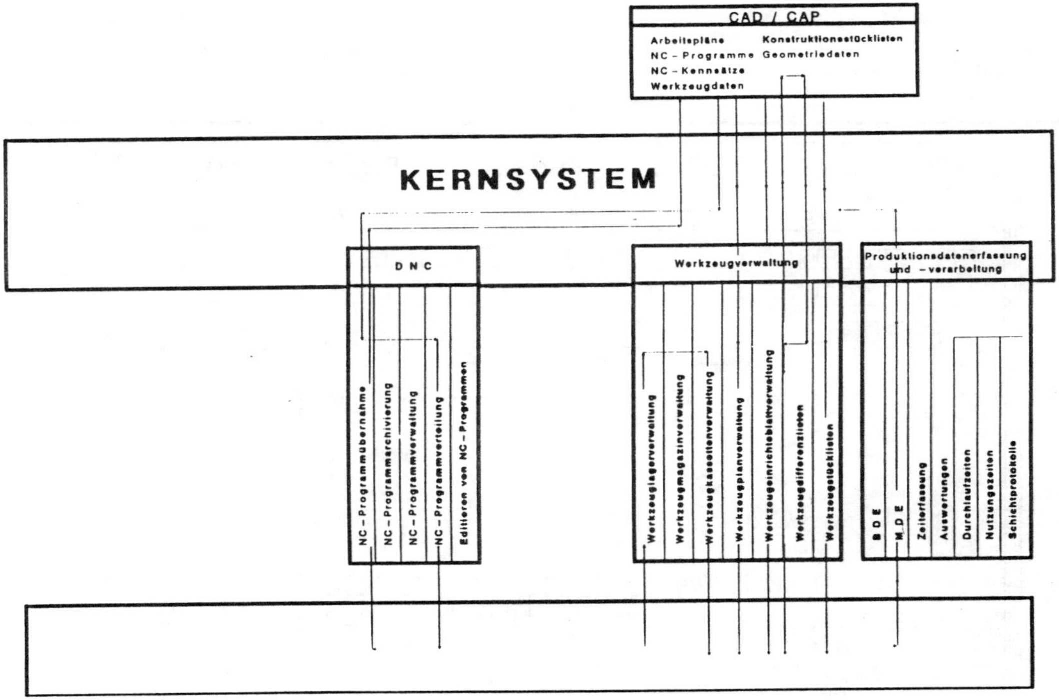

IWST	DNC UND WERKZEUGVERWALTUNG	IPK BERLIN

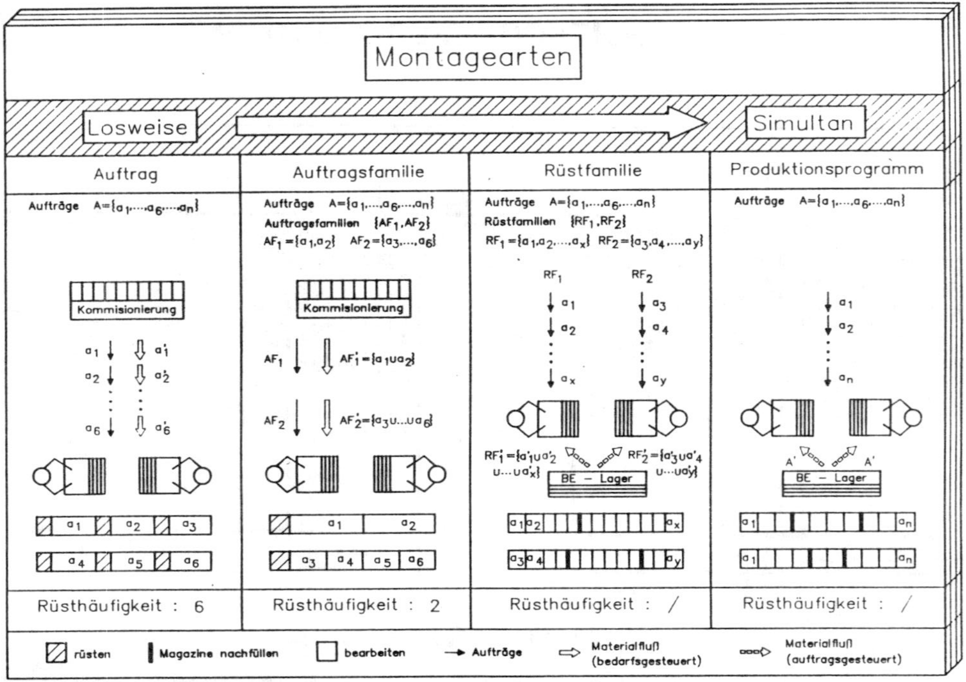

Fraunhofer-Institut für Produktionsanlagen
und Konstruktionstechnik
Leitung: Prof. Dr.-Ing. Dr. h. c. G. Spur

IPK BERLIN

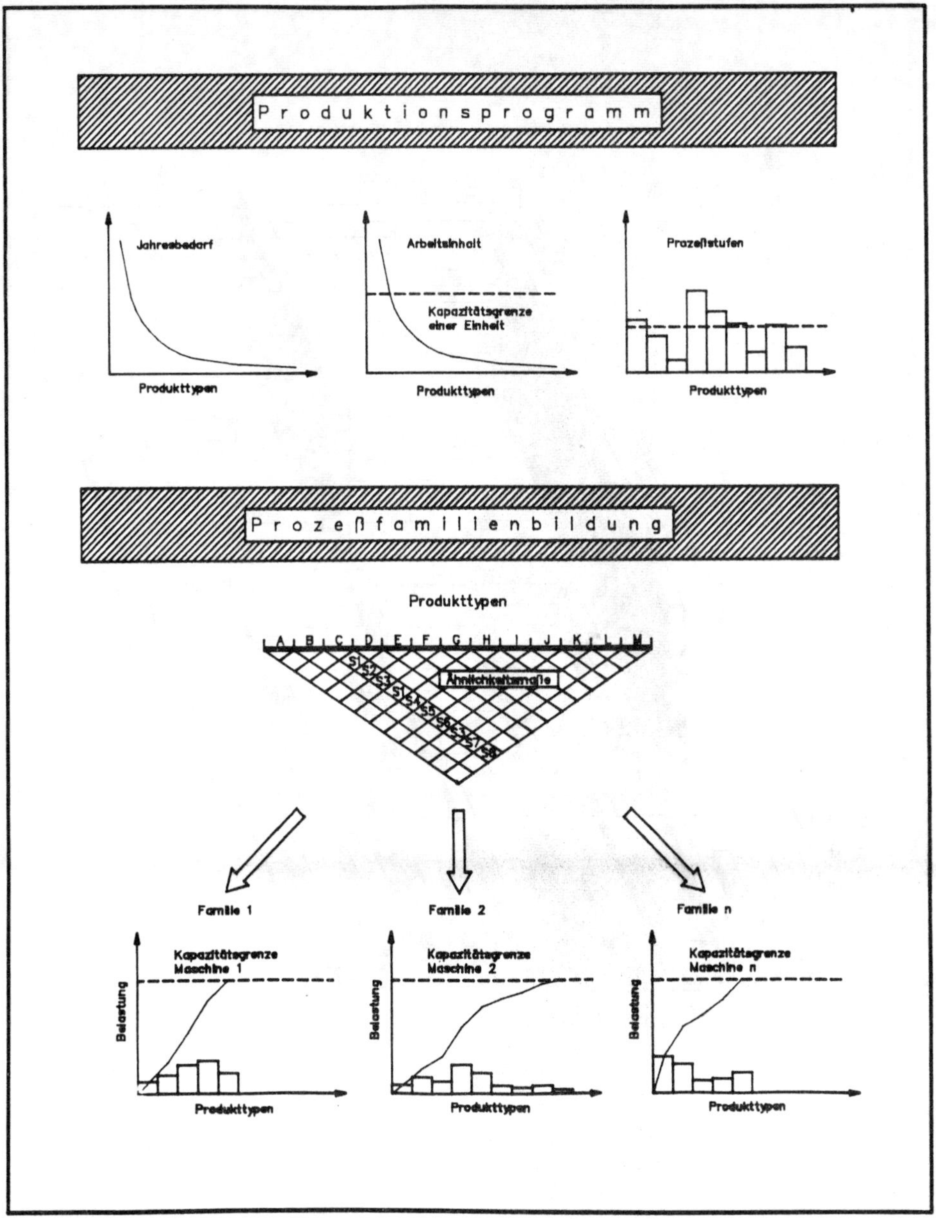
Produktionsprogramm
Jahresbedarf
Produkttypen
Arbeitsinhalt
Kapazitätsgrenze einer Einheit
Produkttypen
Prozeßstufen
Produkttypen
Prozeßfamilienbildung
Produkttypen
A B C D E F G H I J K L M
S1 S2 S3 S1 S4 S5 S6 S3 S7 S8
Ähnlichkeitsmaße
Familie 1
Familie 2
Familie n
Kapazitätsgrenze Maschine 1
Kapazitätsgrenze Maschine 2
Kapazitätsgrenze Maschine n
Belastung
Produkttypen

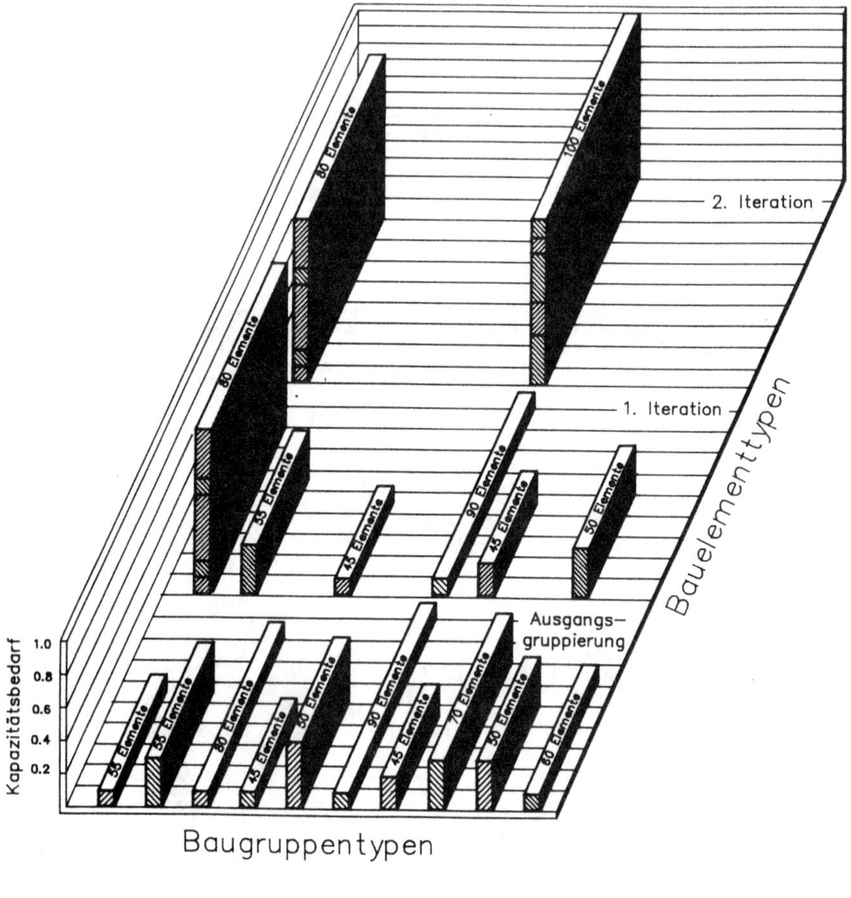
80 Elemente
100 Elemente
2. Iteration
80 Elemente
1. Iteration
35 Elemente
45 Elemente
90 Elemente
45 Elemente
50 Elemente
Bauelementtypen
Ausgangs-
gruppierung
Kapazitätsbedarf
1.0
0.8
0.6
0.4
0.2
35 Elemente
55 Elemente
80 Elemente
45 Elemente
50 Elemente
90 Elemente
45 Elemente
70 Elemente
50 Elemente
60 Elemente
Baugruppentypen

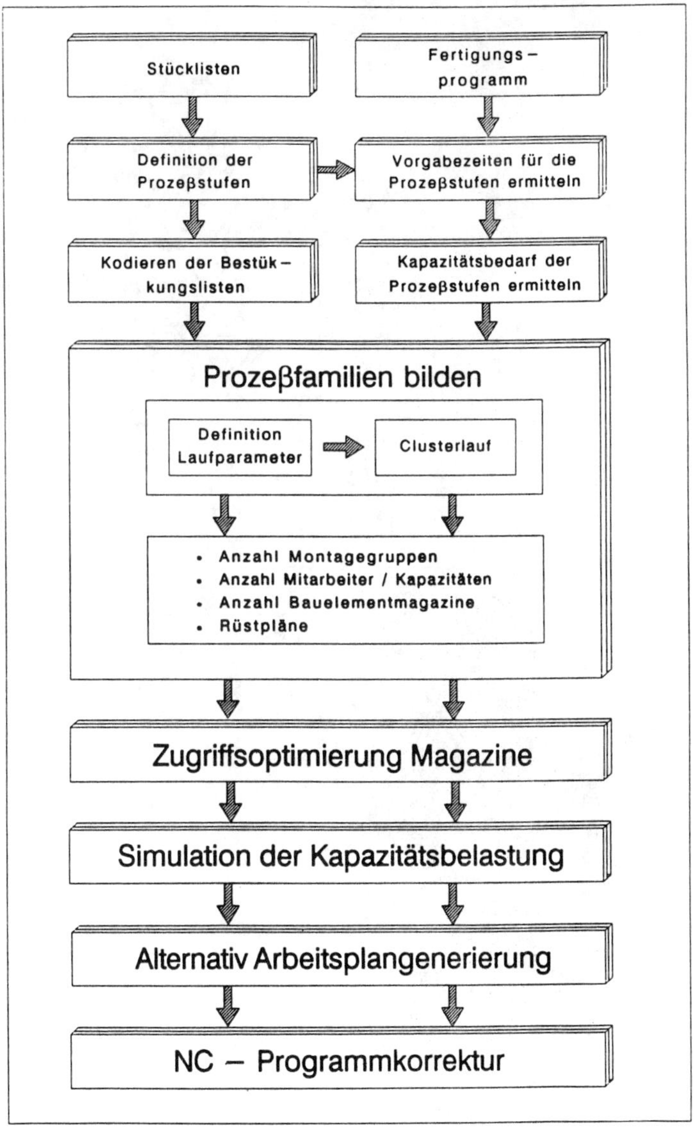

Fraunhofer-Institut für Produktionsanlagen
und Konstruktionstechnik
Leitung: Prof. Dr.-Ing. Dr. h. c. G. Spur

IPK BERLIN

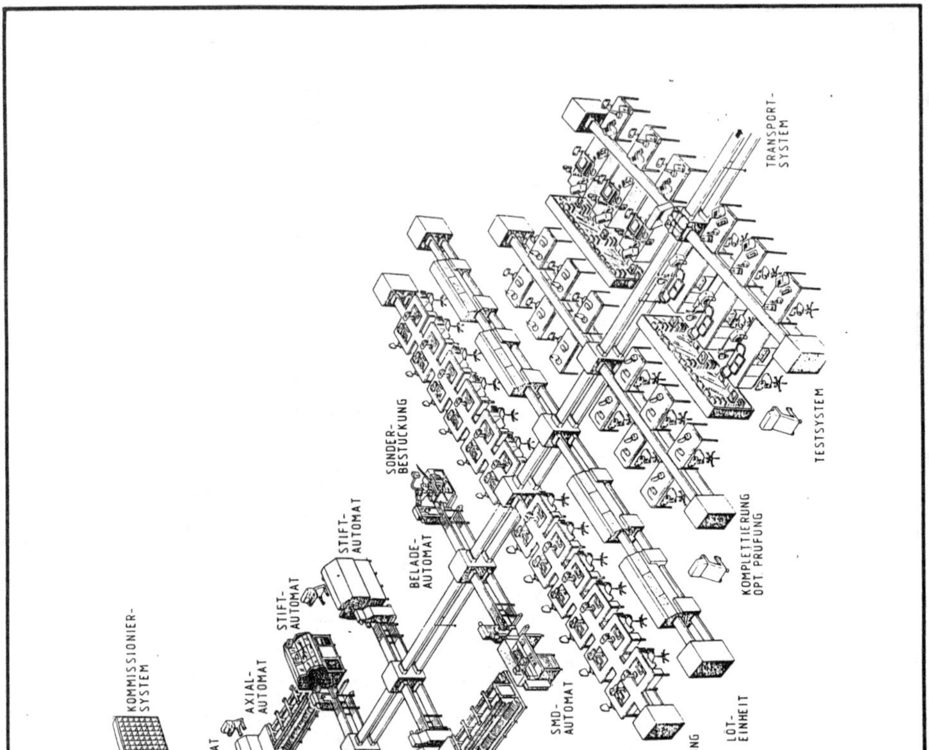
LEITRECHNER
SEQUENZER
KOMMISSIONIER-SYSTEM
DIP-AUTOMAT
AXIAL-AUTOMAT
DIP-AUTOMAT
AXIAL-AUTOMAT
STIFT-AUTOMAT
STIFT-AUTOMAT
RADIAL-AUTOMAT
RADIAL-AUTOMAT
BELADE-AUTOMAT
SONDER-BESTÜCKUNG
SMD-AUTOMAT
HAND-BESTÜCKUNG
LÖT-EINHEIT
KOMPLETTIERUNG OPT. PRÜFUNG
TESTSYSTEM
TRANSPORT-SYSTEM

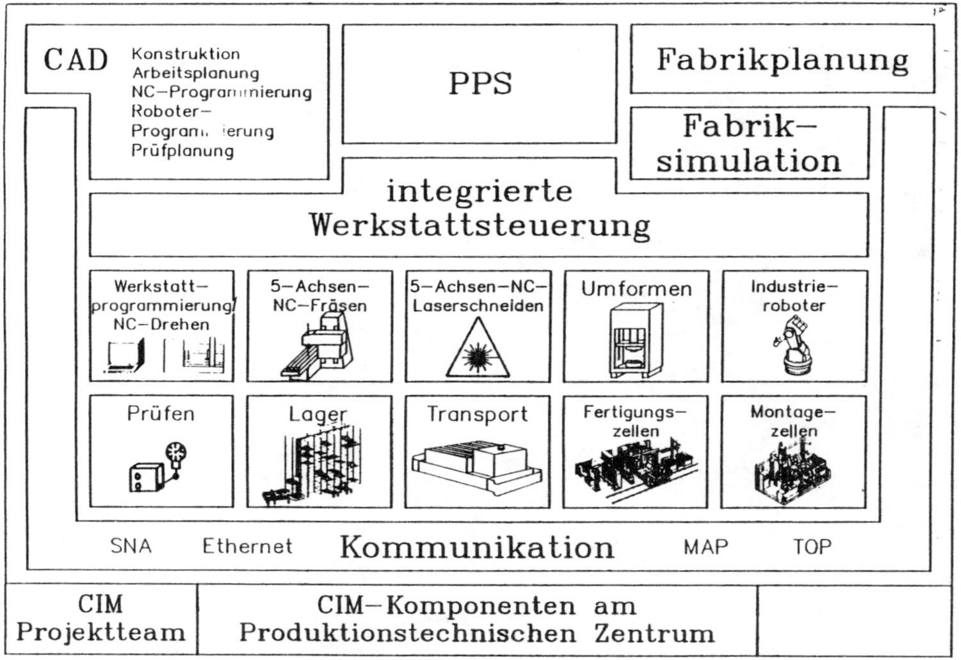

Fraunhofer-Institut für Produktionsanlagen
und Konstruktionstechnik
Leitung: Prof. Dr.-Ing. Dr. h. c. G. Spur
IPK BERLIN

MAKE OR BUY:

Entscheidungsmodell für alternative Bezugsarten

Dr.-Ing. Peter Hedrich
MTU Friedrichshafen GmbH, Friedrichshafen

Entscheidungsmodell für alternative Bezugsarten

1. Begriffe / Bedeutung

2. Problemanalyse

3. Modellansatz

4. Modelldetaillierung

5. Optimale Betriebsgröße

6. Neues Verfahren

Dr. – Ing. Peter Hedrich
MTU Friedrichshafen
Mai 1988

Literatur: Werner Heimpel
Diplomarbeit TU München

FB2 – 1.GEM

2. Problemanalyse

- Bisheriger Ablauf
  bei der Entscheidungsfindung
  "Eigenfertigung oder
  Fremdbezug"

- Bisherige Bestimmungskriterien

- Bewertungsbeispiel
  "Ventilgehäuse"

- Schwachstellen und
  Verbesserungsmöglichkeiten

3. Modellansatz

- Entscheidungsgrößen
  - Bedeutung und Einordnung
  - Sachzusammenhänge
  - Quantifizierbarkeit
- Entscheidungsebenen
- Zuordnung von Entscheidungsgrößen zu Entscheidungsebenen
- Entscheidungsmodell

4. Modelldetaillierung

- Ablauforganisation / Grunddaten

- Operationale Menge

- Charakterisierung der
  4 Entscheidungsebenen

  ① Unbedingte Bezugsartfestlegung

  ② Abstandsfaktor
  Nutzenfunktion / Nutzengröße

  ③ Optimierungsbedingte Eigenfertigung
  Optimierungsbedingter Fremdbezug

  ④ Periphere Einflüsse auf
  operationale Menge

5. Optimale Betriebsgröße

- Entscheidungsrelevante Kosten
- Betriebsgrößenvariation
- Auswirkung auf die Bezugsartfestlegung
- Betriebsgrößenänderung und operationale Menge
- Zusammengefaßte Optimierung

FB2-66.GEM

6. Neues Verfahren zur Bezugsartfestlegung

- Ablaufstruktur der Bezugsartfestlegung
- Entscheidungsempfehlung

FB2-71.GEM

QUALITÄT:
Qualität als Voraussetzung einer kundennahen Produktion

Dipl.-Ing. Hellmut Behr
Klöckner-Moeller GmbH, Bonn

Klöckner MOELLER

KQ-Be
31.10.88

(Bild 1)

Das Unternehmen Klöckner-Moeller, 1899 gegründet, ist weltweit auf dem Gebiet der elektrischen und elektronischen Geräte sowie der Anlagen und Systeme für die Energieverteilung und Automatisierung tätig.

Der Nettoumsatz betrug im Geschäftsjahr 87/88 1003 Mio DM. Das Ausland ist an diesem Umsatz mit ca. 47,5% beteiligt. Die Mitarbeiterzahl betrug im Geschäftsjahr 87/88 weltweit 7100, hiervon sind 4600 im Inland und 2500 im Ausland beschäftigt.

An Investitionen wurden in diesem Zeitraum 46,5 Mio ausgegeben und die Abschreibungen beliefen sich auf 62,3 Mio DM. Unsere Produkte fertigten wir in 14 inländischen und 10 ausländischen Fabrikationsstätten.

Zu unseren Konkurrenten zählen die großen Mono- und Mischkonzerne der Elektroindustrie. Dies ist einer der Hauptgründe, daß wir uns vor 2 Jahren entschlossen hatten, unsere Schlagkraft weiter zu verstärken und dem Unternehmen eine entsprechend optimierte Struktur zu verleihen.

(Bild 2)

So starteten wir mit Beginn des neuen Geschäftsjahres 88/89 am 1. Mai diesen Jahres in der neuen Struktur. Als wichtige Veränderung sei hier erwähnt, daß das Unternehmen neben den Zentralbereichen

- Technik,
- Marketing/Vertrieb und
- Finanzen/ Administration

nun 3 Geschäftsbereiche hat. Diese sind aufgeteilt in die Bereiche

- Automatisierungssysteme
- Energieverteilung und Anlagentechnik und
- Komponenten

Sie bestreiten das operative Geschäft ihrer Produkte von der Planung her über

- Marketing
- Entwicklung
- Qualitätssicherung
- Fertigung und
- Controlling

Dem Thema Qualitätssicherung haben wir in der neuen Struktur einen besonders hohen Stellenwert verliehen. Ich darf Ihnen heute einen Vortrag anbieten zu dem Thema, was Qualitätssicherung bedeutet, wo sie beginnen muß und was sie zu berücksichtigen hat, damit Qualität die Voraussetzung für eine kundennahe Produktion bringt.

Wir alle wissen, daß die Marktphasen unserer Produkte laufend kürzer werden. Dem zufolge müssen auch die Inovationszeiten unserer Produkte gestrafft werden, um rechtzeitig neue Produkte zur Ablösung der Bestehenden auf den Markt zu bringen. Sind wir Marktführer auf bestimmten Gebieten, so ist es außerdem unsere Pflicht, neue Produkte auf den Markt zu bringen, mit denen zukünftige Aufgaben des Anwenders gelöst werden können. Wenn wir uns vornehmen, nichts von unserem Marktanteil zu verlieren und noch zusätzliche Anteile zu gewinnen, so müssen wir die Hauptanforderungen des Marktes erfüllen, die da heißen

- o marktgerechte, zukunftsorientierte Produkte,
- o richtige Qualität
- o richtiges Preis-Leistungsverhältnis und
- o kurze Lieferzeiten

Nur wer diese Marktanforderungen erfüllt, wird in Zukunft wettbewerbsfähig bleiben und überleben. Die Industrie sucht deshalb nach geeigneten Methoden, noch nicht genutzte Reserven zu erschließen und sie zu nutzen. Dies gilt nicht nur für den Bereich der Fertigung, sondern ebenso für das Marketing, die Entwicklung und die Qualitätssicherung.

Ich werde Ihnen in diesem Vortrag zeigen, was wir unter Qualitätssicherung verstehen und wie wir sie realisieren, damit sie bei uns als Voraussetzung für eine kundennahe Produktion stimmt.

(Bild 3)

Wenn wir von Qualitätssicherung sprechen, so denken wir nicht nur an die Zuverlässigkeit unserer Zulieferer oder an die Qualität unserer Rohmaterialien sowie der selbst hergestellten Teile, sondern wir verstehen darunter ein komplettes Qualitätssicherungspaket.

- o ein QS-Paket, angefangen bereits bei der Planung, dem Marketing,
- o weitergehend durch die gesamte Entwicklung,
- o an die Qualitätssicherung bei der Beschaffung von Rohmaterialien und Einzelteilen, also an die Zuverlässigkeit unserer Zulieferer,
- o an die Qualitätssicherung bei der Weiterverarbeitung der Teile,
- o an die Qualitätssicherung in der Vormontage und letztlich der Endmontage des Produktes.

Wir betreiben Qualitätssicherung durch Selbstkontrolle. Wir verlassen uns nicht darauf, daß der Kollege den Fehler entdeckt und behebt, sondern "Wir machen es auf Anhieb richtig." Das ist der beste Weg, die Fehlerfolgekosten niedrig zu halten.

(Bild 4)

Das ist wichtig, denn die Behebung eines Fehlers am Produkt ist umso kostspieliger, je später er erkannt wird. Eine Korrektur des Marktpflichtenheftes ist, von den Kosten her gesehen, verschwindend klein gegenüber der Behebung eines Produktmangels beim Kunden. Deshalb werden wir Geld ausgeben, um möglichen Qualitätsproblemen vorzubeugen und nicht um Fehler zu suchen und zu beheben kurz vor der Auslieferung eines Produktes.

(Bild 5)

Beginnen wir mit der 1. Stufe der Qualitätssicherung bei der Planung, dem Marketing. Hier heißt die wichtigste Aufgabe: Erstellen des Marktpflichtenheftes.
Die wichtigsten Themengruppen sind hier einmal kurz zusammengefaßt:

- o Zunächst muß das Produkt mit seinem kompletten Zubehör beschrieben werden. Es muß gesagt sein, welche Kombinationsmöglichkeiten erforderlich sind
- o Ein ebenso wichtiger Punkt sind die Angaben zum richtigen Preis-Leistungsverhältnis. Man unterscheidet hier zunächst zwischen dringend notwendigen Funktionen und solchen, die wünschenswert sind. Erfährt der Konstrukteur im Marktpflichtenheft auch noch, was die einzelne Funktion kosten darf, so sind alle Voraussetzungen für die Entwicklung eines guten Produktes gegeben.
- o denn die Abmessungen und auch
- o eine Stückzahlprognose werden ebenfalls im Marktpflichtenheft gegeben.

Angaben, die hier vergessen und später nachgetragen werden müssen, verlangen hohe Kosten für Ihre Realisierung, wenn dies überhaupt noch möglich ist.
Das Problem für die Marketing-Mannschaft liegt also darin, daß sie heute die Marktsituation für die später beginnende Marktphase des neuen Produktes erkennen muß. Eine schwierige Aufgabe, für die es sich aber lohnt, Gedankengut zu investieren, denn auch das ist dann nach dem Motto "Mach's auf Anhieb richtig."

(Bild 6)

Kommen wir nun zur 2. Phase, der Qualitätssicherung in der Entwicklung. In dieser Phase haben wir den größten Einfluß auf die spätere Produktqualität,

- o Versäumnisse,
- o Fehler oder
- o nicht zu Ende durchdachte Lösungen

müssen später, wenn sie nach Abschluß der Konstruktion erkannt und behoben werden müssen, teuer bezahlt werden. Deshalb heißt auch hier unsere Devise "Mach's auf Anhieb richtig."
Als logische Konsequenz aus dieser Erkenntnis haben wir in der Mannschaft der Qualitätssicherung eine besondere Gruppe geschaffen. Sie hat die Aufgabe, die Entwicklung konstruktionsbegleitend zu unterstützen, um die gesetzten Qualitätsstandards pünktlich zu erreichen.

Wir wollen aus den positiven und auch aus den negativen Erfahrungen lernen.

- o Deshalb sammeln wir Informationen über das Vorgängergerät und seinen Markt aus den Rückläufen sowie aus früheren Versuchsergebnissen und stellen diese der Konstruktion zur Verfügung.
- o Positive Erfahrungen aus der Vergangenheit stellen wir ebenfalls für die Konstruktion bereit. Dazu zählen z. B.
  - Werkstoffpaarungen für Lagerfunktionen
  - ø für selbstschneidende Schrauben in verschiedenen Werkstoffen,
  - erprobte Lösungen zwecks Dichtung von Gehäusen
  - Verklinkungen von mechanischen Schaltschlössern usw.
- o Ein weiterer Punkt als Unterstützung der Konstruktion ist das Zusammenfassen von wichtigen Punkten nationaler und internationalen Standards zu sogenannten Testvorschriften,
- o Oder das Erstellen von gerätespezifischen Prüfkatalogen.
- o Auch das Mitwirken beim Erstellen des Konstruktionspflichtenheftes ist eine Unterstützung der Konstruktion
- o und letztlich kommt der gesamte Komplex der Modellprüfphase.
- o Hier stellt die Gruppe den Modellprüfplan zusammen, plant die Aufträge, führt sie durch, wertet die Ergebnisse aus und stellt den Bericht zusammen, um die Konstruktion zu unterrichten.
- o Am Ende einer Modellphase steht die Modellfreigabe; auch hier trägt die QS-Mannschaft mit dazu bei und unterstützt die Konstruktion. Mit der Freigabe des Modells gehen gleichzeitig alle Fertigungsunterlagen ans Werk, sodaß dieses nun in die Investitionen schreitet.

Die Punkte 6 und 7 gelten in ähnlicher Form für das Stadium der 0-Serie.

Sie werden sicherlich bemerkt haben, daß keiner dieser genannten Punkte eine Kontrollfunktion darstellte. Sie sind vielmehr alle als vorbeugende und prozeßbegleitende Maßnahmen gedacht unter dem Aspekt "Mach's auf Anhieb richtig."
Denn ist die Konstruktion bis zu diesem Zeitpunkt ausgereift und erfüllt die gestellten Marktanforderungen, so bleibt die spätere Fertigung weitgehendst von Nachbesserungen und somit Störungen verschont.

(Bild 3)

Mit den weiteren Punkten 3 - 4 - 5 verlassen wir nun das Stadium der Produktplanung und -entwicklung und kommen nun zum Fertiungsprozeß. Auch hier gilt bei uns wieder das Motto "Mach's auf Anhieb richtig." Deshalb werden wir auch in dieser Phase zu Beginn und während der Fertigung vorbeugende Qualitätssicherung finden, um nicht am Ende des Fertigungsprozesses nach fehlerhaften Geräten suchen zu müssen, um diese dann dort auszuschneiden.

(Bild 7)

Wir starten deshalb mit der Qualitätssicherung bereits bei der Anlieferung, bzw. bei der Bestellung von Einzelteilen. Wir begnügen uns nicht damit, zuverlässige Lieferanten ausgesucht zu haben, sondern wir überzeugen uns auch laufend davon, ob er auch zuverlässig bleibt. Dies geschieht mit Hilfe der Eingangskontrolle sowie der Lieferantenbewertung.

Die Einzelteile werden entsprechend den Anforderungen der Zeichnung einer Eingangsprüfung unterzogen. Die Ergebnisse werden mit Hilfe eines Software-Programms ausgewertet und nach einer bestimmten Bewertung in der Liste ausgedruckt.
Wir erkennen auf der linken Seite alle Teile, Z-Nummern und die Bezeichnung. In den mittleren 4 Spalten stehen die Liefermengen der letzten 4 Lieferungen. In den rechten 4 Spalten finden wir die Bewertung, die Einstufung mit den Buchstaben A - B - C und die Qualitätszahl von 0-100.
Sobald eine Lieferung in der Einstufung unter den Wert "A" fällt, wird der Lieferant autom. benachrichtigt und erhält die Sendung zurück. Er ist vertraglich verpflichtet, umgehend neue Teile anzuliefern.

(Bild 8)

Das Bild 8 zeigt einen solchen Meßplatz für die Eingangskontrolle an Federn. Die Meßwerte werden automatisch dem PC zugeführt, ausgewertet und anschließend auf dem Bildschirm oder dem Drucker dargestellt. Die Bezeichnung der Teile sowie die Liefermenge werden über die Tastatur eingegeben.

(Bild 9)

Die Bewertung und Beobachtung der von uns selbst hergestellten Teile erfolgt ebenso streng. Für jedes herzustellende Teil steht eine Meßvorrichtung mit Qualitätskarte bereit. Auf der Qualitätskarte findet der Mitarbeiter was-wann-wo-und wie oft zu überwachen ist.

(Bild 10)

Auf diesem Bild sehen wir eine solche Qualitätskarte. Sie sagt aus, daß der Mitarbeiter jedes 600. Teil sich ansieht, ob nichts abgebrochen ist. Ferner soll der Mitarbeiter jedes 1200. Teil einer Maßüberwachung unterziehen. Was zu messen ist, wo das Maß liegt und wie groß es sein darf, ist auf der Q-Karte angegeben.

Erst, wenn das 1200. Teil gemessen und für gut befunden wurde, wird diese Produktionsmenge in grünen Kästen in die Fertigung weitergegeben. Ist hingegen das Ergebnis negativ, so wird zunächst eine größere Menge kontrolliert und bei weiterem negativem Ergebnis die gesamte Menge in rot gekennzeichnete Kästen zur Verschrottung gegeben. Der Fertigungsprozeß wird sofort gestoppt und die Ausfallursache ermittelt, um die Prozeßsicherheit wieder zu gewährleisten. Bei Verschleiß oder Beschädigung des Werkzeuges wird dieses zur Reparatur gegeben. Bei Abweichungen der Maschinen-Einstellwerte vom Sollwert müssen die Werte wieder neu eingestellt werden. Hiernach kann der Fertigungsprozeß wieder aufgenommen werden.

(Bild 11)

Im nächsten Bild sehen wir, wie die jeweiligen Einheiten, bestehend aus Meßeinrichtung und Q-Karte, in einem Paternoster untergebracht und somit durch Tastendruck wieder leicht zu finden sind.

(Bild 12)

Schwieriger wird die Teileüberprüfung bei komplizierten Kunststoffteilen wie z. B. bei einem Schalterunterteil, bei dem ca. 30 Maße in 3 Dimensionen zu überprüfen sind. Für diese Teile besitzen wir eine eigens für diese Aufgabe entwickelte Meßeinrichtung. Auf dieser äußerst kompakten Maschine mit sehr hoher Meßgenauigkeit lassen sich bis zu 12 gleiche Teile aufspannen. An diesen Teilen werden alle erforderlichen Maße entsprechend einem automatischen Meßprogramm abgefahren.
Wir können uns das Meßprogramm selbst an einem zu messenden Teil mit Hilfe eines Aufnahmetasters aufnehmen. Ein Computer ruft die einzelnen Meßdaten nacheinander ab, wertet sie aus und zeigt sie auf dem Bildschirm oder im Ausdruck. Das Ergebnis der Auswertung wird zur Prozeßsicherheit genauso verwendet, wie dies auch bei den einfacheren Teilen erfolgt.

(Bild 3)

Wir verlassen nun das Gebiet der Qualitätssicherung im Wareneingang sowie der Einzelteilherstellung und kommen nun zu den Stufen 4 und 5, der Weiterverarbeitung von Einzelteilen, der Vor- und Endmontage.
Unserer Philosophie entsprechend wird Qualität dort überprüft, wo eine Manipulation erfolgt. Geprüfte Einzelteile werden in der Baugruppe zusammengesetzt und die Baugruppe anschließend ebenfalls überprüft.

(Bild 13)

Als Beispiel nehmen wir das mechanische Schaltschloß eines neuen Motorschutzschalters, welches das Kernstück des Gerätes darstellt. In diesem Bild wird der Montageplatz für diese Baugruppe gezeigt. Das Schaltschloß muß zusammen mit einer Reihe von Zubehörkomponenten später als Komplettgerät funktionieren.

D. h. es gibt eine Reihe von Schnittstellen am Schloß, die innerhalb vorgegebener Toleranzgrenzen liegen müssen.
Diese Schnittstellenüberprüfung erfolgt ebenso bei den einzelnen Zubehörkomponenten wie Unterspannungs- und Arbeitsstromauslöser, Hilfsschalter, Handantrieb und Fernantrieb.
Es muß sichergestellt sein, daß sowohl beim Schaltschloß, als auch bei jedem Zubehör die Schnittstellenbedingungen eingehalten sind. Dies ist erforderlich, damit später beim Zusammenbau durch den Kunden jede Kombination funktioniert.

(Bild 14)

Die Überprüfung aller 20 Schloßschnittstellen erfolgt in dieser Meßanlage in 5 Modulen.
Jedes Gerät durchläuft die gesamte Anlage.
Der Computer ruft die Meßdaten ab und vergleicht sie mit der Sollwertangabe. Ist der Vergleich positiv, so kann der Prüfling in den nächsten Prüfmodul einfahren. Ist der Vergleich negativ, wird er über eine Weiche als schlecht ausgeschieden.
Welchen Fehler ein Schloß hatte, kann man über den Bildschirm erfahren. Die Meßdaten aller 5 Prüfmodule werden im Computer erfaßt und statistisch ausgewertet. So kann man sich jederzeit darüber informieren, ob die Funktionsmaße bei ihrem Nennmaß liegen, oder ob sie zu einer Toleranzgrenze hinabwandern.
Diese Trendbeobachtungen werden als Signal zum Gegensteuern benutzt, wenn sich ein Funktionsmaß zu sehr einer Toleranzgrenze nähert.

(Bild 15)

Ähnlich wie beim Schaltschloß wird bei jeder Baugruppe verfahren; hier z. B. bei der Baugruppe Fernantrieb.

(Bild 16)

Ein anderer wichtiger Punkt in der fertigungsbegleitenden Qualitätssicherung ist der Eichvorgang der thermischen Überlastauslöser.
Bei diesem Auslöser wird die Ausbiegung von Thermobimetallen für die Auslösung des Motorschutzschalters benutzt.
Um möglichen Fehlern bei einer 3phasigen Eichung aus dem Wege zu gehen, eichen wir jede Phase einzeln. Es wird hierbei die Ausbiegung eines jeden Bimetalls gemessen. Der Computer ruft die Werte ab und berechnet nach einem vorgegebenen Programm ein für die Weg-Übertragungsbrücke notwendiges Maß aus. Anschließend wird dann automatisch das Stanzmesser so verstellt, daß das richtige Abstandsmaß an der Übertragungsbrücke anfällt. Mit Hilfe dieser Prozedur werden Fehleichungen so gut wie ausgeschlossen.

(Bild 17)

Wir hatten vorhin gehört, daß wir Qualität dort überprüfen, wo etwas Neues entstanden ist, wo manipuliert wurde. So wie wir nach der Montage der Baugruppen diese überprüfen, so überzeugen wir uns auch von der Qualität des Endproduktes, das ja wiederum aus verschiedenen Baugruppen zusammengebaut wurde. In diesem Bild sehen wir den Endprüfplatz, an dem der fertige Motorschutzschalter auf seine Hauptfunktionen hin überwacht wird, bevor er zum Versand wandert.

Damit sind auch wir am Ende unserer Wanderung angekommen. Ein Weg, der uns unter dem Aspekt der Qualitätssicherung führte vom Beginn der Produktplanung an über die Entwicklung, durch die einzelnen Stufen der Fertigung bis hin zum fertigen Endprodukt.

Ich hoffe, Ihnen einleuchtend gezeigt zu haben, daß wir mit einer vernünftigen Qualitätssicherung die Voraussetzung für eine kundennahe Produktion schaffen können, und daß wir so die Ziele des Marktes treffen, die da heißen

- o marktgerechte, zukunftsorientierte Produkte
- o richtige Qualität,
- o richtiges Preis-Leistungsverhältnis und
- o kurze Lieferzeiten

Informationen über das Unternehmen

QS

- gegründet 1899

- weltweit tätig auf dem Gebiet der elektrischen und elektronischen Geräte sowie der Anlagen und Systeme für die Energieverteilung und Automatisierung.

Geschäftsjahr 87/88

• Netto Umsatz	1003 Mio DM
• Auslandsanteil	47,5 %
• Mitarbeiter weltweit	7100
Innland	4600
Ausland	2500
• Investitionen	46,5 Mio DM
• Abschreibungen	62,3 Mio DM

• **Werke**	Innland	14
	Ausland	10

Stichtag: 30.4.88

B.1

Die neue Struktur
QS
Geschäftsführung
Geschäftsbereich: Automatisierungssysteme
Marketing
Entwicklung
Fertigung
Qualitätssicherung
Controlling
Geschäftsbereich: Energieverteilung Anlagentechnik
Marketing
Entwicklung
Fertigung
Qualitätssicherung
Controlling
Geschäftsbereich: Komponenten
Marketing
Entwicklung
Fertigung
Qualitätssicherung
Controlling
Zentralbereich: Technik
Zentralbereich: Finanzen u. Administration
Zentralbereich: Marketing/Vertieb

B.2

Qualität als Voraussetzung für eine kundennahe Produktion

QS

QUALITÄT...

in der Planung bei Marketing	1
in der Entwicklung	2
bei der Beschaffung von Rohmaterialien und Einzelteilen; Zuverlässigkeit der Lieferanten	3
in der Weiterverarbeitung der Einzelteile	4
in der Vor - und Endmontage	5

Fehlerfolgekosten

QS

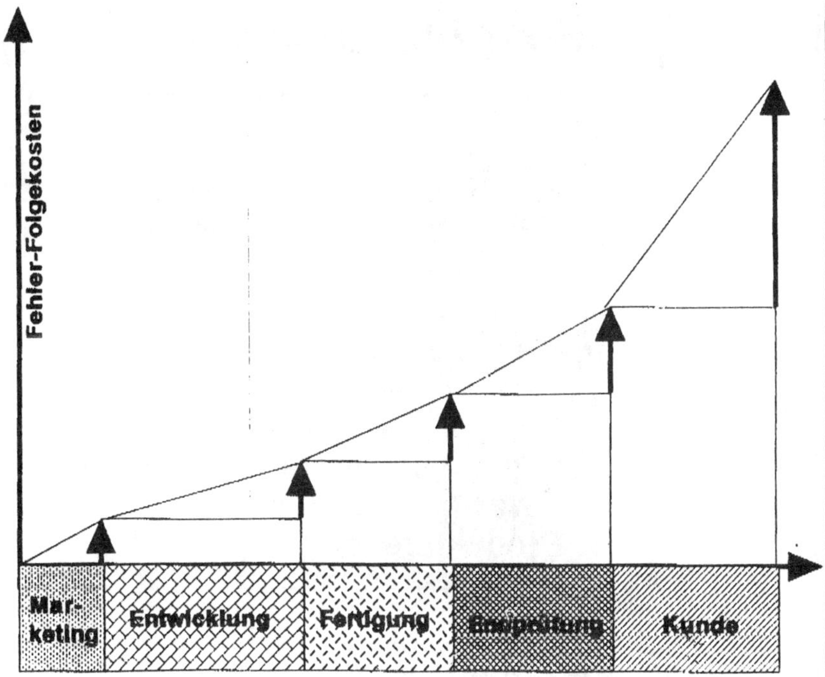

B4

Erstellen des Marktpflichtenheftes

- Beschreibung des Produktes einschließlich seines Zubehörs

- Angaben zum richtigen Preis-Leistungsverhältnis
  - notwendige Funktionen
  - wünschenswerte Funktionen
  - jeweiliger Anteil am Produktpreis

- Abmessungen

- Stückzahlprognosen

Aufgaben der Gruppe Qualitätssicherung in der Entwicklung

QS

1	Informationen über das Vorgängergerät und seinen Markt sammeln... - aus Rückläufen und - aus vorherigen Versuchsergebnissen und der Konstruktion bereitstellen
2	Positive Erfahrungswerte der Vergangenheit sammeln, Katalogmäßig erfassen und der Konstruktion bereitstellen.
3	Die wichtigsten Punkte aus nationalen und internationalen Standards zu Testvorschriften zusammenfassen.
4	Gerätespezifische Versuchsreihen aufstellen (= Prüf-Katalog)
5	Mitwirken beim Erstellen des Konstruktionspflichtenheftes
6	Modellprüfplan erarbeiten, planen; Versuchsaufträge ausstellen und durchführen; Auswertung der Versuchsergebnisse, Bericht erstellen.
7	Zusammen mit der Konstruktion die Modellfreigabe erarbeiten.
8	Die Punkte [6] bis [7] gelten in entsprechender Form für die Nullserie.

B.G.

Qualität als Voraussetzung für Just in Time

QS

Moeller Schaltgeräte Werk Holzhausen Qualitätssicherung	LIEFERANTENBEWERTUNG Nach VDA Verfahren 1	Datum 00.00.00 Seite 1
Lieferant Name.: Küpperscheeg & Voss GmbH.& Co.KG.		Nummer..: 4705
Bewertungszeitraum vom.: 00-00-00 bis.: 05-05-88	RANGSKALA A = 100 - 96 | B = 95,9 - 90 | C = 89,9 - 0	

Pos	Zeichnungs-Nr. Benennung	Liefermenge				Einstufung und Qualitätszahl der letzten 4 Lieferungen			
1	023-070.030e Achse	21770	18590	4380	28180	A 100,00	A 100,00	A 100,00	A 100,00
2	023-090.068b Magnetkern	12500	28650	16470	6540	A 100.00	A 100,00	A 100,00	A 100,00
3	023-090.073/1g Anker	18240	10260	9000	2750	A 100,00	A 100,00	A 100,00	A 100,00
4	023-090.073/2g Anker		10420	6600	18300		A 100,00	A 100,00	A 100.00
5	023-090.074 Zapfen	24000	2260	4000	17100	C 71,71	C 75,25	C 78,00	C 80,20
6	023-090.075/1h Auslösestift	23300	22900	21450	24000	A 100,00	A 100,00	A 100,00	A 100,00
7	023-090.075/2h Auslösestift	1210	5520	3090	4350	A 100,00	A 100,00	A 100,00	A 100,00
8	023-090.075/3h Auslösestift	1370	5540	8300	8050	C 80,20	C 83,50	C 85,86	C 87,62
9	024-010.042d Achse	9010	4270	15740	11250	A 100,00	A 100,00	A 100,00	A 99.60
10	024-022.006b Hülse	8700	6180	5430	4600	A 100,00	A 100,00	A 100,00	A 100,00
11	024-028.051b Verzögerungsmas				942				A 100,00
12	028-001.122g Umlenkachse	1244	1725	1460	2322	B 95,23	B 95,29	B 95,60	B 95,87
13	028-001.136/1a Nietbolzen		1387	5700	7400		C 71,00	C 85.50	B 90,33
14	028-001.136/2a Nietbolzen		1517	2800	16800		C 71,00	C 85.50	B 90,33
15	028-001.140b Federbolzen	2580	4450	7000	4816	A 100,00	A 100.00	A 100.00	A 100,00
16	028-001.153b Klinkrolle				837				A 100,00

B.7

B 8

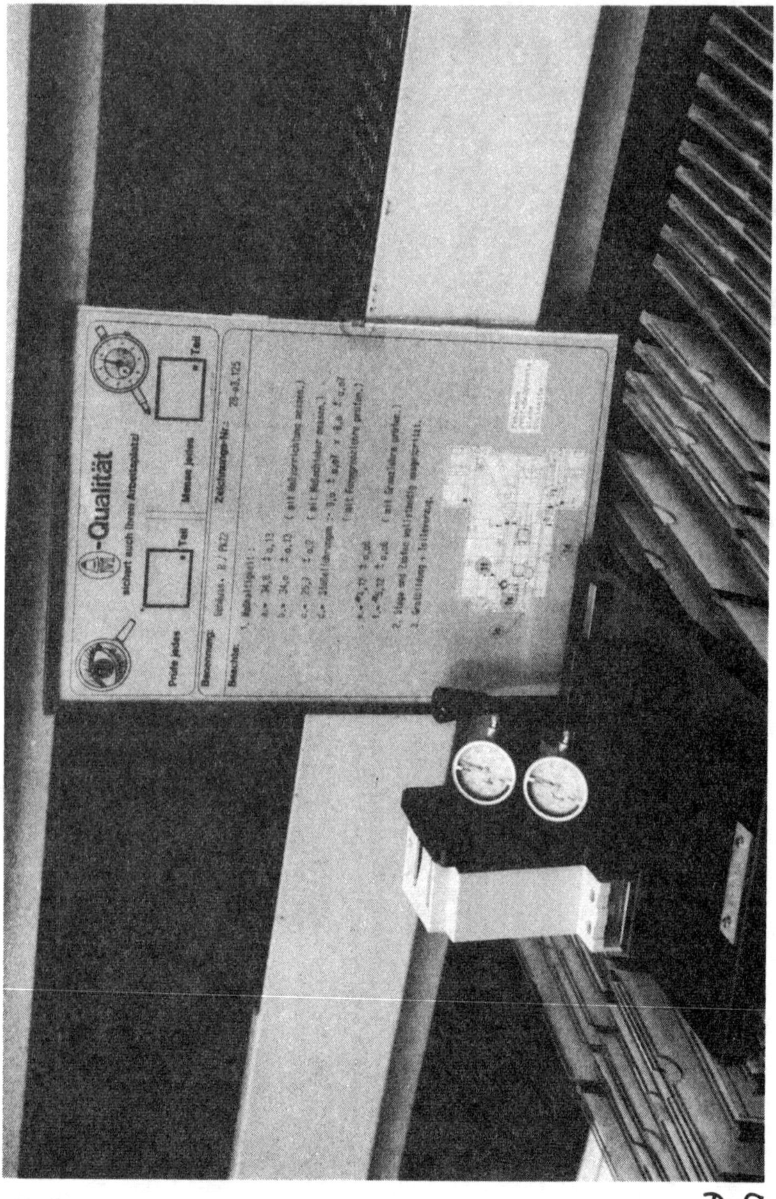

B 9

-Qualität

sichert auch Ihren Arbeitsplatz!

Prüfe jedes	600 •	Teil	Messe jedes	1200 •	Teil

Benennung: Kniehebelblech PKZ2 **Zeichnungs-Nr.:** 28-01.135

Beachte:

1. Maßhaltigkeit :
   a.= $\varnothing\,3\ E9\ {}^{+0{,}04}_{+0{,}01}$ (mit Grenzlehre prüfen.)

   b.= Prägehöhe 2,3 ± 0,1
   c.= Prägehöhe 1,45 ± 0,1 (mit Meßschieber messen.)

2. 120 ° Prägung vorhanden.

3. Teile-Ebenheit + Gratbildung.

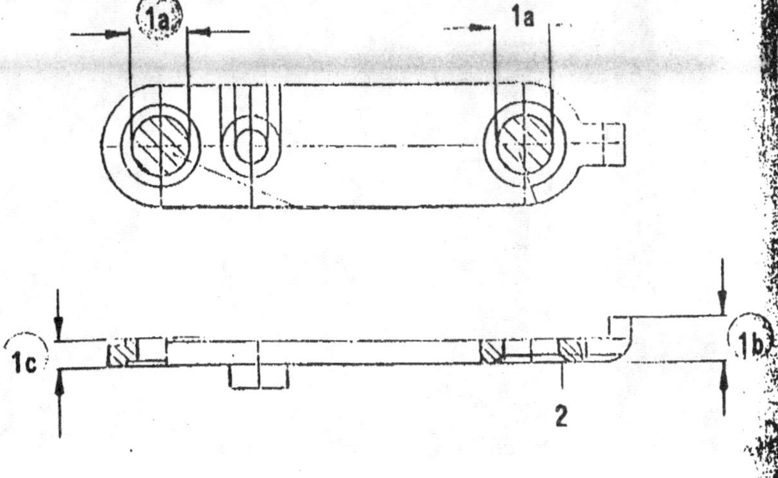

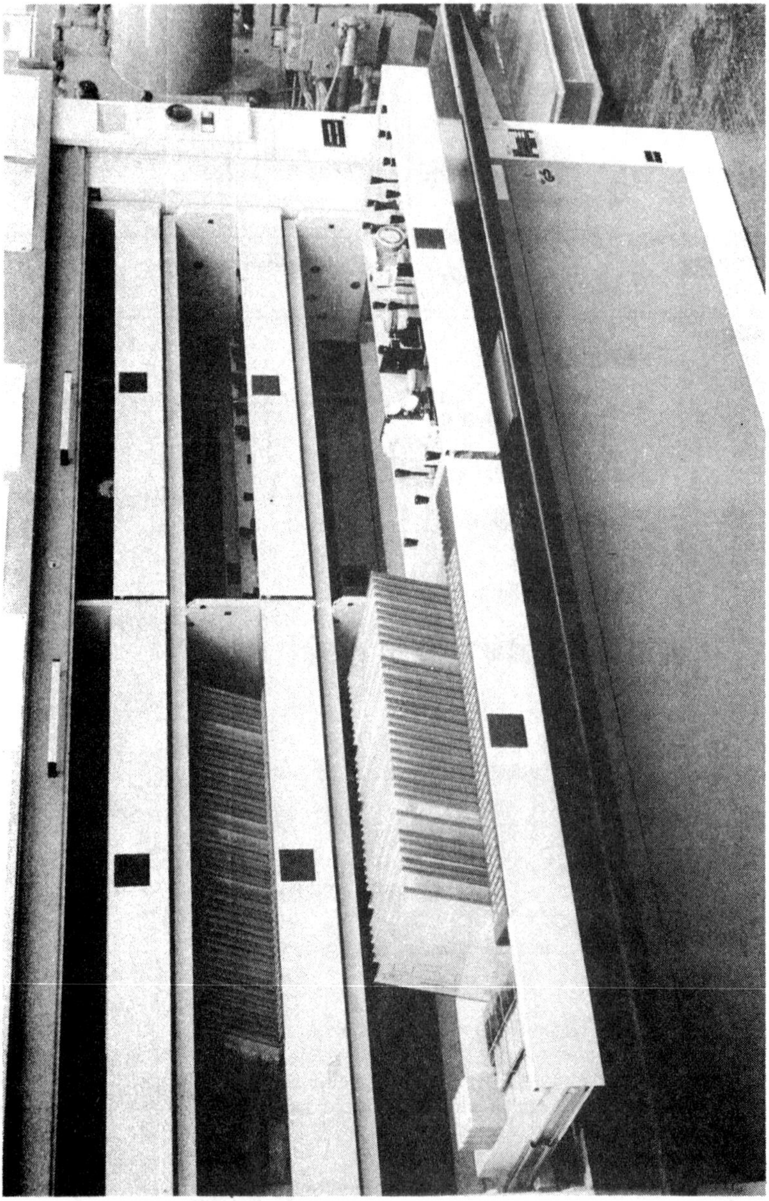

B 11

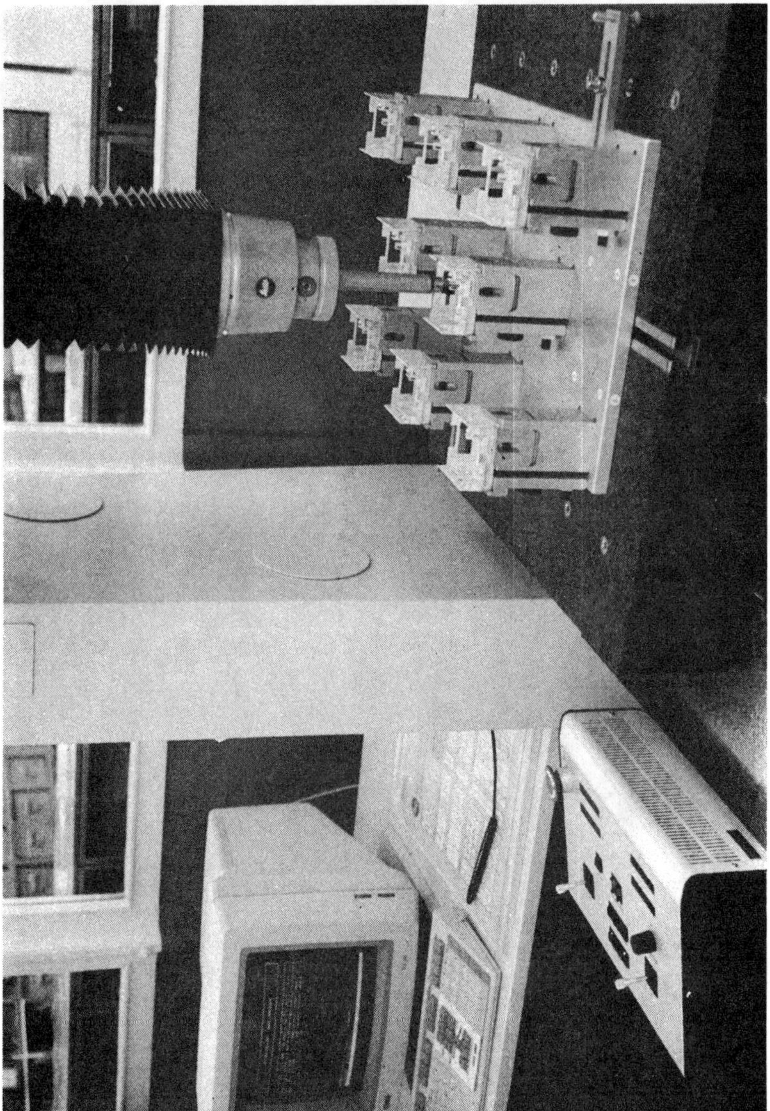

B 12

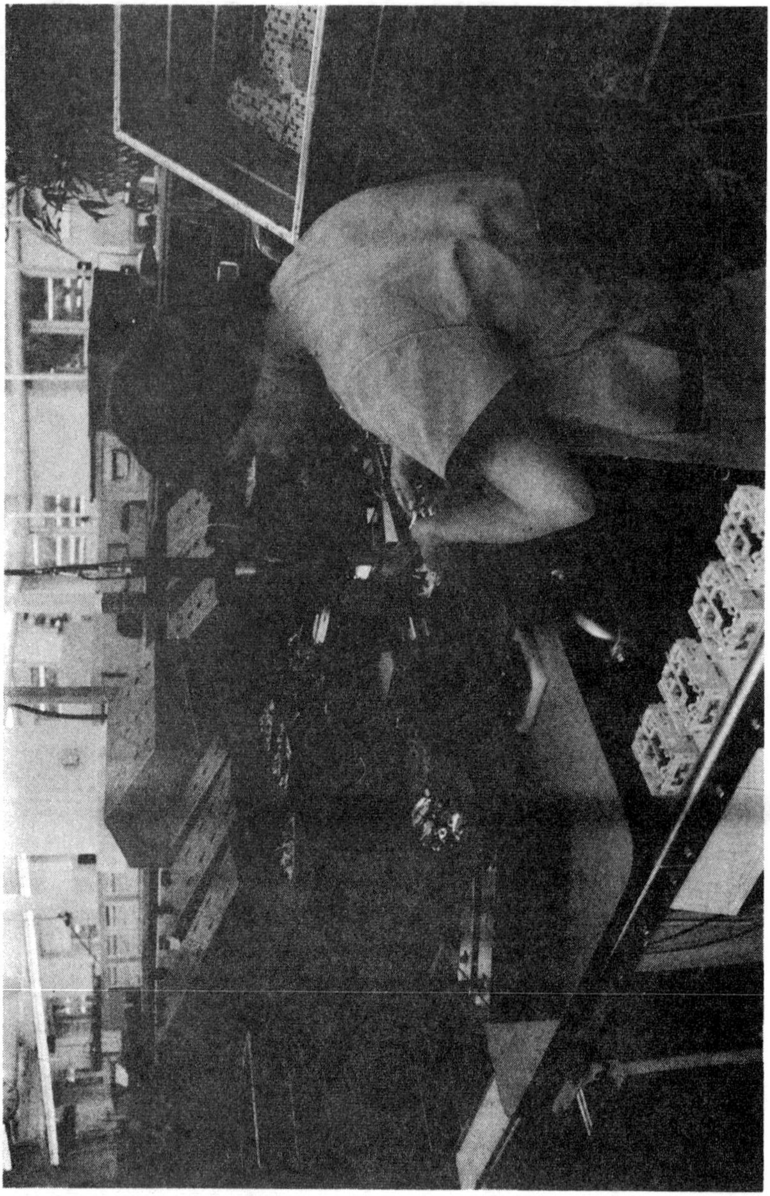

B 13

B 14

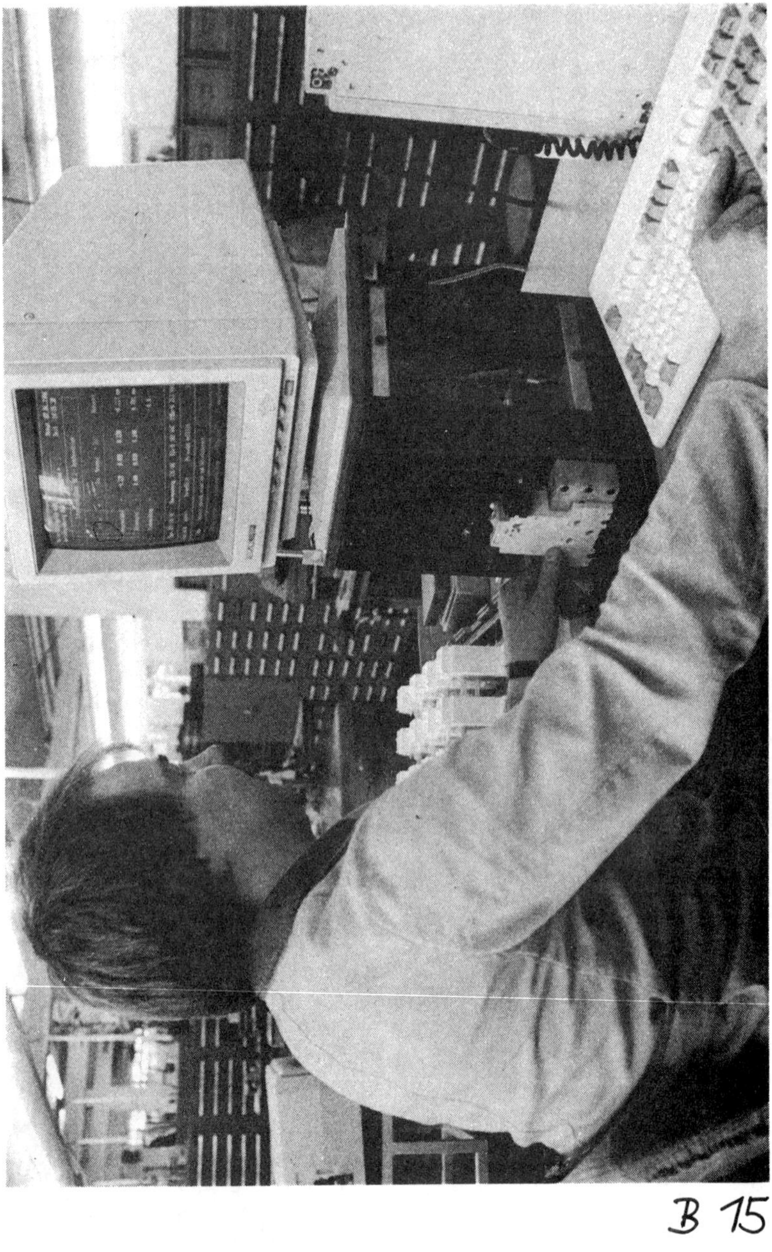

B 15

B 16

B 17

PPS:
Kontrolle, Diagnose und Analyse einer EDV-gestützten Werkstattsteuerung

Dipl.-Ing. Gerhard Schüle
Wohlenberg GmbH + Co KG, Hannover

KONTROLLE, DIAGNOSE und ANALYSE einer EDV - GESTÜTZTEN WERKSTATTSTEUERUNG

1.) Einleitung

2.) Anforderungen an die Werkstattsteuerung

3.) technische Auftragsabwicklung bei Wohlenberg

4.) Leistungs- und Arbeitsplatzanalyse

5.) Integrationszustand

6.) Zusammenfassung

1. Einleitung

Im Sept. 1985 wurde auf der Tagung

JUST - IN - TIME - Produktion

in Deutschland unter dem Titel EDV- gestützte Werkstattsteuerung in einem integrieten PPS- System im Hause Wohlenberg berichtet. Schwerpunkte dieses Beitrags waren,

1.1. die Betriebsdatenerfassung (BDE) und Werkstattinformation in der Anwendung vorzustellen

1.2. Produktionsprogrammplanung

1.2.1. graphische Maschinen
kundenanonyme Kleinserienfertigung u. kundenauftragsbezogene Montage

1.2.2. Großwerkzeugmaschinen
kundenauftragsbezogene Einzelfertigung u. Montage

1.3. zus. Maßnahmen und die bisher erzielten Ergebnisse.

In diesem Beitrag werden u. a. Diagose und Kontrolle durch

REPORTE u. STATISTIK (Bild 1)

vorgestellt.

2. Anforderungen an die Werkstattsteuerung

Zur Gesamtoptimierung der Zielgrößen kurze Durchlaufzeiten, hohe Termintreue, flexibles Reagieren auf Markt- bzw. Kundenanforderungen ist es zwingend erforderlich, alle mit der Auftragsabwicklung befaßten Bereiche vom Vertrieb über die Konstruktion, Materialbeschaffung, Einkauf, Fertigungsplanung, Fertigung, Montage und Versand aktiv zu beteiligen und möglichst den Informations- und Materialfluß durch einmaliges aktuelles Erfassen und Weitergeben von Daten und Informationen zu verbessern.

Oftmals scheitern solche Vorhaben an einer EDV- technisch mangelhaften Unterstützung der Auftragsverfolgung und Auftragssteuerung in der Fertigung und Montage. Ein solcher Mangel hat in der Regel direkte Auswirkung auf die Qualität der Fertigungsplanung.

Unternehmen, die sich mit der rechnerintegrierten Fabrik beschäftigen, sollten sich daher mit dem Thema leistungsfähiger Betriebsdatenerfassung und Werkstattsteuerung, integriert in einem funktionierenden PPS - System, intensiv befassen.

Dabei sei an dieser Stelle nachdrücklich darauf hingewiesen, daß die Betriebsdatenerfassung kein Selbstzweck sein darf, sondern so konzipiert werden muß, daß hieraus eine gesicherte Datenbasis für die Planung und Steuerung entsteht. In diesem Zusammenhang sollte z. B. auch kritisch geprüft werden, für welche Meldungen ein Personenbezug erforderlich ist und wo ggf. auf ihn verzichtet werden kann zugunsten einer besseren Meldequalität.

Da Steuerung mehr sein muß als Krisenmanagement, ist es erforderlich, daß ein Werkstattsteuerungssystem die Wirkung verschiedener langfristig zu sehender Steuerungsstrategien transparent macht. Es ist z. B. unerläßlich, die Termintreue längerfristig zu überwachen und Durchlaufzeiten zu kontrollieren.
Im Rahmen der Werkstattinformation müssen Auskünfte über Werkstattaufträge, Arbeitsplätze und Personen in Form von Listen oder Bildschirmübersichten zur Verfügung gestellt werden.
Die Art und Darstellung der Informationen muß sich an aktuellen Problemen in der Werkstattsteuerung orientieren und insbesondere die Arbeitsverteilung und die kurzfristige Reihenfolgeplanung unterstützen.
Erforderliche Informationen sind hier:

- Darstellung der aktuellen Belastung von Arbeitsplätzen und ihre zeitliche Verteilung
- terminliche Situation von Aufträgen
- Tagesprotokolle über Aktivitäten in der Werkstatt
- Übersichten über auswärtige Arbeitsvorgänge
- Verfügbarkeit der Maschinen und Personen.

Soll / Ist Vergleiche können heute online am Bildschirm abgefragt werden. Abweichungen vom Plantermin und die Liegezeit an der Kostenstelle werden für jeden Auftrag angezeigt.

Mit Hilfe des Reportgenerators (Bild 2) und einer graphischen Informationsdarstellung unterstützt OBSERWER den Anwender hier durch eine gute Dokumentation und eine Vielzahl möglicher Datenaufbereitungen. Sie liefern aussagefähige Statistiken über Verteilungen (Bild 3) und Kennzahlen (Bild 4), die graphisch auf-

bereitet in verschiedenen Verdichtungsstufen an den Bildschirmen abgefragt werden können. Es kann z. B. gezielt nach "zu früh oder zu spät" auch getrennt nach "noch nicht begonnen" , "in Arbeit" oder "fertiggestellten" Aufträgen gefragt werden.
Die so aufbereiteten Daten liefern qualifizierte Entscheidungshilfen für die bedarfsgesteuerte Fertigung, da Planungen jederzeit aktuell überprüft werden können.
Dieses flexible Auswahlverfahren unterstützt anwenderspezifisch, indem es aus unübersehbar vielen Informationen das wesentliche herausfiltern kann. Die qualitative und quantitative Verbesserung der Informationen steht dabei im Vordergrund.
Diskussionen und Schuldzuweisungen bei einer Störung oder Mangel erübrigen sich. Der Verantwortliche wird eindeutig benannt.

Diese Diagnose und Kontrolle der Fertigung wurde mit der Einführung des Reportgenerators ermöglicht.

```
OBSERWER = Online Betriebstatenerfassungssystem für eine Realtime
--------   -      -                       -        -    -
           Werkstattsteuerung
           ---
```

3. Technische Auftragsabwicklung bei Wohlenberg

Die Disposition eröffnet im Dialog am IBM - Bildschirm Werkstattaufträge. Gemäß den Vorgaben der Produktionsplanung werden Werkstattauftragsnummer, Losgröße und Fertigungsendtermin festgelegt. Nach einer vorgegebenen Formel werden mit Hilfe der neutralen Arbeitsplandaten die Starttermine für Materialbestellung, Zeichnungsanforderung, Fertigungseinstoß, Anfangs- und Endtermin

für jeden Arbeitsvorgang ermittelt.
Für eine automatisierte Bestellschreibung war es erforderlich, jede Materialqualität, -abmessung und Wiederbeschaffungszeit je Lieferant im Rechner abzulegen. Mit diesen Voraussetzungen und den technischen Daten des Arbeitsplans bez. des Materials wird das notwendige Material für den Werkstattauftrag terminbezogen bestellt und wenn möglich in einem Transportbehälter angeliefert, der den Auftrag bis zum Ende begleitet. Eine Zwischenlagerung erfolgt nicht mehr.
Hier wurden die Lieferanten weitestgehendst in den betrieblichen Wertschöpfungsprozeß integriert.
Der kürzeste Materialfluß vom Lieferanten in und durch die Werkstatt bis zur Montage (Lager) ist realisiert, auch wenn "noch" die Bestellungen per Telefax oder Brief übermittelt werden.
Die technischen Voraussetzungen und Planungen, um eine papierlose Bestellung zu realisieren, liegen inzwischen vor, wurden jedoch wegen zu geringer Wirtschaftlichkeit zunächst noch zurückgestellt.

Vier Tage vor dem Planfertigungsstart werden die aktuellen Aufträge im Filetransfer auf den dezentralen Werkstattsteuerungsrechner übertragen und der Ausdruck der Papiere veranlaßt.
In diesen Papieren wird die Materialverfügbarkeit angezeigt und können somit dem Material direkt zugeordnet werden.

In den einzelnen Kostenstellen stehen Bildschirme und Produktionsdatenerfassungsterminals zur Verfügung. Diese Geräte dienen der Ein- u. Ausgabe von Informationen.
Zur Durchführung einer effizienteren Arbeitsverteilung kann der

Meister am BDE - Terminal unterschiedliche Informationen anfordern.
Die Arbeitsplatzbelastung (ALUB) z.B. zeigt alle Arbeitsvorgänge, nach geplantem Anfang sortiert, die an dem ausgewählten Arbeitsplatz bearbeitet werden müssen.
Am Bildschirm werden nur die Aufträge angezeigt, die terminlich anstehen und verfügbar sind. Damit wird dafür gesorgt, daß automatisch die vorhandenen rückständigen Aufträge die Liste anführen. Neben der terminlichen Dringlichkeit gibt es für das Werkstattpersonal weitere wichtige Entscheidungskriterien, die im Konfliktfall zu berücksichtigen sind. Solche Kriterien, wie z. B. der Hinweis, daß es sich bei einem bestimmten Auftrag um einen Ersatzauftrag handelt, der dringend in der Montage benötigt wird, werden über die Angabe einer Priorität verschlüsselt. Die Entscheidung der Auftragszuteilung obliegt dem Werkstattpersonal.
Die Kombination Rückstand - Liegezeit (nach Abmeldung am vorhergehenden Arbeitsplatz) - und Bedarfspriorität stellt sicher, daß ein Maximum an Information für die Arbeitszuteilung zur Verfügung steht.

Die Arbeitsplatzbelastung zeigt auch, wenn die Belastung und die Kapazität nicht übereinstimmen. Da in der Regel die Termine fix sind, müssen die Kapazitäten variabel angepaßt werden.
Der Betriebsleiter und Kostenstellenverantwortliche entscheiden eigenverantwortlich über die Art der Kapazitätsanpassung.
Wird beim Kapazitätsabgleich kein ausreichendes Ergebnis erzielt, muß der verantwortliche Disponent und die Montageleitung

hinzugezogen werden, um eine reibungslose Montageversorgung sicherzustellen.
Die genaue Information, wann welches Teil tagesgenau in der Montage benötigt wird, kann auch dazu führen, daß ein Fertigungslos geteilt wird und ein neuer Auftrag mit all seinen Konsequenzen disponiert werden muß; d. h.

- Reduzierung des Autrags in der Disposition
- neue Werkstattauftragsdisposition ab Arbeitsvorgang "n"
- Sonderarbeitsplan ab Arbeitsvorgang "n"
- keine Materialbestellung
- Werkstattauftragspapiere incl. Zeichnung zur Restmenge.

Ein automatisiertes Verfahren um eine derartige Störungsbeseitigung vorzunehmen ist wünschenswert jedoch noch lange nicht realisiert.

Trotz papierloser Steuerung sind die Bildschirme mit einem Thermopapierdrucker ausgerüstet, so daß jederzeit eine Hardcopy erstellt werden kann.

Unter Benutzung dieser Hilfsmittel werden die Arbeiten den Werkern an den einzelnen Maschinen durch den Meister oder Vorarbeiter zugeteilt. Als Richtlinie gilt, die Zuteilungsmenge pro Werker auf einen Tag zu beschränken. Schritthaltend mit der Bearbeitung der Werkstattaufträge wird der Arbeitsfortschritt erfaßt. Dazu bedienen die Werker die Produktionsdaten - Erfassungsterminals. Zur Erleichterung der Eingaben werden Barcode Belege benutzt. Dabei ist die zeitgenaue An- und Abmeldung jedes Auftrages nicht vorgeschrieben. Dies wurde in einer Betriebsverein-

barung festgelegt. Die An- und Abmeldungen liefern die Istdaten für die Mengen- und Terminüberwachung und sind somit die Basis für die Werkstattauftragsfortschritterfassung.
Die Eigenverantwortlichkeit der Mitarbeiter vor Ort ist ständig gestiegen, nicht zuletzt deswegen, weil das vorhandene Wissen und Erfahrungspotential genutzt und somit die Wirtschaftlichkeit und Akzeptanz erhöht wird.

Übergeordnete Eingriffe zur Einhaltung der Termine wurden weniger.

Ein Werkstattauftrag gilt als fertig, wenn er seinen Bestimmungsort (Lager oder Montage) erreicht hat und dies durch eine Meldung quittiert wird.

4. Leistungs- u. Arbeitsplatzanalyse

In der Leistungsanalyse wird zwischen dem Tagesleistungs-Diagramm (Bild 5) und der Leistungsentwicklung (Bild 6) für die gesamte Werkstatt unterschieden.
Im Tagesleistungs-Diagramm werden die Vorgabezeiten lt. Arbeitsplan der fertiggemeldeten Arbeitsvorgänge je Auftrag über der Zeit aufgetragen und zus. als Zahlenwerte angezeigt.
Für jeden Betriebskalendertag werden diese Informationen auf der Festplatte abgespeichert und sind jederzeit aufrufbar.
Automatisch werden diese Werte täglich in das Balkendiagramm der Leistungsentwicklung abgespeichert. Nach Eingabe der Woche und Jahr werden jeweils 6 Wochen dargestellt.
Mit diesen Hilfsmitteln werden die Leistungs- und Rüstzeitent-

wicklung kontrolliert.
Die Ablage von Papier mit all seinen Nachteilen ist nicht mehr erforderlich.

Die Funktionen der Arbeitsplatzanalyse sind die:

- Belastungsanalyse als Liste (Bild 7)
- Belastungsanalyse im Dialog (Bild 8)
- Bestands - / Leistungsanalyse (Bild 9)
- Maschinennutzungsanalyse (Bild 10)

Die Belastungsanalysen zeigen die Belastung für einen Arbeitsplatz, die in dem ausgewählten Zeitraum anliegen.
Bild 7 zeigt die Bildschirmmaske zum Aufruf dieser Listenfunktion. Durch die Eingabe einer Arbeitsplatzgruppe, einer oder mehrerer Arbeitsplatznummern wird bestimmt, wie die Liste erstellt werden soll. Erfolgt in diesem Bereich keine Eingabe, so wird die Liste für den ganzen Betrieb erstellt.
In der Intervalldefinition werden Intervallanfang, Intervallende und Intervallänge angegeben. Mit diesen Angaben sind Untersuchungszeiträume und Datenverdichtung bestimmt.
Im Bereich der Verdichtungen wird durch "J" oder "N" ausgewählt, über welche Stufen eine Verdichtung erfolgen soll. Es kann z. B. die Belastung aller Arbeitsplätze gedruckt werden und zusätzlich noch die Verdichtung für Arbeitsplatzgruppen oder Betrieb.
Im Bereich der Gesamtbelastung bzw. direkte Belastung können weitere Restriktionen angegeben werden. Analog zum Reportgenerator werden auch nur die Intervalle gedruckt, die die angegebenen Kriterien erfüllen. Durch dieses flexible Auswahlverfahren werden

aktuelle und anwenderspezifische Fragestellungen beantwortet, z.B.:

- Welche Kostenstellen sind die Engpaßkostenstellen?
- Welche Kostenstellen sind in der Gesamtbelastung zu hoch und haben eine zu geringe direkte Belastung?
- Welche Kostenstellen haben zu große Belastungsschwankungen in der nächsten Zeit?
- Welche Kostenstellen haben zu große Rückstände in der direkten Belastung und hat diesen Zustand selbst zu verantworten?

Auch diese Fragestellungen lassen sich beliebig fortsetzen. Die Auswertungen sind jederzeit aussagefähig, da die aktuelle Datenbank ausgewertet wird.

Bild 8 zeigt die Belastungsanalyse im Dialog. Diese Auswertung für einen Arbeitsplatz erfolgt am Bildschirm. Nach Eingabe des Arbeitsplatzes, dem ausgewältem Intervallanfang und der gewünschten Intervallänge wird die Bildschirmliste aufgebaut. Die Bedeutung der Ausgabefelder werden im folgendem kurz erläutert:

Anf	Intervallanfang
Kap	Sollkapazität des Arbeitsplatzes in Std.
Belastung: gesamt	Summe der Vorgabezeiten aller Arbeitsvorgänge
direkt	verfügbar aus Gesamtbelastung (Vorgänger ist ftg.)
Rückstand	Summe der Vorgabezeiten, die im Rückstand sind
AR	Summe der Vorgabezeit, die in Arbeit gemeldet ist
LGZ	Durchschnittliche Liegezeit in Tagen der Arbeitsvorgänge, die am Vorarbeitsplatz ftg. sind

Belastung % Dieses Diagramm veranschaulicht die Belastungswerte für ein Zeitintervall. Dabei bedeutet:

A	in Arbeit
R	direkter Rückstand; d. h. verfügbar
r	gesamter Rückstand
*	direkte Belastung
=	Gesamtbelastung

Bild 9 zeigt die Belastungs- / Leistungsanalyse.

Die Kenngrößen Belastung, Leistung, Bestand und Durchlaufzeit werden sehr anschaulich als Diagramm dargestellt. Der rechte Kurvenverlauf spiegelt den Leistungsverlauf resultierend aus der Kumulation der Vorgabezeiten der zurückgemeldeten Arbeitsvorgänge wieder. Ein vertikales Kurvenstück stellt die Vorgabezeiten eines oder mehrerer Arbeitsvorgänge dar, die in diesem Zeitabschnitt fertiggemeldet wurden. Die linke Kurve stellt den Arbeitszugang für den ausgewählten Arbeitsplatz dar. Der horizontale Abstand zwischen den beiden Kurven kann als Durchlaufzeit, der vertikale Abstand als Auftragsbestand für die Kostenstelle betrachtet werden.

Im rechten Maskenteil werden zusätzlich die letzte geplante Tageskapazität, der mittlere Bestand, die mittlere Tagesleistung, der Leistungsgrad und die mittlere gewichtete Durchlaufzeit angezeigt.

Bild 10 zeigt die Maschinennutzungsanalyse.

Diese Funktion dient in der Zukunft zur detallierten Darstellung von Dauer und Ursache von Stillständen. Da bei dieser Funktion der Zeitpunkt einer BDE - Meldung ausgewertet werden muß, sind nur bei zeitgenauer Stempelung z. B. mit Hilfe von Maschinendaten- Terminals sinnvolle Ergebnisse möglich.

5. Integrationszustand

Für die Firma Wohlenberg stand die Funktionserfüllung der Subsysteme in den einzelnen Fachabteilungen im Vordergrund. Die Verknüpfungsprobleme ließen sich lösen. Heute befinden sich für die Bereiche Produktionsplanung, Werkstattsteuerung, Arbeitsplanerstellung und NC - Programmierung Systeme verschiedener Hardware - und Softwareanbieter im Einsatz.
Zwischen den Systemen erfolgt ein definierter Datenaustausch. Die redundante Datenhaltung wird systemseitig unterstützt und kann als organisatorisch bewältigt bezeichnet werden, zumal es zu diesen Datenbeständen nur zeitlich wenig sensible Updates gibt.

6.Zusammenfassung

Die Fertigung des Unternehmens ist nach dem Werkstättenprinzip organisiert. Dieser Fertigungstyp ist wegen seiner Flexibilität besonders häufig anzutreffen, benötigt jedoch wegen der komplexen Informationsverarbeitung eine besonders ausgeprägte Betreuung.

Der Erfolg oder Mißerfolg eines Auftrags hängt sehr häufig von Entscheidungen in der Werkstatt ab. Diese Entscheidungen müssen getroffen werden, weil die vorhandenen Daten in ihrer Aktualität dazu zwingen. Ein nachträgliches verändern ist nicht möglich.

Die installierte BDE für eine dezentrale Werkstattsteuerung zeigt, daß sie ein sehr wirkungsvolles Hilfsmittel zur Unterstützung der Auftragsabwicklung ist.

Die Anforderungen an eine technische Auftragsabwicklung wurde bereits zu Beginn genannt. Sie konzentrieren sich auf die Ziele **kurze Durchlaufzeiten und hohe Termintreue.** Wir können heute sagen, daß diese Ziele im Werkstattbereich deutlich verbessert wurden. In dem Zusammenhang sei darauf hingewiesen, daß ein besonderer Vorteil des Systems nicht zuletzt darin besteht, daß es:

- eine Kontrolle dieser Zielgrößen durch permanente "SOLL-IST" Vergleiche unterstützt,

- eine Diagnose bei Abweichungen mit Hinweisen für die Ursache ermöglicht,

- eine Analyse der Werkstattaufträge durch Selektionen nach Auftragsnummern, -arten, Leistungs- und Arbeitsplatzanalysen vornehmen kann,

indem es eine flexible Auswertung der Betriebsdaten im Dialog ermöglicht.

Die erreichte Durchlaufzeitreduzierung in der Werkstatt läßt hoffen, daß es auch gelingen wird, die gesamte Versorgungskette zu straffen, um weitere Kostennachteile abzubauen.

Patentrezepte für die geschlossene Einführung einer integrierten Auftragsbearbeitung vom Vertrieb bis zum Versand gibt es nicht. Ergebnisse werden auch mit Teilschritten erzielt. Dieses

Aufgabengebiet zu bearbeiten erfordert mehr denn je die Zusammenarbeit motivierter und qualifizierter Mitarbeiter aller Bereiche in den Hierachieebenen.

Die Information als immer wichtiger werdender Produktionsfaktor wird mehr denn je Ausgangspunkt aller Reorganisationsmaßnahmen sein.

R E P O R T E U N D S T A T I S T I K	
Werkstattauftraege	
Reporte, Verteilungen, Kennnzahlen	REPW
Statistik-Diagramme der Verteilungen	DIAV
Statistik-Diagramme der Kennzahlen	DIAK
Leistungsanalyse	
Tagesleistungs-Diagramm	TADI
Leistungsentwicklungs-Diagramm	LEDI
Arbeitsplatzanalyse	
Belastungsanalyse (Liste)	BELA
Belastungsanalyse (Dialog)	ABLA
Bestands- / Leistungsanalyse	BEST
Maschinennutzungsanalyse	MAST

Bild 1: Reporte und Stastik

R E P O R T G E N E R A T O R
fuer Werkstattauftraege

Auftragsnummer		=	____				
Auftragsart		=	__	Freigabekennzeichen		=	__
Auftragsstatus		<>	FE	Unterbrechungsgrund		=	__
Prioritaet		>=	7	Anzahl AVOs/Auftrag		>=	__
Losgroesse	Stueck	>=	____	Anzahl offener AVOs		>=	__
Liegezeit (AVO)	Tage	>=	2	Rueckstand (AVO)	Tage	>=	16
Sollanfg - Istanfg	Tage	>=	___	Sollanfang	BKT	>=	___
Sollende - Istende	Tage	>=	___	Sollende	BKT	>=	___
Sollmenge - Istmenge	St	>	____	Zugang verspaetet	BKT	>=	___
Ist-DLZ (Auftrag)	Tage	>=	___				
Soll-DLZ (Auftrag)	Tage	>=	___				
DLZ-Abweichung	%	>=	___				

Kennzahlen u. Verteilungen ausdrucken A fuer Auftragsart __
Kennzahlen u. Verteilungen abspeichern N

Bild 2: Reportgenerator

Im Beispiel wurden ausgewählt: Auftragsstatus (<>FE, noch nicht fertige Aufträge), Priorität (>=7, die höchste Priorität ist 9), Liegezeit (>=2, Vorarbeitsplatz ist mindestens 2 Tage fertig) Rückstand (>=16, Rückstand beträgt mindestens 16 Tage.

Dieses Beispiel ergab, daß 53 von 1000 Aufträgen (5,3%) diese Kriterien erfüllen

Statistik-Diagramme der Verteilungen

Status (Auftraege)	STAW	Rueckstand	RKST
Status (Avos)	STAV	Soll-Durchlaufzeit	SDLZ
Prioritaet (offene Auftr.)	PROF	Ist-Durchlaufzeit	IDLZ
Prioritaet (in Arbeit)	PRAR	Anzahl AVOs (alle Auftr.)	ANZA
Prioritaet (unterbrochene)	PRUN	Anzahl AVOs (fertige Auftr.)	ANZF
Prioritaet (fertige Auftr.)	PRFE	Terminverhalten Beginn	TBEG
Prioritaet (alle Auftr.)	PRAL	Terminverhalten Ende	TEND
Losgroesse (alle Auftr.)	LGAL	Zugang (nicht fertige A.)	ZUAR
Losgroesse (fertige Auftr.)	LGFE	Zugang (fertige Auftr.)	ZUFE
Liegezeit	LGZA	Zugang (alle Auftr.)	ZUAL

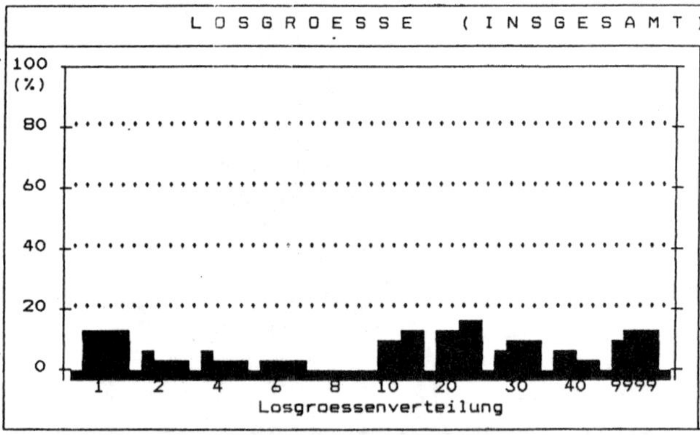

Kartenart:
Verdichtung: 1M
Termin: 19.10.88

Nr	Datum	Anz
1	31.07.88	5
2	28.08.88	4
3	25.09.88	4
4	16.10.88	3

Nr	Auftraege
1	1865
2	2158
3	2329
4	2471

Bild 3: Auswahlmenü (oben) für die Verteilungen und ein Beispiel für die Ausgabe der Verteilung "Losgröße(alle Aufträge) in einem Überblick über 4 Monate (unten)

Statistik-Diagramme der Kennzahlen

Losgroesse	LOSG	Anzahl AVOs pro Auftrag	ANAV
Ist-Durchlaufzeit (Auftr.)	DLZI	Liegezeit	LGZD
Soll-Durchlaufzeit (Auftr.)	DLZS	Abweichung vom Sollanfang	ABAN
Ist-Durchlaufzeit (AVO)	DLIV	Abweichung vom Sollende	ABEN
Soll-Durchlaufzeit (AVO)	DLSV	Terminverhalten Beginn	BEGT
Verhaeltnis Ist / Soll-DLZ	DLZV	Terminverhalten Ende	ENDT

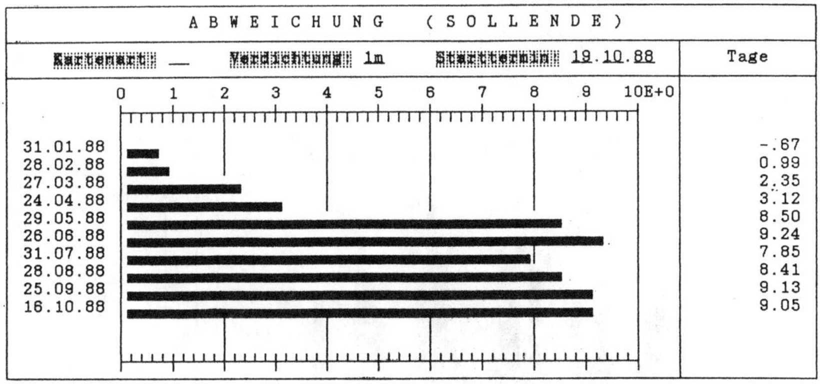

Bild 4: Auswahlmenü (oben) für die Kennzahlen und Beispiel für die Ausgabe der Kennzahl "Terminverhalten Ende" in einem Überblick über 10 Monate.

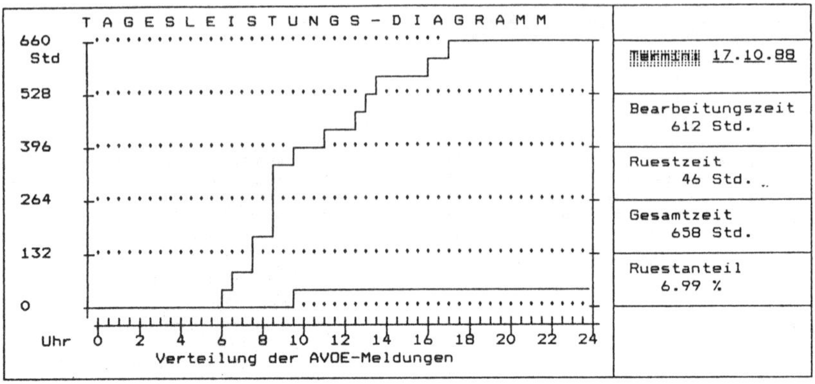

Bild 5: Tagesleistungs-Diagramm

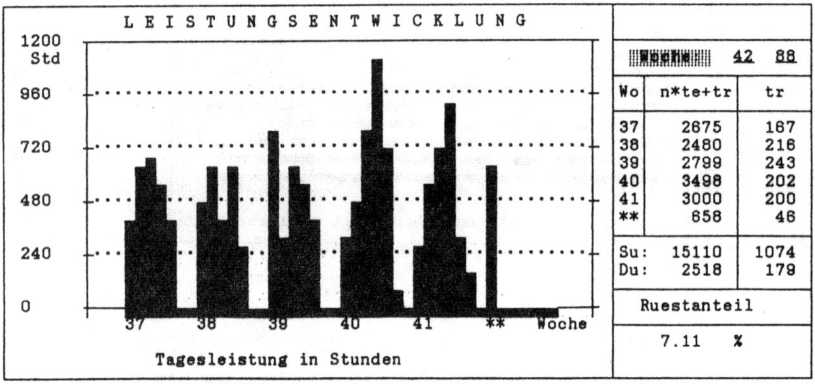

Bild 6: Leistungentwicklung

```
                    B E L A S T U N G S A N A L Y S E
                           Listendefinition

 Arbeitsplatzgruppe         47000
 Arbeitsplatznummer         40301  36036  44603  _____  _____

 Intervalldefinition
 Intervallanfang  (BKT)     660
 Intervallende    (BKT)     700
 Intervallaenge   (BKT)      5

 Verdichtung
 Arbeitsplatz               J
 Arbeitsplatzgruppe         N
 Betrieb                    J

 Gesamtbelastung                        direkte Belastung
 minimal        (Prozent)   90          minimal    (Prozent)   ___
 maximal        (Prozent)   ___         maximal    (Prozent)   ___
```

Bild 7: Belastungsanalyse (Liste)

```
                    B E L A S T U N G S A N A L Y S E

 Arbeitsplatz        40301        Bennenung          SPITZENDREHMASCHINE
 Intervallanfang       714        Intervallaenge     5

          --Belastung--   Rueck                 ------ Belastung (%) -------->
 Anf  Kap gesamt direkt   stand      AR   LGZ   0     50        100      150

 714        4707   1554    4707       0   1.6   RRRRRrrrrrrrrrr
 719         975    540     975       0   1.8   RRr
 724 6800   1225    440       0       0   3.0   *===
 729 6800   1117    150       0       0   0.0   ===
 734 6800   1092     82       0       0   5.0   ===
 739 6800    776    220       0       0   1.5   *=
 744 6800    425      0       0       0   0.0   =
 749 6800   2130    800       0       0   2.3   *=====

FUNKTION (+n,-n,nX)  +___           155 Ende der Liste !!!
```

Bild 8: Belastungsanalyse Arbeitsplatz (Dialog)

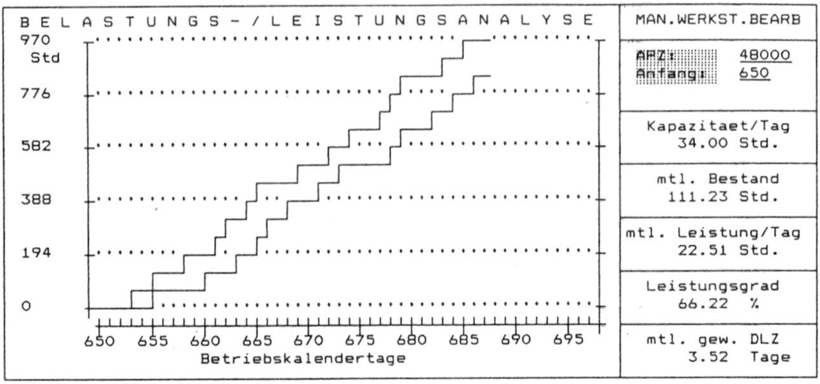

Bild 9: Bestands - / Leistungsanalyse

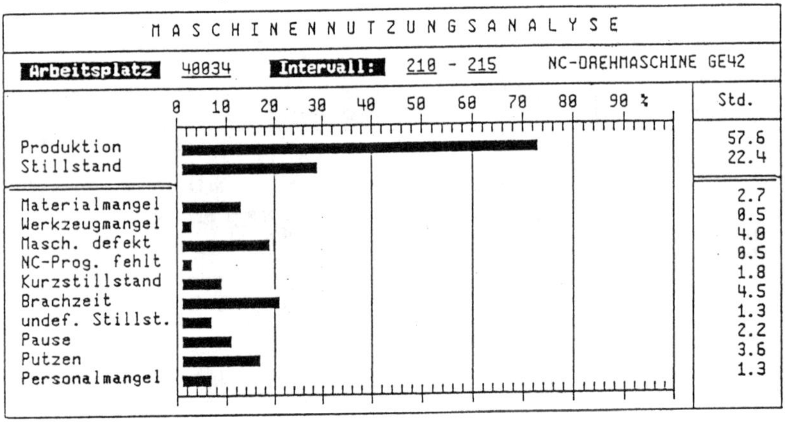

Bild 10: Maschinennutzungsanalyse

FABRIKORGANISATION:
Segmentierung in einem Maschinenbauunternehmen, dargestellt am Beispiel der Teilefertigung und Lackiererei

Dr.-Ing. Christoph Maluche
Deckel AG, München

SEGMENTIERUNG IN EINEM MASCHINENBAUUNTERNEHMEN, DARGESTELLT AM BEISPIEL DER TEILEFERTIGUNG UND LACKIEREREI

1. EINLEITUNG

Die Fa. Deckel ist mit mehr als 500 Mio. DM Umsatz pro Jahr der größte Werkzeugmaschinenhersteller in Deutschland. Das Produktionsprogramm besteht aus

- o handbedienten und NC-gesteuerten Universalbohr- und Fräsmaschinen
- o Bearbeitungszentren und verketteten Anlagen
- o Senkerodiermaschinen
- o Gravier- und Kopierfräsmaschinen
- o EDV-Systemen für den werkstattnahen Bereich

Das Produktionsprogramm besteht aus 35 Typen, pro Jahr werden rund 3.000 Maschinen gebaut. Die DECKEL AG beschäftigt in 4 Werken in der BRD ca. 2.300 Mitarbeiter, weltweit sind 2.800 Mitarbeiter beschäftigt.

2. TENDENZEN FÜR EINE ZUKUNFTSWEISENDE PRODUKTION

Der nationale und internationale Konkurrenzkampf erfordert praktisch in allen Branchen eine hohe Flexibilität im gesamten Wertschöpfungsprozeß: Es wird immer notwendiger, neue Produkte schnell zu entwickeln und auf dem Markt einzuführen. Programmpläne werden in immer kürzeren Zyklen revidiert, um auf die veränderten Marktbedingungen reagieren und die richtigen Produkte anbieten zu können. Neben einer hohen EDV-Durchdringung und -Integration müssen für eine kundennahe Produktion auch die geeigneten Produktionsmittel zur Verfügung stehen. Ziel muß es sein, über eine Reduzierung der Durchlaufzeiten eine hohe Flexibilität auch bei niedrigerem Umlaufvermögen zu erreichen.

Hierzu bieten sich zwei unterschiedliche Wege an.

- o Investition in hochautomatisierte flexible Fertigungseinrichtungen

- o Fertigungssegmentierung

2.1 Investition in hochautomatisierte flexible Fertigungssysteme

Flexible Fertigungssysteme haben in den letzten Jahren einen hohen Reifegrad erreicht und gewinnen zunehmend an Bedeutung. Die werkstück- und werkzeugseitige Verkettung mehrerer sich ergänzender oder ersetzender Maschinen ist heute praktisch Stand der Technik.

Der meist erforderliche Leitrechner mit entsprechender Software wird auch bereits von vielen Herstellern angeboten. Auch DECKEL stellt solche Systeme für seine Kunden her. Zur Zeit laufen in der Produktion bei DECKEL drei FFS, die 1982, 1985 und 1987 installiert wurden. **Abb. 2.1 bis 2.3** zeigen einige Daten dieser Systeme.

Die wesentlichen Merkmale der Fertigung mit einem FFS lassen sich wie folgt zusammenfassen:

o flexible Fertigung eines bestimmten Teilespektrums

o geringer Rüstzeitanteil

o niedrige Durchlaufzeit

o kleine Losgrößen

o mannarmer Betrieb

o hohe Qualität

Da sich das Preis-Leistungsverhältnis von FFS in den letzten Jahren ständig verbessert hat und auch in der Zukunft noch günstiger werden wird, finden solche hochautomatisierten Syteme immer größere Verbreitungsmöglichkeit.

Auch DECKEL wird weiter in solche Anlagen investieren. Insbesondere in Maschinenbaubetrieben mit einem breiten Teilespektrum können solche Systeme aber nicht der alleinige Weg zu einer flexiblen Produktion sein. Ein zweiter Weg zu flexibler Produktion ist die Fertigungssegmentierung.

2.2 Fertigungssegmentierung

"Unter Fertigungssegmenten werden produktorientierte Organisationseinheiten der Produktion zusammengefaßt, die mehrere Stufen der logistischen Kette eines Produktes umfassen und mit denen eine spezifische Wettbewerbsstrategie verfolgt wird. Darüber hinaus zeichnen sich Fertigungssegmente auch durch die Integration planender und indirekter Funktionen aus und sind in der Regel als Cost-Center organisiert." (Wildemann, 'Die modulare Fabrik')

Somit können Fertigungssegmente durch folgende 5 Merkmale beschrieben werden:

- Markt- und Zielausrichtung
- Produktorientierung
- Mehrere Stufen der logistischen Kette eines Produktes
- Übertragung indirekter Funktionen
- Kostenverantwortung

Die mit der Fertigungssegmentierung angestrebten Ziele lassen sich wie folgt zusammenfassen (Wildemann):

- kein Sicherheitsbestand
- keine Liegezeiten
- keine Kapazitäten für Nacharbeit
- ein Zulieferant pro Teil
- kein Einsatz von Mitarbeitern für Tätigkeiten, die keinen Beitrag zur Wertschöpfung leisten.

Somit zielt die Fertigungssegmentierung nicht auf eine Maximierung der Geschwindigkeit bei der Produktion durch Reduzierung der Haupt- und Nebenzeiten, sondern auf eine Minimierung der für die Produktion einzusetzenden Ressourcen.

Wildemann nennt aufgrund zahlreicher Betriebsuntersuchungen folgende Einsparungspotentiale:

o Durchlaufzeitreduzierung	ca. 60 %
o Reduzierung Wiederbeschaffungszeit und Rüstzeit	ca. 60 %
o Produktivitätssteigerung wegen geringerer Rüstzeit	ca. 20 - 30 %
o Bestandsreduzierung im Umlaufvermögen	bis 40 %
o Senkung der Qualitätskosten	ca. 20 - 25 %

In **Abb. 2.4** ist die Abgrenzung von Fertigungssegmenten gegenüber flexiblen Produktionssystemen dargestellt. **Abb. 2.5** zeigt die Einordnung von Fertigungssegmenten in die Pyramide zwischen Gesamtunternehmen an der Spitze und Einzelmaschinen an der Basis.

Als ein Beispiel für eine gelungene Fertigungssegmentierung beschreibt Wildemann die Kugellagerfertigung bei SKF. Dort wurden vor der Segmentierung alle Produktabmessungen an allen 5 europäischen Produktionsstandorten gefertigt. Nach der Segmentierung gibt es drei Fertigungssegmente.

Die Segmentierung wurde nach folgenden Kriterien durchgeführt (**Abb. 2.6**):

Segment 1: konstantes, hohes Produktionsvolumen,
konstantes Produktmix

Segment 2: kundenspezifische Anpassungen

Segment 3: Einzelfertigungscharakter

Jedes Segment wird jetzt nur noch an einem Standort gefertigt.

Dieses Beispiel einer gelungenen Fertigungssegmentierung ist aber für europäische Maschinenbaubetriebe wenig hilfreich, da hier die Produktionsstückzahlen vergleichsweise niedrig sind und die Produkte häufig aus sehr vielen Einzelteilen bestehen. Die Fertigung von Maschinenbauteilen erfordert häufig sehr viele Arbeitsfolgen unterschiedlicher Technologie, der Maschinenpark besteht meist aus vielen unterschiedlichen Universalmaschinen.

Die Bemühungen um eine reinrassige Fertigungssegmentierung im Sinne der eingangs gegebenen engen Definition erscheint somit für Maschinenbaubetriebe wenig erfolgversprechend. Deshalb sollten die Grenzen zwischen der Fertigungssegmentierung und der Fertigungsinselbildung nicht allzu akademisch gezogen werden. Einzel- und Kleinserienfertiger können sich wahrscheinlich nur mit der Bildung von möglichst umfassenden Fertigungsinseln zufrieden geben, da wegen zu großer Teilevielfalt und zu geringer Jahresstückzahlen Fertigungssegmente nicht wirtschaftlich auszulasten wären.

Die Ansatzpunkte für das Vorgehen bei der Fertigungssegmentierung und der Bildung kompletter Fertigungsinseln dürften jedoch ziemlich ähnlich sein. Deshalb wird im folgenden auch weiterhin von Fertigungssegmentierung gesprochen.

3. BEISPIELE FÜR DIE FERTIGUNGSSEGMENTIERUNG BEI DECKEL

Nachfolgend werden zwei Fertigungssegmente bei DEKKEL beschrieben.

3.1 Leistenfertigung

Für unser Maschinenprogramm werden ca. 350 unterschiedliche Keilleisten, Gegenhalterleisten und Führungsleisten mit einem Gesamtbedarf von ca. 28.000 Stück pro Jahr benötigt. Mit Hilfe dieser Leisten wird ein spielfreies Verfahren der beweglichen Maschinenteile auf den Führungsbahnen der x-, y- und z-Achsen erreicht. Entsprechend hoch sind auch die Anforderungen an die Qualität der Teile. Die Toleranzen bezüglich Parallelität u. Ebenheit bzw. zulässiger Winkelabweichung bei den Keilleisten sind sehr eng. Mehrfache Zwischenglüh- und Richtoperationen sind deshalb erforderlich. Einige Leisten werden mit einem Kunststoff-Gleitbelag versehen.

Zustand alt (Abb. 3.1)

- Bearbeitung nach dem Werkstattprinzip im Werk Holzkirchen

- 30 Maschinen mit teilweise niedrigen Belastungsanteilen tangiert

- 8 Handarbeitsplätze (z.B. Entgraten, Richten, Glühen)

- 3 Glüharbeitsfolgen in Härterei München (Leisten >800 mm)

- Durchschn. 18 Arbeitsfolgen, 50 Tage DLZ

- Pro Arbeitsfolge ein Lohnschein, d. h. großer Steuerungsaufwand

- Hoher Transportaufwand, da lange Wege

- 22.500 Effektivstunden/Jahr te ==>18 % Rüstzeitanteil
- 5.000 Effektivstunden/Jahr tr

- 19 Mitarbeiter nur mit Leisten beschäftigt

- Hoher Rüstzeitanteil, da aufwendiges Rüsten

- Keine Mehrmaschinenbedienung, d.h. Maschinenstunde = Personalstunde

Zustand neu (Abb. 3.1)

- o Bildung einer kleinen Fabrik in der Fabrik nur für Leisten

- o Materialflußgerechte Anordnung der Betriebsmittel, d.h. kurze Wege

- o Nicht mehr Maximierung der Maschinenauslastung, sondern zügiger Durchfluß der Aufträge

- o Personalzeiteinsparung durch Mehrmaschinenbedienung bzw. durch Erledigung von Handarbeiten während der Maschinenlaufzeit

- o Integration von Sonderbetriebsmitteln, z.B. Glühofen, Richtpresse in die Insel

- o Reduzierung von durschn. 18 Arbeitsfolgen auf durchschn. 11 Arbeitsfolgen (Ausführung von Handarbeitsfolgen während der Maschinenlaufzeit)

- o Reduzierung der Durchlaufzeiten von durchschn. 50 Tagen auf durchschn. 20 Tage

- o Erhöhung der Produktivität wegen vermindertem Rüstaufwand an den Werkzeugmaschinen:
  Rüstzeitanteil alt 18 %
  Rüstzeitanteil neu 10 %

- o Reduzierung des Personalbedarfes um ca. 20 % wegen Mehrmaschinenbedienung und Handarbeit während Maschinenlaufzeit von 19 Mitarbeitern auf 15 Mitarbeiter o Qualitätsverbesserung wegen einfacherem Umrüsten und speziellen Meßmitteln an den Maschinen

o Noch nicht voll erreichte Ziele:

- Nur noch ein Lohnschein mit 1 Start- und 1 Endtermin, d.h. volle Terminverantwortung der Fertigung

- Bringschuld, d.h. fertiger Auftrag muß zum nächsten Arbeitsplatz gebracht werden, bei Warteschlangen FiFo-Prinzip

- Flexibler Personaleinsatz in der Insel, dadurch gezielter Abbau von Engpässen

- Leistungsbezogene Gruppenentlohnung

Die Neuorganisation der Leistenfertigung erforderte neben einer Umstellung aller beteiligten Betriebsmittel auch Neuinvestitionen in Höhe von ca. 400 TDM (1 Bohr- und Fräszentrum, 1 Glühofen sowie 1 Trockenofen für schnelles Aushärten der aufgeklebten Turcite-Bänder). Die realisierten Einsparungen rechtfertigen diese Zahlen jedoch auf jeden Fall. Wichtig bei der Einführung neuer Arbeitssysteme ist aber auch die rechtzeitige Information und Beteiligung der betroffenen Mitarbeiter.

3.2 Lackiererei

Ein zweites Fertigungssegment mit sehr hoher Effizienz ist die neue Lackiererei im Hauptwerk München. Grundsätzlich gibt es zwei Wege der Lackierung:

- o Lackierung von Einzelteilen
- o Lackierung von komplett montierten Maschinen

DECKEL hat sowohl im alten, als auch im neuen Zustand den ersten Weg gewählt und lackiert die Einzelteile als letzte Folge der mechanischen Bearbeitung. Das Mengengerüst besteht aus ca. 1.000 unterschiedlichen Teilen, hauptsächlich aus Gußmaterial, das vom Lieferanten bereits grundiert ist. Die Losgrößen bewegen sich zwischen 10 und 50 Stück. Es wird ein Strukturlack aufgebracht, der zum einen den Kundenwünschen entspricht und zum anderen Nachbesserungen gut ermöglicht. Wegen der stark unterschiedlichen Teilegestalt und der Empflindlichkeit hochgenauer Teile gegen hohe Temperaturen kommt nur das Naßspritzverfahren in Frage.

Zustand alt (Abb. 3.2)

- o Das Farbgebundsverfahren war in einzelne Arbeitsfolgen mit Vorgabezeit zerlegt.

- o Die Teile wurden auf von Hand verschiebbare Wagen gelegt und so zu den einzelnen Arbeitsplätzen gebracht.

o Die Lackiererei war aufgeteilt in Arbeitsplätze für unterschiedliche Tätigkeiten sowie in einen relativ großen Pufferplatz.

o Die Werker waren auf bestimmte Tätigkeiten spezialisiert, deshalb gab es hohe Liegezeiten.

o Beim Lackieren wurden Flächen, die blank bleiben müssen, durch Blechschablonen abgedeckt. Dies erforderte ständiges Reinigen der Abdeckbleche durch den Lackierer und damit schlechte Auslastung der Spritzstände.

o Die Lackiererei war immer überfüllt und unübersichtlich.

o Die Durchlaufzeit pro Auftrag betrug 4-5 Tage.

Zustand neu (**Abb. 3.2**)

o Es wurde ein Hängebahnsystem installiert. Kleine und mittelgroße Teile werden auf Gehänge aufgelegt, große Teile (bis 1.600 kg) werden an die Hängebahnwagen gehangen (**Abb. 3.3 und 3.4**).

o Das mehrgleisige Hängebahnsystem überdeckt die gesamte Lackiererei. Mehrere Hub- und Senkstationen erleichtern das Auf- und Ablegen der Teile. 22 Weichen und Drehscheiben ermöglichen die flexible Belegung der unteschiedlichen Gleise.

o Es gibt nur noch eine Materialflußrichtung. Ungeliebte Aufträge können nicht "vergessen" werden.

o Die Teile werden an den Gehängen behandelt (waschen, spachteln usw.).

o Flächen, die blank bleiben müssen, werden mit Klebeband abgedeckt. Somit geht das eigentliche Lackieren sehr schnell (Zustand alt: 5 Spritzstände, Zustand neu: 3 Spritzstände).

o Nach dem lackieren werden die Gehänge automatisch durch eine Abdunstzone, einen Trockenofen sowie eine Abkühlzone geführt.

o Alle Werker beherrschen mehrere Arbeitsoperationen und werden flexibel eingesetzt.

o Bei gleichem Volumen konnte das Personal von 24 Mitarbeitern auf 16 reduziert werden.

o Die Durchlaufzeit pro Auftrag wurde von 4-5 Tagen auf heute 1 Tag reduziert.

o Es gibt nur noch einen Lohnschein mit einer Vorgabezeit.

o Die Anlage entspricht dem neuesten Stand der Technik (Luftführung usw.)

o Noch nicht erreicht:
Für dieses Arbeitssystem bietet sich eine Gruppen-Leistungsentslohnung an. Zur Zeit wird im Durchschnitt des letzten Akkordverdienstes entlohnt.

Insgesamt hat die neue Lackiererei 1,5 Mio. DM gekostet. Neben einer drastischen Reduzierung der Fertigungsstunden ist der schnelle Durchlauf der Aufträge besonders hervorzuheben. Die Anlage ist so flexibel konzipiert, daß Änderungen des Teilespektrums oder des Arbeitsablaufs ohne weiteres verkraftet werden können.

4. Zusammenfassung

Um den heutigen Marktanforderungen gerecht zu werden, brauchen wir flexible Produktionsmittel. Dies können zum einen hochautomatisierte Fertigungssysteme sein oder aber auch Fertigungssegmente oder Fertigungsinseln. Anhand von zwei Beispielen wurde gezeigt, daß es auch in Maschinenbaubetrieben mit breitem Teilespektrum und relativ kleinen Jahresstückzahlen möglich ist, Fertigungssegmente oder -inseln zu bilden und effektiv zu betreiben.

Abb. 2.1

FFS 1

4 BAZ, Palettengröße 800 mm x 1000 mm

40 Werkzeuge / Maschine

8 Werkstückspeicherplätze

25 unterschiedliche Graugußteile

Rüstzeitanteil 5 %

Inbetriebnahme 1982

FFS-DECKEL

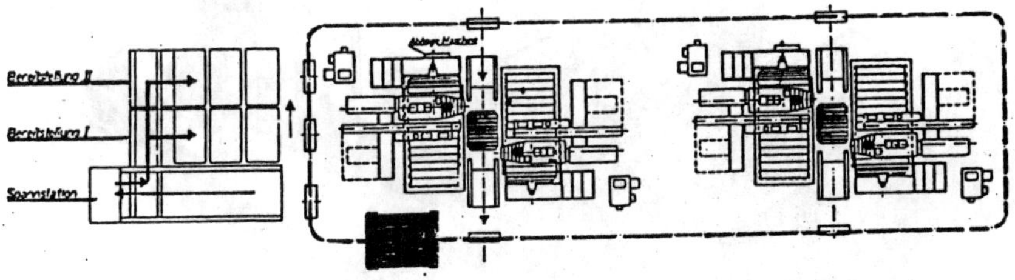

Abb. 2.2

FFS 2

2 BAZ, Palettengröße 500 mm x 630 mm

148 Werkzeuge / Maschine (Doppelkette)

Werkstückversorgung über Schienenfahrzeug

21 Werkstückspeicherplätze

30 unterschiedliche Graugußteile

Rüstzeitanteil 1-2 %

Inbetriebnahme 1985

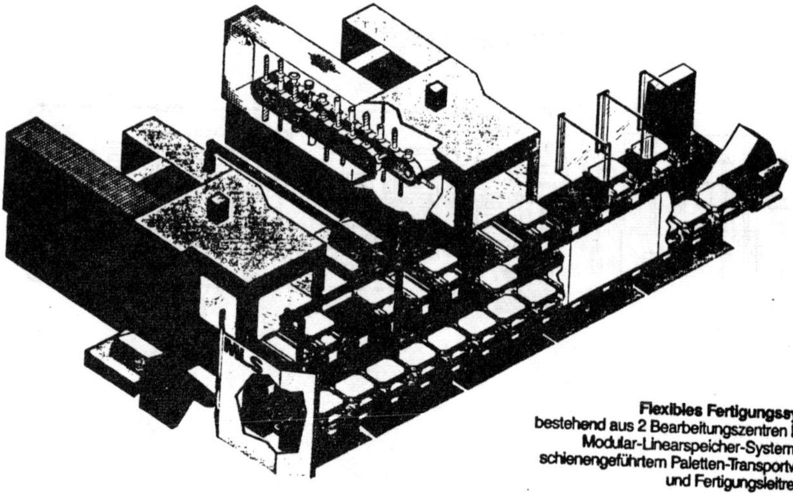

Flexibles Fertigungssystem
bestehend aus 2 Bearbeitungszentren DC40, Modular-Linearspeicher-System MLS, schienengeführtem Paletten-Transportwagen und Fertigungsleitrechner

Abb. 2.3

FFS 3

4 BAZ, Palettengröße 800 mm x 1000 mm

60 Werkzeuge / Maschine

350 Werkzeuge im gemeinsamen Werkzeugregal

Werkzeugversorgung über Schienenfahrzeug

24 Werkstückspeicherplätze

Leitrechner

40 unterschiedliche Graugußteile

Rüstzeitanteil --> 0

Inbetriebnahme 1986/87

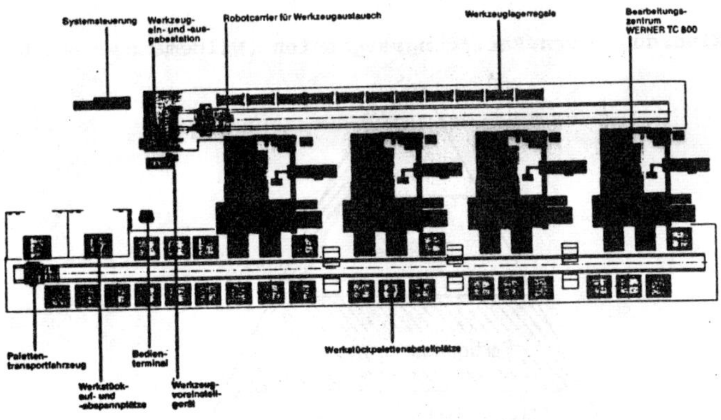

Flexibles Fertigungssystem FFS 800-4

Abgrenzung der Fertigungssegmente (Wildemann) **Abb. 2.4**

Konzept / Merkmal	Fertigungssegment	Strategische Geschäftseinheit	Fertigungsinsel	Flexible Fertigungszelle	Flexibles Fertigungssystem	Flexible Transferstraße
Markt- und Zielausrichtung	●	●			◐	
Produktorientierung	●	●	◐			●
Mehrere Stufen der logistischen Kette	●		◐			
Übertragung indirekter Funktionen	●		●	◐	◐	
Kostenverantwortung	●		◐	◐	◐	◐

● voll gegeben ◐ teilweise gegeben

Einordnung von Fertigungssegmenten (Wildemann) **Abb. 2.5**

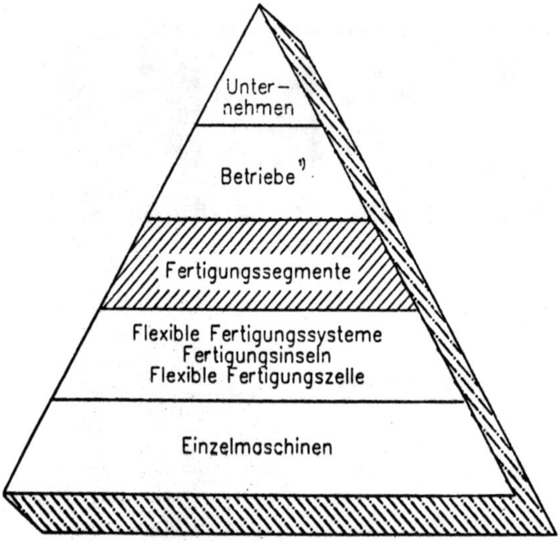

1) In Einzelfällen stellen Betriebe Fertigungssegmente dar

Fertigungssegmentierung bei SKF (Wildemann) **Abb. 2.6**

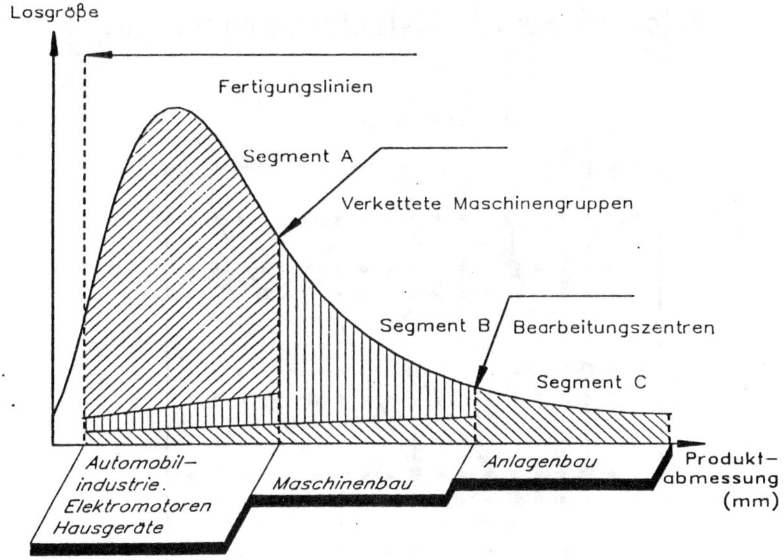

Abb. 3.1

Ablaufprinzip der Leistenfertigung (Schema)

Zustand alt

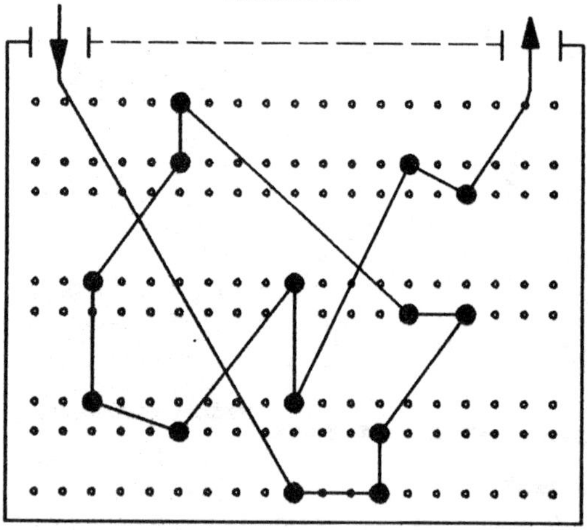

Zustand neu

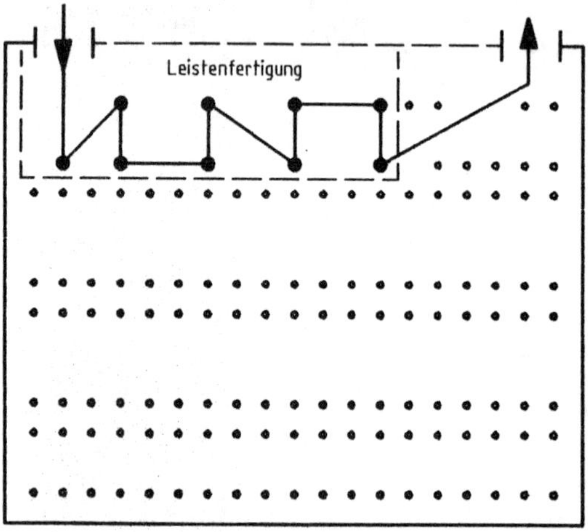

Abb. 3.2

Ablaufprinzip der Lackierung (Schema)

Zustand alt

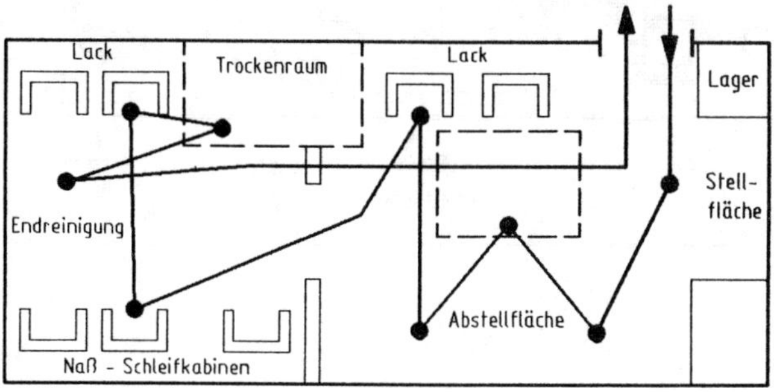

Zustand neu

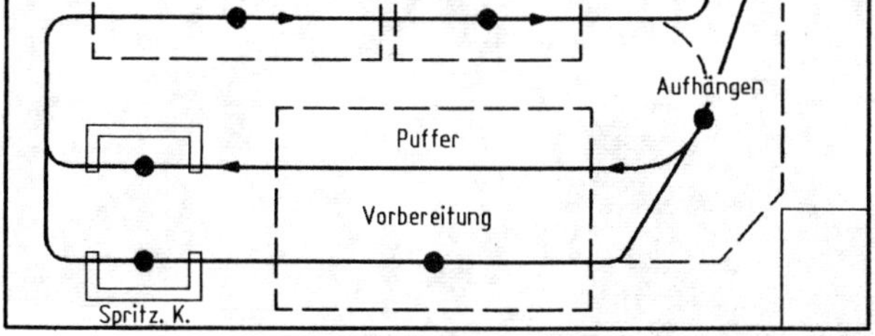

Layout der Lackiererei Abb. 3.3

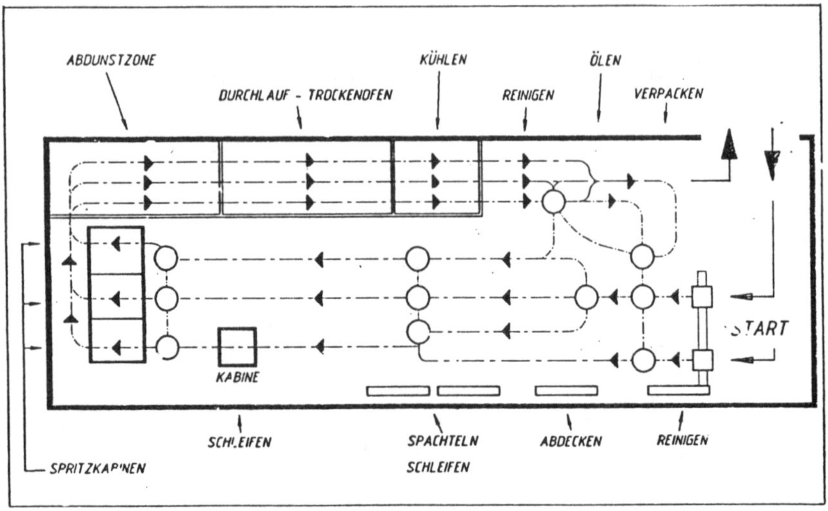

Blick auf das Hängebahnsystem Abb. 3.4

FLEXIBLE TEILEFERTIGUNG:
Modulare Konfiguration von flexiblen Fertigungssytemen

Dr.-Ing. Wolfgang Junghanns
Gebr. Heller Maschinenfabrik, Nürtingen

1. FORDERUNGEN UND ZIELE BEIM EINSATZ VON FMS

Den zukünftigen Marktanforderungen können die Unternehmen nur durch den Einsatz von Produktionseinrichtungen Rechnung tragen, mit denen auch kleiner werdende Losgrößen von Produkten kürzerer Lebensdauer wirtschaftlich gefertigt werden können. Aus diesen Gründen sind die Unternehmen gezwungen, ihre Produktion flexibel zu automatisieren.

Die grundsätzlichen Forderungen von Interessenten für FMS lauten daher auf (Bild 1):

- Steigerung der Produktivität, und gleichzeitig

- Verbesserung der Flexibilität, (wobei hier sowohl die kurzfristige Flexibilität im Sinne Produkt- und Mengenflexibilität für bekannte Produktionsaufgaben als auch die langfristige Flexibilität im Sinne Anpaß- und Erweiterungsflexibilität für neue, noch unbekannte Produktionsaufgaben gemeint ist), und

- Senkung der Kosten, (wobei hier meist nur die Fertigungskosten, d. h. Herstellkosten HKA aus der Zuschlagskalkulation im Vergleich gefordert werden, jedoch die Produktionskosten einschließlich betrieblicher Verwaltung, d. h. mindestens Herstellkosten HKB betrachtet werden müssen).

Ansatzpunkte zur Erfüllung dieser Forderungen ergeben sich aus der **Produktionstechnik**, z.B. durch Wahl optimaler Bearbeitungsverfahren auch mit Mehrfachspannung und/oder Mehrspindelbearbeitung. Damit sind dann weitgehend sowohl die Auftragszeiten und Nutzungsgrade vorbestimmt als auch die Möglichkeiten der Produktionsoptimierung und -sicherung eingegrenzt.

Weitere Ansatzpunkte bietet die **Produktionsorganisation**, z.B. durch Einführung von Mehrschichtbetrieb, Senkung der Durchlaufzeiten, Reduzierung der Lagerhaltung u.a.

Das Problem bei der Auslegung von FMS liegt nun darin, diese Ansatzpunkte einzeln und kombiniert zielgerecht zu nutzen. Es müssen daher Prioritäten und Quantifizierungen gesucht werden, die sich aus den allgemeinen Forderungen nach Produktivitäts-, Flexibilitäts- und Kostenverbesserungen nicht ableiten lassen.

Nach unseren Erfahrungen gibt es jedoch ein generelles Ziel bei Interessenten von FMS, das die Prioritäten und Quantitäten dieser Ansatzpunkte bestimmt und zwar das Ziel der kundenauftragsorientierten Produktion.

Dieses Ziel bedingt **erstens**, daß die **Durchlaufzeiten** eines Produktes kleiner als die marktüblichen Lieferzeiten gehalten werden und somit die für die FMS-Fertigung verfügbaren Durchlaufzeiten bestimmt werden können.

Dieses Ziel bedingt **zweitens**, daß in den durch den Markt bestimmten **Losgrößenbereichen** der Produkte eine große Herstellkostenkonstanz gehalten wird, so daß das Verhältnis Rüstkosten zu Stückkosten ebenfalls quantifiziert werden kann.

Drittens bedingt dieses Ziel aus Gründen der Auslastung, Durchlaufzeiten und Organisationsvereinfachung eine **Komplettbearbeitung von Teilefamilien** geometrisch und fertigungstechnisch ähnlicher Werkstücke mit möglichst wenigen Aufspannungen, Werkzeugen, Maschinen und Kostenstellen.

2. AUSWIRKUNGEN DES EINSATZ VON FMS AUF ORGANISATION UND KOSTEN DER GESAMTEN PRODUKTION

Um diesem Ziel der kundenauftragsorientierten Produktion gerecht zu werden, müssen bei der Auslegung bestimmte Ansatzpunkte kombiniert eingesetzt werden - deren Quantifizierung darf sich dabei nicht auf den engen Rahmen der **Fertigungskosten allein** beschränken, sondern muß sich auf die **Produktionskosten insgesamt** beziehen.

Als Beispiel dafür sind in Bild 2.1 die wichtigsten Daten einer Teilefamilie von gehäuseförmigen Gußteilen gezeigt, für die ein Verfahrensvergleich zwischen Werkstattfertigung auf konventionellen und NC-Einzelmaschinen und FMS-Fertigung durchgeführt wurde. Im Gegensatz zu allgemeinen Erwartungen verringern sich in diesem Beispiel die Fertigungskosten beim FMS nicht, jedoch werden die Auftragszeiten deutlich und die Durchlauf- sowie Lagerzeiten drastisch reduziert.

Die Ursachen dafür sind in Bild 2.2 gezeigt und ergeben sich aus der Umorganisation des Produktionsablaufes von der **konventionellen lagerorientierten Produktion auf die kundenauftragsorientierte Produktion.**

Bei der lagerorientierten Produktion mit Werkstattfertigung summieren sich die Lieferzeiten (t_4) und Lagerzeiten (t_3) für den Gußrohling zusammen mit der Durchlaufzeit (t_2) des Teiles auf 100 - 120 Arbeitstage, während die Zeit von Erhalt eines Kundenauftrages bis zum Montagebedarfstermin (t_1) nur ca. 40 Tage beträgt - eine unsichere, auf Verkaufshoffnungen beruhende Vordisposition mit entsprechend hoher Lagerhaltung ist dabei unvermeidlich.

Bei der Konzeption des FMS wurden dagegen die Organisation und die Durchlaufzeiten auf die **kundenauftragsorientierte Produktion** ausgerichtet, so daß innerhalb der Frist von Kundenauftragseingang bis Montagebedarfstermin (t_1) von 40 Tagen sowohl die unveränderte Gußbeschaffungszeit (t_4) als auch die auf 6 Tage verkürzte Gußlagerdauer (t_3) und die auf 3 Tage (≈ 8 Schichten) enorm verringerte Teiledurchlaufzeit (t_2) ausgeführt werden können.

Die kostenmäßig bewerteten Auswirkungen belaufen sich dabei auf

- jährliche Erhöhung der Fertigungskosten (nach dem Zuschlags-Kalkulationsverfahren) beim FMS um 42.000,-- DM; dagegen aber

- jährliche Einsparungen an Umlaufbestandskosten von 169.930,-- DM, und

- einmalige Verringerung der Lagerbestandskosten der Gußrohlinge 126.000,-- DM.

3. BEARBEITUNGSZENTREN ALS UNIVERSELLE GRUNDBAUSTEINE VON FMS

Die Firma Gebr. Heller Maschinenfabrik GmbH setzt als universelle Grundbausteine in FMS die Bearbeitungszentren der Baureihe BEA (Bild 3.1) ein. Diese Bearbeitungszentren sind in 5 Baugrößen von Palettengrößen 400 x 400 mm bis 800 x 1000 mm erhältlich und verfügen bereits in der Basisausführung über alle erforderlichen Funktionen und Einrichtungen für die Werkstückbearbeitung (Bild 3.2), so z.B. Werkzeugwechsler mit einem Magazin für 40 Werkzeuge, gesteuerte Rundteil- oder Rundlauftische, Palettwechsler mit einem zusätzlichen Platz für das Zwischenspeichern, Auf- und Abspannen und/oder Rüsten von Werkstücken. Mit den DNC- und DCI-Schnittstellen der Heller-UniPro-Steuerungen sind Verbindungen zu anderen Rechnersystemen möglich.

Das Bearbeitungszentrum übernimmt dabei innerhalb des Arbeitsraumes alle erforderlichen Funktionen zum Einstellen und Einwirken für den direkten Bearbeitungsprozeß. Außerhalb des Arbeitsraumes, aber noch innerhalb der Systemgrenzen des Bearbeitungszentrums sind die Funktionen zum Speichern und Zubringen von Werkstücken durch Palettwechsel-Drehsysteme und dieselben Funktionen für den Werkzeugfluß durch Werkzeugwechsel-Schwenksysteme sowie Kettenwerkzeugmagazine realisiert - diese arbeiten grundsätzlich im Doppel-Wechselsystem.

4. MODULARER AUSBAU VON BEARBEITUNGSZENTREN ZU FMS

Die Ausbaumöglichkeiten dieser Bearbeitungszentren in Richtung Prozeßautomatisierung, -optimierung und -sicherung sind in folgendem Bild (Bild 4) dargestellt:

In bezug auf das **Werkzeugsystem** sind dies Überwachungseinrichtungen von Leistung, Drehmoment und berührungslos arbeitende Abtasteinrichtungen für z.B. kleine Bohrer.

In bezug auf das **Werkstücksystem** sind dies insbesondere Meßsysteme, die mit einwechselbaren Meßköpfen aus dem Werkzeugmagazin arbeiten.

In bezug auf die **Datenkommunikation** mit z.B. Leitrechnern, DNC-Rechnern oder BDE-Systemen sind dies z.B. die DNC- und DCI-Schnittstellen.

Für spezielle Produktionsaufgaben ist z.B. das Werkzeugsystem modular (d.h. über vorgesehene Schnittstellen einfach anbaubar) erweiterbar um Vielspindelköpfe, Sonderwerkzeuge und Zusatz-Werkzeugmagazine mit einer Kapazität von 60 bzw. 120 Werkzeugen.

Das Werkstücksystem ist ebenso modular erweiterungsfähig um z.B. hydraulische Spanndruckversorgung für Vorrichtungen, Wende- und Schwenkspanner, sowie Palettpooleinrichtungen für 4 bzw. 8 palettierte Werkstücke.

Von besonderer Bedeutung sind die - auch schrittweise jederzeit möglichen - Ausbaumöglichkeiten von einzelnen Bearbeitungszentren zu FMS. Die dazu erforderlichen zentralen Systeme zur Werkstück- und Werkzeugversorgung sind weitestgehend aus gleichen Komponenten zusammengestellt, die die **Zubring-, Speicher-, Transport-, Förder- und Lagerfunktionen** übernehmen - dabei sind Förder- und Lagersysteme vorgesehen für den Linear-, Flächen- und Raumeinsatz.

Abgestimmt mit der technischen modularen Ausbaubarkeit durch die vorgenannten Komponenten sind auch die Hard- und Softwarebausteine unserer Leitrechnersysteme, auf die noch näher eingegangen wird.

Im folgenden Bild (Bild 5) ist die **Systematik der modularen Ausbaubarkeit von Bearbeitungszentren zu FMS** noch einmal verdeutlicht:

Zur Einbindung einzelner Bearbeitungszentren in FMS sind an deren Systemgrenzen Übergabeeinrichtungen anbaubar, die im Werkstück- und Werkzeugfluß die **Förderfunktionen** von und zum Bearbeitungszentrum übernehmen. Die entsprechenden **Transportfunktionen** führen alternativ Schienenfahrzeuge (Linearsysteme mit $V_{max} \leq 150$ m/min) Induktivfahrzeuge (Flächensysteme mit $V_{max} \leq 60$ m/min) oder Portallader (Raumsysteme mit $V_{max} \leq$ 80/120 m/min) aus.

Die **Lager- und Speicherfunktionen** im Werkstück- und Werkzeugfluß werden abgedeckt durch Linearlager (üblicherweise bei Werkstücken ≤ 20 Lagerplätze und bei Werkzeugen ≤ 240 Lagerplätze) oder Flächenlager oder Hochraumlager (zur Zeit ausgeführt bis zu 300 Lagerplätze für Rohlinge, Paletten, Vorrichtungen und/oder palettierte Werkstücke und bis zu 1.000 Lagerplätzen für Werkzeuge).

Die Hard- und Software-Komponenten des Leitrechners für die **Funktionen Planen und Verwalten** bestehen aus den Anwendungsmodulen NC-Programmverwaltung für DNC-Betrieb, Palettenverwaltung (einschließlich Vorrichtungen und Werkstücke), Werkzeugverwaltung, Auftragsverwaltung mit Einplanungs- und Abarbeitungsstrategien sowie Diagnose.

5. BEISPIEL DER KONFIGURATION EINES FMS MIT HILFE INTERAKTIVER RECHNERPROGRAMME

Die Konfigurierung dieser vorgestellten Heller-FMS-Modulen wird im folgenden am Beispiel eines im Jahre 1986/1987 realisierten FMS gezeigt, das in der eigenen Produktion eingesetzt wird. Die Konfiguration erfolgt mit Hilfe eines interaktiven CAD-Rechnerprogrammes, das die Auswahlstrategien und Entscheidungskriterien deutlich macht.

Hinweis: Im Vortrag wird hierzu das Originalprogramm aktiv etwa 4 Minuten vorgeführt - im Vortragstext sind die wichtigsten Ergebnisse des Programmes durch Ausgabegrafiken in Bildform wiedergegeben (Bilder 6.1 bis 6.5).

6. ABLAUF DER TECHNISCHEN UND WIRTSCHAFTLICHEN PLANUNG VON FMS

Ausgangsbasis für die technische und wirtschaftliche Planung von FMS sind grundsätzlich die vom Kunden gestellten Daten (Bild 7):

- Produktionsprogramm
  - mit Angabe der zu einem Produkt und damit Montagebedarfstermin gehörenden Teilesätze,
  - der minimalen und maximalen Losgrößen der Teileaufträge
  - des Jahresbedarf der Teile
  - des Vor- und Endbearbeitungszustandes der Teile bezogen auf das FMS
  - der geforderten Auftragsdurchlaufzeiten
  - der zu erwartenden Änderungen des Produktionsprogrammes

- Zeichnungen der Teile

  mit vorliegenden Erfahrungen in bezug auf
  - Bearbeitungsverfahren
  - Werkzeuge und Schnitt- sowie Standzeitbedingungen
  - Operationsfolgebedingungen
  - Anlage-, Indexier- und Spanntechniken
  - Qualitätssicherungsmaßnahmen

  sowie ggf. bei bereits produzierten Teilen

- Arbeitspläne

  - mit Arbeitsvorgängen und -inhalten
  - bisher eingesetzter Betriebs- und Betriebshilfsmittel und Auftragszeiten
  - Kostensätze für Betriebsmittel, Betriebshilfsmittel und Werker

Die Planung eines FMS sollte grundsätzlich in enger Zusammenarbeit zwischen Hersteller und Anwender erfolgen. In der ersten Stufe **"Arbeitsplanung"** dieser FMS-Planung sind die (alternativen) Arbeitspläne festzulegen - dabei wird ausgehend von der Fertigteilkontur zur Rohteilkontur geplant. Die Elemente dieser Planung sind zunächst die Wahl der Bearbeitungsverfahren und damit der einzelnen Operationen mit den erforderlichen Werkzeugen und den Operationszeiten - diese werden anschließend in Muß- und Soll-Operationsfolgen zusammengefaßt. Nach der Planung der Aufspannungen werden diese Operationsfolgen zu Arbeitsvorgängen zusammengefaßt und deren Werkzeugbedarfe und Arbeitsvorgangszeiten aufsummiert.

Aus den technologischen und geometrischen Werten des Werkstückes sowie der gewählten Bearbeitungsverfahren und Werkzeuge ergeben sich die Anforderungen an Art und Ausrüstung der Bearbeitungszentren.

Abschließend werden für bestimmte Operationen in Arbeitsvorgängen Kennzeichen wie z.B. Eignung für bedienerarmen Betrieb gesetzt. Diese sind abhängig von der Ausrüstung der Bearbeitungszentren im Hinblick auf Prozeßoptimierung und -sicherung, da z.B. Meßoperationen entweder vom Bedienpersonal oder - bei Ausrüstung der Bearbeitungszentren mit Meßeinrichtungen - automatisch mit Protokollierung der Meßergebnisse vorgenommen werden können.

Die **zweite Stufe "Auftragsplanung"** stellt die Produkt-Teilesätze zusammen und ordnet jedem Teil entsprechend seinen Losgrößenbereichen die (evtl. alternativen) Auftragspläne zu. Anschließend erfolgt die Festlegung der Art (feste Vorrichtung, Grundvorrichtung mit Wechselteilen, Baukastenvorrichtung) und Anzahl der Vorrichtungen.

Diese Entscheidung ist von erheblicher Bedeutung, da z.B. bei nur einmal vorhandenen Vorrichtungen ein ständiger Auftragswechsel innerhalb eines Loses zwischen mindestens zwei verschiedenen Werkstückaufträgen notwendig wird und damit auch die Anzahl der erforderlichen Werkzeuge ansteigt. Abschließend werden dann in dieser Planungsstufe noch die durchschnittlichen und maximalen Werte je Stunde bzw. je Schicht für die Anzahl der Werkstückwechsel, der Auftragswechsel und der Werkzeugwechsel ermittelt.

In einer nächstfolgenden Planungsstufe kann der **"FMS-Funktionsablauf"** dargestellt werden, wobei auf die zuvor vorgestellten Funktionen und deren Funktionsträger zurückgegriffen wird. Diese Planung ist nach unserer Erfahrung jedoch nur noch in seltenen Fällen notwendig, da die modularen FMS-Bausteine von Heller bereits in der Entwicklungsphase in allen Kombinationsmöglichkeiten hinsichtlich ihres funktionalen und leistungsmäßigen Zusammenwirkens abgestimmt wurden.

Die nächste Planungsstufe **"FMS-Anlagenkonfiguration"** dient der Festlegung der Anzahl an Bearbeitungszentren sowie der Auswahl der Förder-, Transport-, Lager- und Speicher- sowie Leitrechnereinrichtungen hinsichtlich Art und Kapazität.

Aufbauend auf den Ergebnissen der FMS-Anlagenkonfiguration erfolgt in der nächsten Stufe die **"FMS-Anlagenkalkulation"**, bei der die Preise aller FMS-Komponenten entsprechend deren Art und Anzahl zusammengestellt werden.

Die Systematik dieser beiden Planungsstufen wurde bereits in der Vorführung der rechnergestützten Konfiguration von FMS vorgestellt.

Vor- oder nachgeschaltet zur FMS-Anlagenkalkulation kann eine **"FMS-Animation und -Simulation"** durchgeführt werden, die auf der Grundlage des FMS-Funktionsablaufes und der in der FMS-Anlagenkonfiguration ausgewählten Funktionsträger die Abläufe im FMS sichtbar macht und objekt-, zeit- und/oder ereignisbezogene Daten in Tabellen oder Grafiken zusammenstellt.

In der abschließenden Planungsstufe **"FMS-Kostenrechnung"** wird der Anwender - üblicherweise unter Hinzuziehung des Herstellers - Kostenanalysen durchführen, die sich auf die Herstellkosten, den Verfahrensvergleich und die Investitionsrechnung beziehen. Die **statischen Kostenrechnungsmethoden** sind dabei durchaus geeignet, Schwachstellen in den vorhergehenden Planungsstufen aufzudecken und Möglichkeiten zu deren Verbesserung aufzuzeigen. Darüber hinaus ist eine **Kosten-Nutzen-Analyse** sinnvoll, um auch die monetär nicht direkt bewertbaren Punkte in die Entscheidungsfindung beim Einsatz von FMS einzubeziehen. Empfehlenswert sind letztlich **dynamische Methoden der Kostenrechnung**, um zu einer gesicherten Entscheidungsfindung zu führen - und zwar insbesondere die Kapitalwertermittlung und die Risiko-Analyse.

7. PROBLEME UND EINSATZERFAHRUNGEN BEI FMS

Die technischen Komponenten von modularen FMS können heute als ausgereift, zuverlässig und preiswürdig bezeichnet werden. **Technisch-wirtschaftliche Probleme** stellen sich dagegen häufig im Hinblick auf die **werkstückbezogene Ausrüstung** von FMS ein, d.h. in bezug auf

- **Paletten,**
- **Vorrichtungen, und**
- **Werkzeuge.**

Üblicherweise werden heute DIN-**Paletten** als Basis-Werkstückträger verwendet, auf die eine Vorrichtung aufgebaut und ein (oder mehrere) Werkstück eingespannt werden. Diese Paletten kosten größenabhängig zwischen ca. 4.000,-- und 10.000,-- DM, so daß bei einem Bedarf von etwa 80 Paletten bereits Kosten in Höhe eines Bearbeitungszentrums auflaufen.

Ähnliche Probleme stellen sich auch bei den **Vorrichtungen,** die je Werkstück-Aufspannlage mindestens einmal benötigt werden. Bei festen Spezialvorrichtungen stehen hohe einmalige Kosten für die Beschaffung (ca. 10.000,-- bis 25.000,-- DM) geringen Wiederholkosten für das Rüsten gegenüber - bei universeller verwendbaren Vorrichtungen mit Wechselteilen oder gar Baukastenvorrichtungen sind die einmaligen Beschaffungskosten dagegen deutlich niedriger, die wiederholten Rüstkosten aber erheblich höher.

Technisch-wirtschaftlich gute Lösungen bieten sich, wenn die Werkstücke in größeren Losen über mehrere Stunden laufen und für eine automatische Handhabung geeignet sind. Dann genügt es meist, für eine Werkstück-Aufspannlage nur eine Palette mit einer automatisch arbeitenden Vorrichtung einzusetzen, die z.B. von einem NC-Ladeportal automatisch ent- und beladen wird.

Auch auf Seiten der **Werkzeuge** ergeben sich technisch-wirtschaftliche Probleme insbesondere dann, wenn bei der Werkstückkonstruktion die NC-gerechte Gestaltung und Werkzeugnormung vernachlässigt wurde. Dies führt dann dazu, daß eine Vielzahl unterschiedlicher Werkzeugeinzelteile mit geringer Mehrfachverwendung beschafft werden muß und zusammengebaute Werkzeuge weit vor Standzeitende wieder demontiert werden müssen, weil die Werkzeugeinzelteile für andere Werkzeuge benötigt werden. Ein einziger Zusammenbau eines Werkzeuges kostet nach unseren Erfahrungen aber etwa 15 - 25 min. Zusätzlich werden dadurch auch die Kosten für den Werkzeugfluß infolge höheren Platzbedarfes sowohl in maschineneigenen als auch in zentralen Werkzeugspeichern und infolge höherer Transportleistungen in die Höhe getrieben. Durch diese dargelegten technisch-wirtschaftlichen Probleme wird insgesamt auch die Forderung des mehrschichtigen Einsatzes von FMS mit personalarmem Betrieb in der Nacht und am Wochenende gewaltig erschwert.

Ein generelles Problem ergibt sich aus rein wirtschaftlicher Sicht in bezug auf die **Verfahren der Kostenrechnung.** In den meisten Unternehmen wird heute noch die einfache **Zuschlagskalkulation** angewandt, die sich für die nichtprozeßautomatisierte Produktion auch durchaus eignet. Wenn bei höherer Prozeßautomatisierung dann aber auf die direkt zurechenbaren Materialkosten und Fertigungskosten einige hundert Prozent zugeschlagen werden, muß diese Kostenrechnung zumindest in bezug auf Verfahrensvergleiche und Investitionsrechnungen abgelehnt werden.

Gefordert ist eine **verursachungsgerechte differenzierte Kostenrechnung**, die auf den Verbrauchswerten (Zeiten und Ereignisse) für die einzelnen Funktionen und den Stundensätzen der Funktionsträger eines FMS aufbaut (Bild 8).

Konsequenterweise sollte die Größe Zeit als Bezugsgröße dienen für die Verrechnung der Peripheriekosten in FMS, die bislang normalerweise im Maschinenstundensatz eingerechnet sind.

Die Funktionen dieser Peripherieautomation, wie Lager, Transport und übergeordnete Steuerung, werden bei konventioneller Fertigung von Lager- und Transportarbeitern sowie Mitarbeitern der Fertigungssteuerung ausgeführt. Die dadurch verursachten Kosten werden als Fertigungsgemeinkosten oder betriebliche Verwaltungskosten auf die Basis der Herstellkosten HKA zugeschlagen. Dieses Vorgehen mit der Bezuschlagung von gleichbleibenden Zuschlagssätzen ist für den Fall der FMS nicht zulässig, da dabei gewissermaßen eine Doppelverrechnung dieser Kosten eintritt.

Stattdessen empfiehlt sich folgendes Vorgehen: Die Systemgrenze für die Kostenermittlung umfaßt alle Komponenten des Fertigungssystems. Zur Kostenberechnung werden die gesamten Kosten vier Einsatzbereichen zugeteilt:

- dem Personaleinsatz,
- den Bearbeitungsmaschinen,
- den Automationsgeräten und
- der Datenverarbeitung

Als Bezugsgrößen für die Kostenverrechnung lassen sich

- die Personaleinsatzdauer für manuelle Tätigkeiten wie z.B Rüsten,
- die Einzelzeit für z.B. Bearbeiten, Messen, Waschen auf den Maschinen, und
- die Durchlaufzeit für die Peripherie, z.B. der Lagergeräte bzw. Anzahl der Erbringung z.B. für Zubring- und Förderfunktionen,
- die Anzahl der Erbringung für Datenverarbeitungsfunktionen

zugrundelegen.

Da sich zur gleichen Zeit z.B. mehrere Aufträge im System befinden, ist die durchschnittliche Anzahl dieser Aufträge zu ermitteln. Derartige Größen können entweder ein Nebenprodukt von Simulationsuntersuchungen oder ein Ergebnis von BDE-Statistiken sein. Restliche Gemeinkosten der Fertigung oder Verwaltung, die einem FMS zuzurechnen sind, können anschließend zugeschlagen werden.

Mit Hilfe dieses Ansatzes wurde beispielhaft eine Vergleichsrechnung für ein Werkstück (Zylinderträger) durchgeführt (Bild 9). Der Arbeitsplan für dieses Werkstück sieht für die Serienfertigung die Bearbeitung auf einem CNC-Bearbeitungszentrum vor.

Für die unverkettete CNC-Fertigung ergeben sich bei Standard-Zuschlagskalkulation Stückkosten, die hier zu 100 % gesetzt werden sollen. Dieser Kalkulation liegt eine Losgröße von 10 zugrunde. (Bei gleicher Losgröße betragen die Stückkosten in der konventionellen Prototypenfertigung 265 % !)

Für die Serienfertigung kann ebenso ein FMS eingesetzt werden. Dieses FMS besteht aus 4 Bearbeitungszentren, induktiv geführten Förderzeugen und 1 Hochregallager. Das FMS wird 3-schichtig betrieben und arbeitet darüber hinaus weit in die Wochenenden hinein im personalarmen Betrieb. Durch diese intensive Nutzung ergeben sich bei Standard-Zuschlagskalkulation Stückkosten in Höhe von 97 % bei 3-schichtigem Betrieb; der Vergleichswert für den 2-schichtigen Betrieb liegt bei 125 %.

Um eine Vergleichssituation für die differenzierte Kostenkalkulation zu schaffen, soll im folgenden mit gleichen Annahmen wie für die unverkettete NC-Fertigung, d.h. 2- bzw. 3-Schicht-Betrieb und Losgröße 10, gerechnet werden.

Hierbei muß betont werden, daß in der betrieblichen Praxis ein 3-Schichten-Betrieb bei unverketteter NC-Fertigung aus Personalgründen meist unmöglich ist, dieser bei FFS-Fertigung mit geringem Personaleinsatz nach der zweiten Schicht durchaus möglich ist.

Unter Verwendung des im Bild 8 vorgestellten Ansatzes sind einige zusätzliche Erläuterungen erforderlich:

- Die Stoffgemeinkosten verändern sich dadurch, daß der Guß direkt ins Rohmateriallager des FFS geliefert wird. Dadurch werden Materialhandhabungs- und -buchungskosten eingespart.

- Die Rüst-Fertigungskosten werden bei der Zuschlags-Kalkulation oft falsch mit dem Maschinenstundensatz errechnet. Rüsten erfolgt jedoch außerhalb der Maschine auf einem separaten Rüstplatz parallel zur Bearbeitung anderer Werkstücke - daher darf nur mit dem Stundensatz des Rüstplatzes und des Rüstpersonals gerechnet werden. Außerdem wird beim FFS normalerweise nur während der ersten und zweiten Schicht gerüstet; dies ist in bezug auf die Schichtzuschläge der Personalkosten zu berücksichtigen.

- Die Maschinenstundensätze werden vom Systemstundensatz getrennt. Bezugsgröße für die Bearbeitung ist die Einzelzeit; Bezugsgröße für die Systemnutzung (ohne Maschine und ohne Rüstplätze) ist die Systemdurchlaufzeit bzw. die Anzahl der Inanspruchnahme bestimmter Funktionen. Während dieser Zeit beaufschlagen die Werkstücke das System durch Transport- und Lagervorgänge sowie durch Transport- und Lagerverwaltung. Im vorliegenden Fall beträgt die Systemdurchlaufzeit durchschnittlich zwei Schichten pro Aufspannung, wobei die Werkstücke fast immer in zwei Aufspannungen komplett bearbeitet werden. Die Anzahl der durchschnittlich im System befindlichen Aufträge schwankt zwischen 160 und 200. Die Lagerkosten werden aufgrund der Durchlaufzeit eines Auftrages im System in Anzahl Schichten umgelegt.

  Das Personal - je nach Schicht arbeiten unterschiedlich viele Mitarbeiter als Operator, Systembetreuer und Aufspanner - wird entsprechend seinen Aufgaben dem Rüsten, dem Bearbeiten oder der Systembetreuung zugeordnet. Der Systemstundensatz enthält das zuzuordnende Personal, in diesem Fall den Stundensatz des Operators. Die Verwaltung des FMS durch Meister und Fertigungssteuerung erfolgt intern und ist im Systemstundensatz enthalten. Daher sind bei den betrieblichen Verwaltungskosten nur noch geringe Anteile für zentrale Disposition und Fertigungssteuerung zu berücksichtigen. Beim Vergleich der Auftragspläne zeigen sich kürzere Durchlaufzeiten beim FMS - dadurch sinken dann auch die Kapitalbindungskosten, die in den Fertigungsgemeinkosten enthalten sind.

- **Höhere Zuschlagsätze treten für allgemeine Verwaltung und Vertrieb auf, wenn bei rationalisierter Produktion die umzulegenden "overheads" kostenmäßig konstant bleiben.**

Unter Berücksichtigung dieser Annahmen betragen die Stückkosten des betrachteten Werkstücks bei unverketteter NC-Fertigung 97 % der Kosten der Zuschlagskalkulation. Im Vergleich zu den nach dem differenzierten Verfahren ermittelten Kosten der unverketteten NC-Fertigung ergeben sich für das FMS Kosten in Höhe von 91 %.

Wendet man das vorgestellte Rechenverfahren für den erweiterten 3-Schicht-Betrieb an, bei dem zusätzliche Nutzungszeit durch personalreduzierten Betrieb am Wochenende gewonnen wird, so betragen die Stückkosten 77 % im Vergleich zur unverketteten NC-Fertigung im 2-Schicht-Betrieb.

Wie das Beispiel zeigt, können FMS-Kostenrechnungen für Zwecke des Verfahrensvergleichs mit Hilfe des vorgestellten Ansatzes behandelt werden. Voraussetzung für die Anwendung derartiger Verfahren ist, daß verursachungsgerechte Kalkulationssätze gebildet und zusätzliche Daten erfaßt werden.

8. EINSATZ EINES FMS IN DER PRODUKTION

Das in den Planungsstufen "FMS-Anlagenkonfiguration" und "FMS-Anlagenkalkulation" bereits betrachtete Fertigungssystem wird hier anhand eines Filmes im Praxisbetrieb vorgestellt.

(Hinweis: Dieser Film kann unter der Heller-Film-Nr. ... jederzeit bei der Firma Gebr. Heller Maschinenfabrik GmbH, 7440 Nürtingen, Postfach 14 28, Telefon (0 70 22) 77-2 79, angefordert werden. Auch werden andere, in dem aktuellen Heller-Film-Verzeichnis aufgeführte Filme jederzeit ausgeliehen).

Dieses Fertigungssystem (Bild 10.1) besteht zur Zeit aus:

- 4 Heller-Bearbeitungszentren BEA 2
- 4 (je BEA 1 x) Zusatzwerkzeugmagazinen mit 120 Werkzeugen; vorgesehen ist für 1988 der Ausbau des Werkzeugflusses auf eine zentrale Werkzeuglagerung (Flächenlager) mit zentraler Transporteinrichtung (NC-Portallader) zwischen Werkzeugzusammenbau und Bearbeitungszentren.
- 2 Induktiv-Flächentransportgeräten, für den Werkstückfluß zwischen Hochraumlager, Rüstplätzen und Bearbeitungszentren.
- 6 Rüstplätzen
- 1 Hochraumlager für Rohwerkstücke, Paletten, Vorrichtungen, palettisierten Werkstücken und Fertigteilen mit einem Hochregal-Raumtransportgerät und ca. 300 Lagerplätzen.
- 1 Werkzeuglager mit Werkzeugzusammenbau und Werkzeugvoreinstellung.

- 1 Fertigungsleitrechner mit Hard- und Software-Modulen für
  - NC-Programmverwaltung und DNC-Betrieb
  - Paletten-Verwaltung
  - Werkzeugverwaltung und Werkzeugvoreinstellung
  - Auftragsverwaltung und
  - Diagnose.

9. ZUSAMMENFASSUNG

Die Erfahrungen der Firma Heller aus zahlreichen Planungen und Lieferungen von FMS (Bild 10.2 und 10.3) lassen sich wie folgt zusammenfassen:

- Die modularen technischen Bausteine von FMS sind langjährig erprobt und zuverlässig.

- Die vorgestellte Planungssystematik ermöglicht eine kundenspezifische Konzeption modularer FMS mit bewertbaren Alternativen zur flexiblen Automatisierung der Produktion.

- Eine enge Zusammenarbeit zwischen Hersteller und Anwender ist unverzichtbar, um die Produktionsorganisation (Produktionslogistik) gemeinsam mit der Produktionstechnik optimal zu gestalten.

- Diese enge Zusammenarbeit muß sich auch auf die Beratung, Ausbildung und Schulung während der Planungs- und Einführungsphasen von FMS erstrecken.

- Die wirtschaftliche Nutzung von FMS hängt sehr stark von der Produktionsorganisation und der Werkstückgestaltung des Kunden ab.

- Die Verfahren der Kostenrechnung für hochautomatisierte Produktionsprozesse müssen verbessert werden - hier liegt u.E. noch ein lohnenswertes Arbeitsgebiet für Hochschulinstitute.

- Die Einführung von FMS sollte in Schritten beginnend mit dem Einsatz von einzelnen Bearbeitungszentren erfolgen, die dann - entsprechend den Anforderungen des Kunden - in Richtung Prozeßautomatisierung des Werkstückflusses und/oder Werkzeugflusses ausgebaut werden. Die Voraussetzungen dazu sind mit modular ausbaubaren FMS-Konzepten wie denen der Firma Heller gegeben. Dieser stufenweise Ausbau erleichtert auch den Erfahrungsaufbau beim Kunden in bezug auf NC-Bearbeitungstechniken sowie Optimierung und Sicherung des Produktionsprozesses.

Darüber hinaus läßt sich der Übergang von konventioneller Fertigung auf eine Fertigung mit einzelnen NC-Bearbeitungszentren kostenrechnerisch sicher entscheiden - hingegen fällt eine weitergehende flexible Automatisierung des Produktionsprozesses aus den oben genannten Gründen noch immer in den Bereich der sog. "unternehmerischen Entscheidung", die aber durch die Erfahrungen beim Einsatz von einzelnen Bearbeitungszentren gut abgesichert werden kann.

L I T E R A T U R V E R Z E I C H N I S :

1. Junghanns, W.; Klenk, R.
"Ausbau von Bearbeitungszentren zu flexiblen Fertigungssystemen"
Schweizer Maschinenmarkt SMM, 22 und 23, Mai/Juni 1985

2. "Produktionstechnik auf dem Weg zu integrierten Systemen"
Hrsg.: Prof. Dr.-Ing. W. Eversheim, Prof. Dr.-Ing. W. König, Prof. Dr.-Ing. M. Weck, Prof. Dr.-Ing. Th. Pfeiffer
VDI-Verlag, Düsseldorf, September 1987

3. "Flexible Manufacturing Systems"
Hrsg.: Prof. Dr.-Ing. H.J. Warnecke, R. Steinhilper
Springer Verlag, Berlin 1985

4. Methodenlehre der Betriebsorganisation (MLBO), Teil:
"Planung und Gestaltung komplexer Produktionssysteme"
Hrsg.: REFA Verband für Arbeitsstudien und Betriebsorganisation e.V., Darmstadt
Carl Hanser Verlag, München, 1987

5. Junghanns, W.
"Strategische Anpassung der Produktionstechnik und -organisation auf kurze Durchlaufzeiten und verringerte Kapitalbindung"
Vortrag zum Fachkongreß:
Durchlaufzeitorientierte Auftragsfreigabe
Techno Congress, München, Dezember 1987

6. "Integrierte Anlagenwirtschaft"
Hrsg.: Prof. Dr. rer. pol. W. Männel
Verlag TÜV Rheinland, Köln, April 1988

7. Pöppel, J.
"Die Wirtschaftlichkeit automatischer Produktionssysteme - eine Rechenaufgabe oder eine Glaubensfrage?"
Vortrag zum Kolloquium: Automatische Produktionssysteme
Prof. Dr. H. Milberg, Universität München, Februar 1985

8. "Strategische Investitionsplanung für neue Technologien"
Hrsg.: Prof. Dr. Dr. H. Albach, Prof. Dr. H. Wildemann
Betriebswirtschaftl. Verlag Dr. Th. Gabler, Wiesbaden, 1986

9. "MIKE 2.0 - Programme zur marktinduzierten Kapitalwertermittlung zur rechnerischen Absicherung von Investitionen"
Hrsg.: Prof. Dr. H. Wildemann, Universität Passau
gfmt - Gesellschaft für Management und Technologie, München, Februar 1988

10. "INVEST-Programme zur statischen und dynamischen Investitionsrechnung"
Prof. Dr.-Ing. Dipl.-Wi.-Ing. W. Eversheim,
Technische Hochschule Aachen
Bezug durch AGIT: Aachener Gesellschaft für Innovation und Technologietransfer mbH, Aachen, Mai 1987

11. "Flexible Fertigungssysteme: Anwendererfahrungen"
VDI-Zeitschrift Entwicklung, Konstruktion, Produktion 1987
VDI-Verlag, Düsseldorf, Oktober 1987

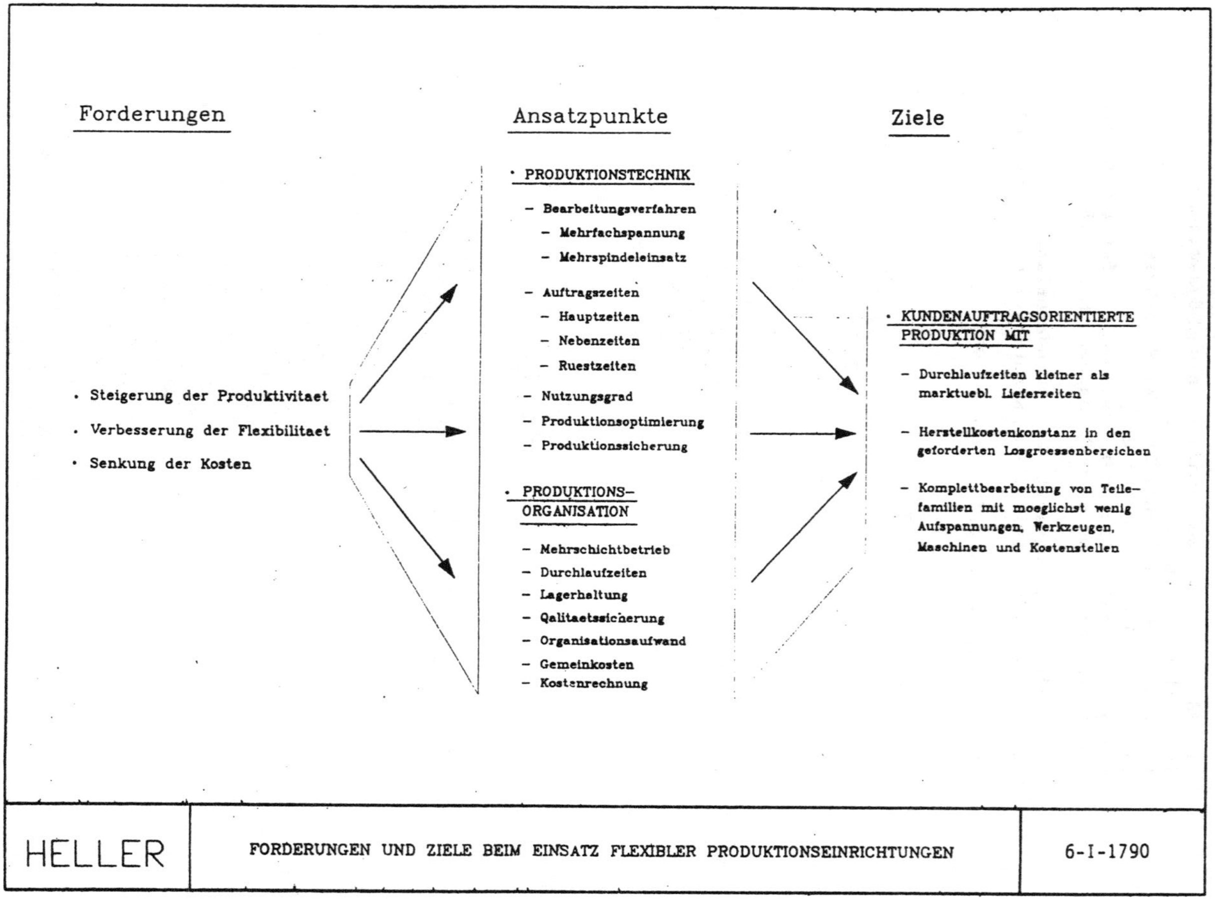
Forderungen
Ansatzpunkte
Ziele
· Steigerung der Produktivitaet
· Verbesserung der Flexibilitaet
· Senkung der Kosten
· PRODUKTIONSTECHNIK
– Bearbeitungsverfahren
– Mehrfachspannung
– Mehrspindeleinsatz
– Auftragszeiten
– Hauptzeiten
– Nebenzeiten
– Ruestzeiten
– Nutzungsgrad
– Produktionsoptimierung
– Produktionssicherung
· PRODUKTIONS–ORGANISATION
– Mehrschichtbetrieb
– Durchlaufzeiten
– Lagerhaltung
– Qalitaetssicherung
– Organisationsaufwand
– Gemeinkosten
– Kostenrechnung
· KUNDENAUFTRAGSORIENTIERTE PRODUKTION MIT
– Durchlaufzeiten kleiner als marktuebl. Lieferzeiten
– Herstellkostenkonstanz in den geforderten Losgroessenbereichen
– Komplettbearbeitung von Teilefamilien mit moeglichst wenig Aufspannungen, Werkzeugen, Maschinen und Kostenstellen
HELLER
FORDERUNGEN UND ZIELE BEIM EINSATZ FLEXIBLER PRODUKTIONSEINRICHTUNGEN
6-I-1790

Daten	Fertigung Einzelmaschinen	FMS
Jahresbedarf [St]	2100	2100
Materialkosten [DM/St]	900	900
Auftragszeit [min/St]	440	210
Fertigungskosten [DM/St]	640	660
Lagerzeit Guss [Tg]	30	6
Durchlaufzeit Teil [Tg]	60	3
Lagerkosten [%/a]	20	20
Zinskosten [%/a]	12	12

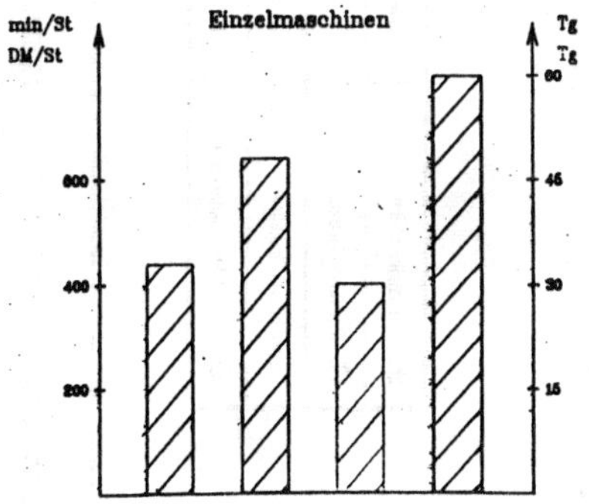

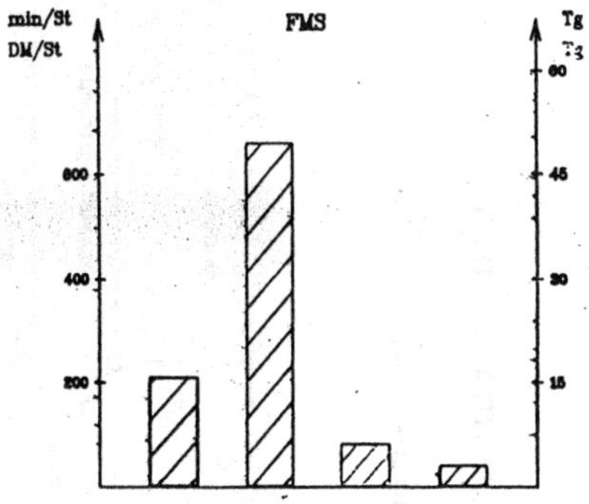

HELLER	BEISPIEL : KOSTENVERGLEICH ZWISCHEN FERTIGUNG AUF EINZELMASCHINEN UND FMS	6-I-1791

Einzelmaschinen

Lagerauftragsorientierte Produktion

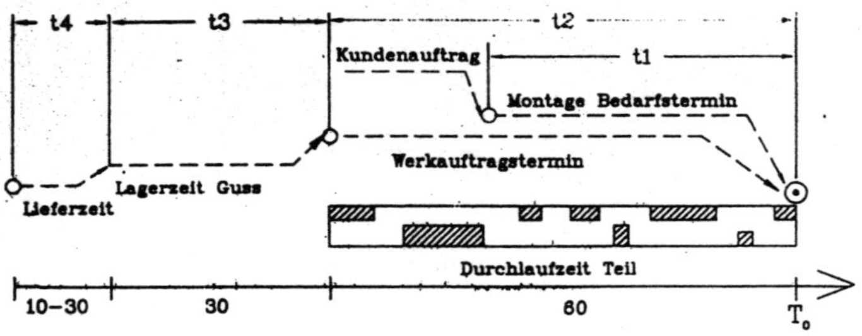

FMS

Kundenauftragsorientierte Produktion

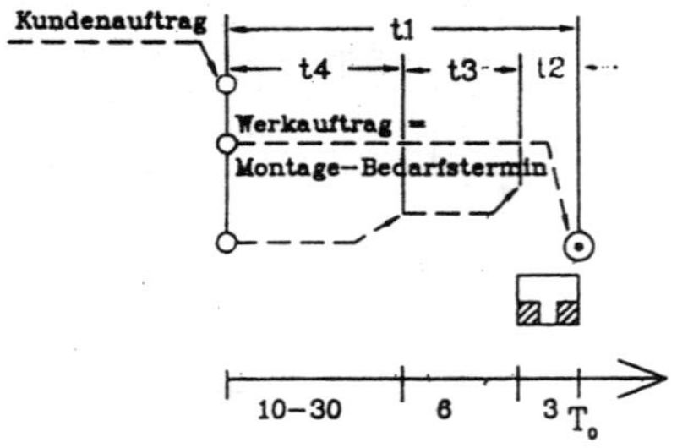

Bestandskosten	DM 157.500.–	DM 31.500.–
△ Bestandskosten	DM 126.000.–	
Durchlaufkosten	DM 186.900.–	DM 16.970.–
△ Durchlaufkosten	DM 169.930.–	

HELLER | ORGANISATION UND DURCHLAUFZEITEN BEI EINZELMASCHINEN UND FMS | 6-I-1792

12661/1

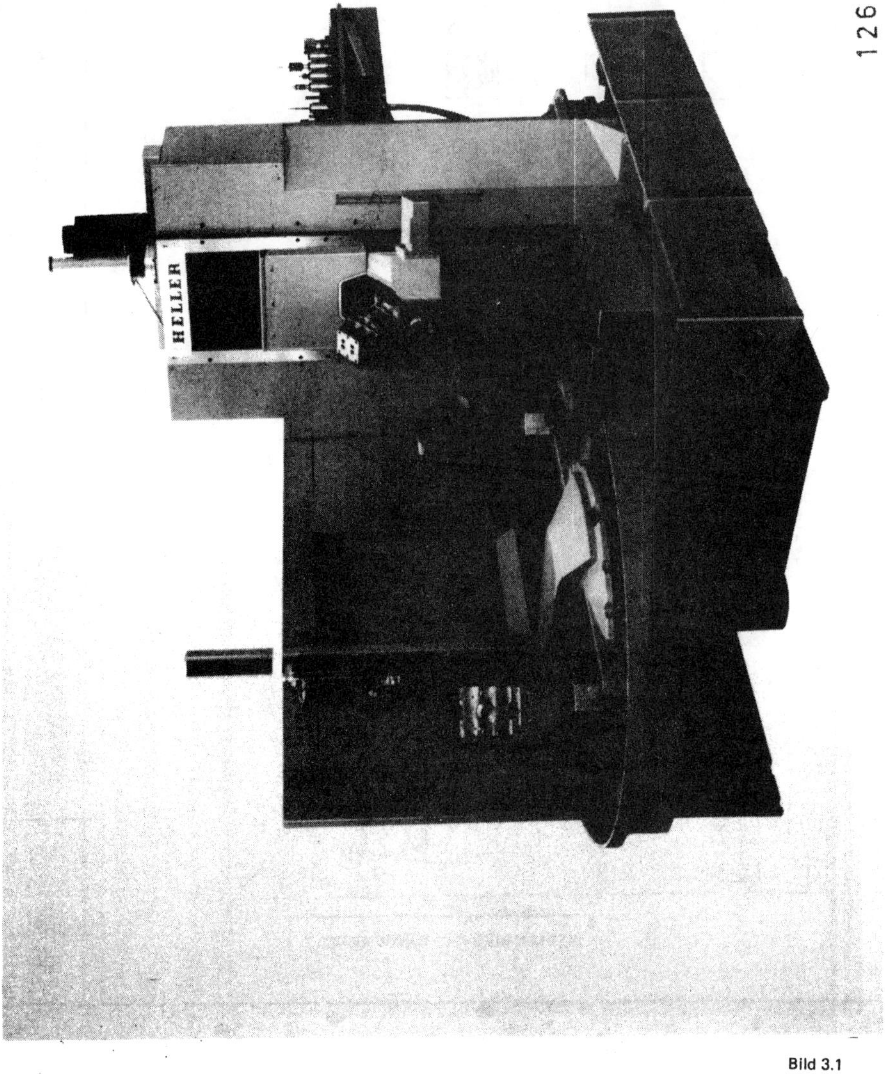

Bild 3.1

GRUNDSTUFE : innerhalb Bearbeitungszentrum

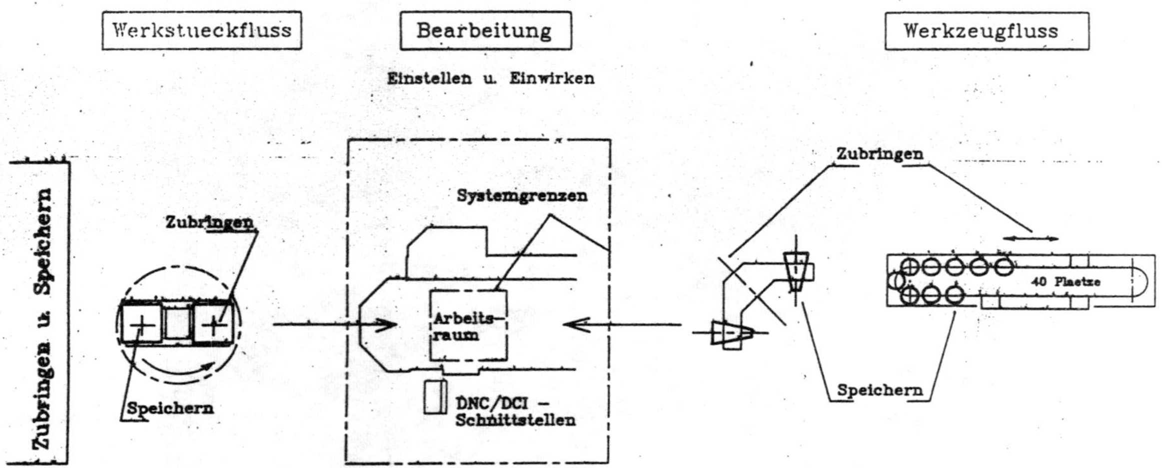

HELLER | AUSBAU VON BEARBEITUNGSZENTREN ZU FLEXIBLEN FERTIGUNGSEINRICHTUNGEN | 6-I-1793

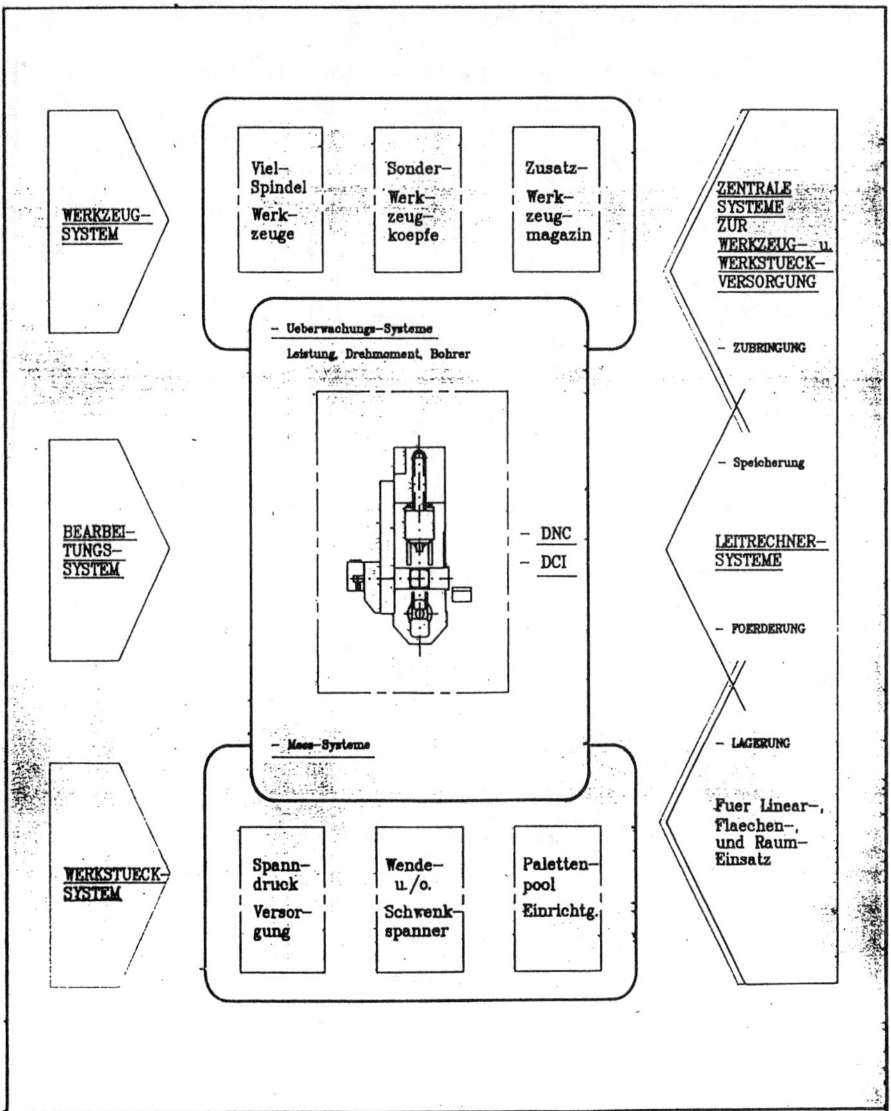

HELLER	AUSBAUMOEGLICHKEITEN DES BEARBEITUNGS-ZENTRUMS ZUR PROZESSAUTOMATISIERUNG	6-I-1794

AUSBAUSTUFEN : ausserhalb Bearbeitungszentrum

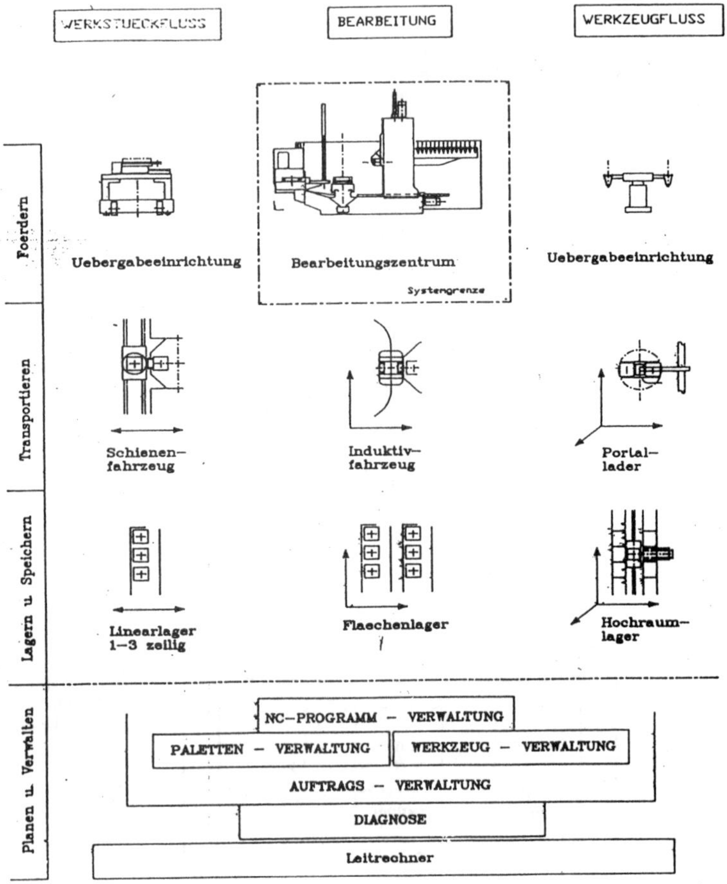

KONFGURIERBARE FMS – MODULE

HELLER	AUSBAU VON BEARBEITUNGSZENTREN ZU FLEXIBLEN FERTIGUNGSEINRICHTUNGEN	6-I-1795

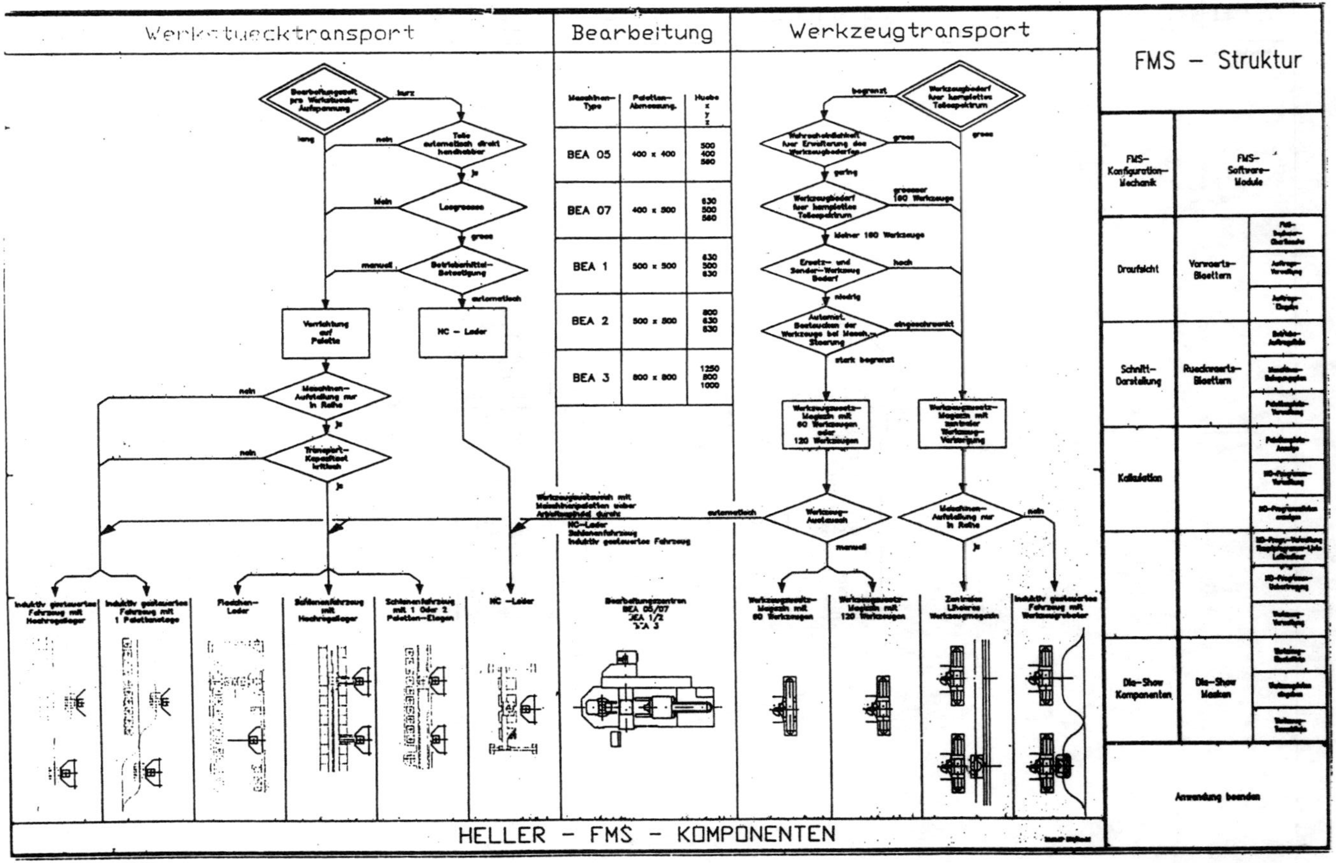
Werkstuecktransport
Bearbeitung
Werkzeugtransport
FMS – Struktur
NC – Lader
BEA 05
400 x 400
500 400 560
BEA 07
400 x 500
630 500 560
BEA 1
500 x 500
630 500 630
BEA 2
500 x 800
800 630 630
BEA 3
800 x 800
1250 800 1000
FMS-Konfiguration-Mechanik
FMS-Software-Module
Draufsicht
Vorwaerts-Blaettern
Schnitt-Darstellung
Rueckwaerts-Blaettern
Kalkulation
Dia-Show Komponenten
Dia-Show Masken
Anwendung beenden
HELLER – FMS – KOMPONENTEN

6-I-1796

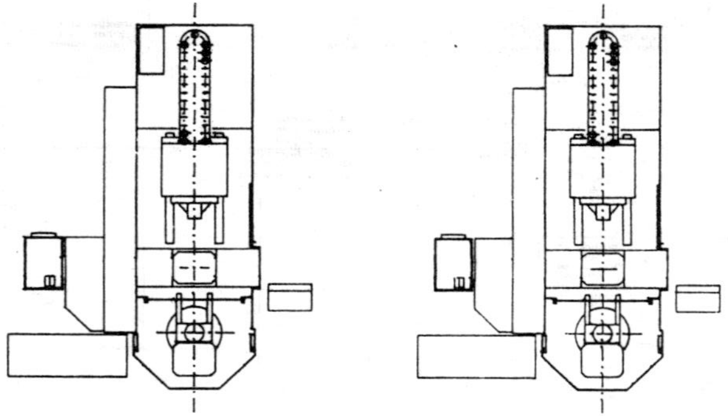

17.09.87 TAV/Handel

HELLER - FMS - KOMPONENTEN

6-I-1797

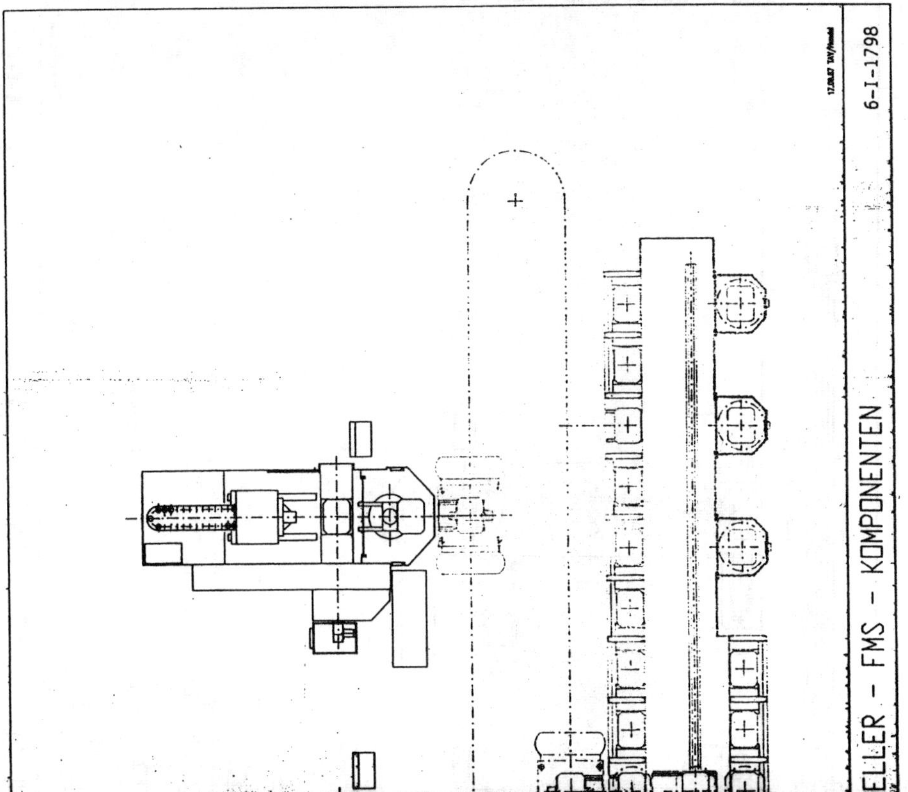
HELLER - FMS - KOMPONENTEN
6-I-1798

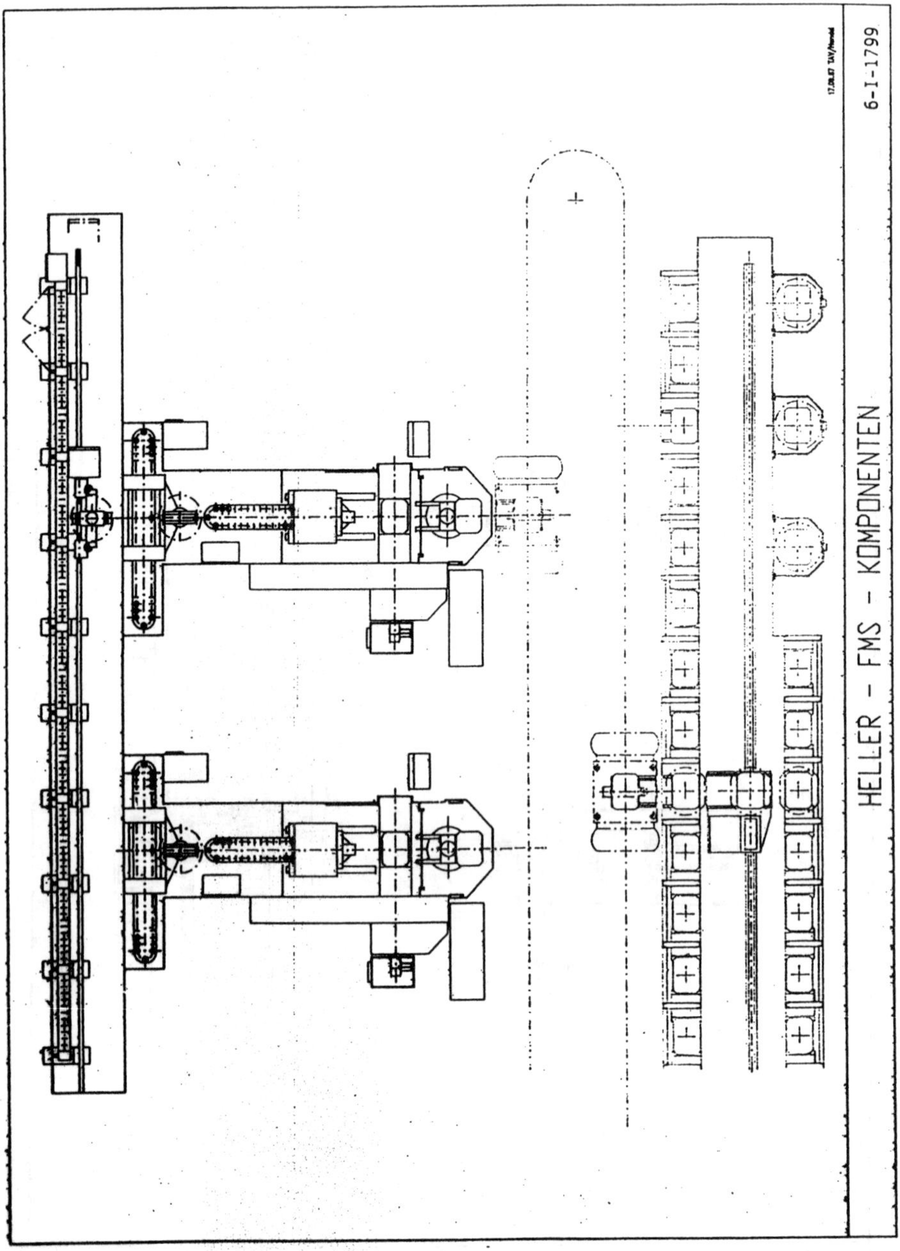
6-I-1799
HELLER - FMS - KOMPONENTEN

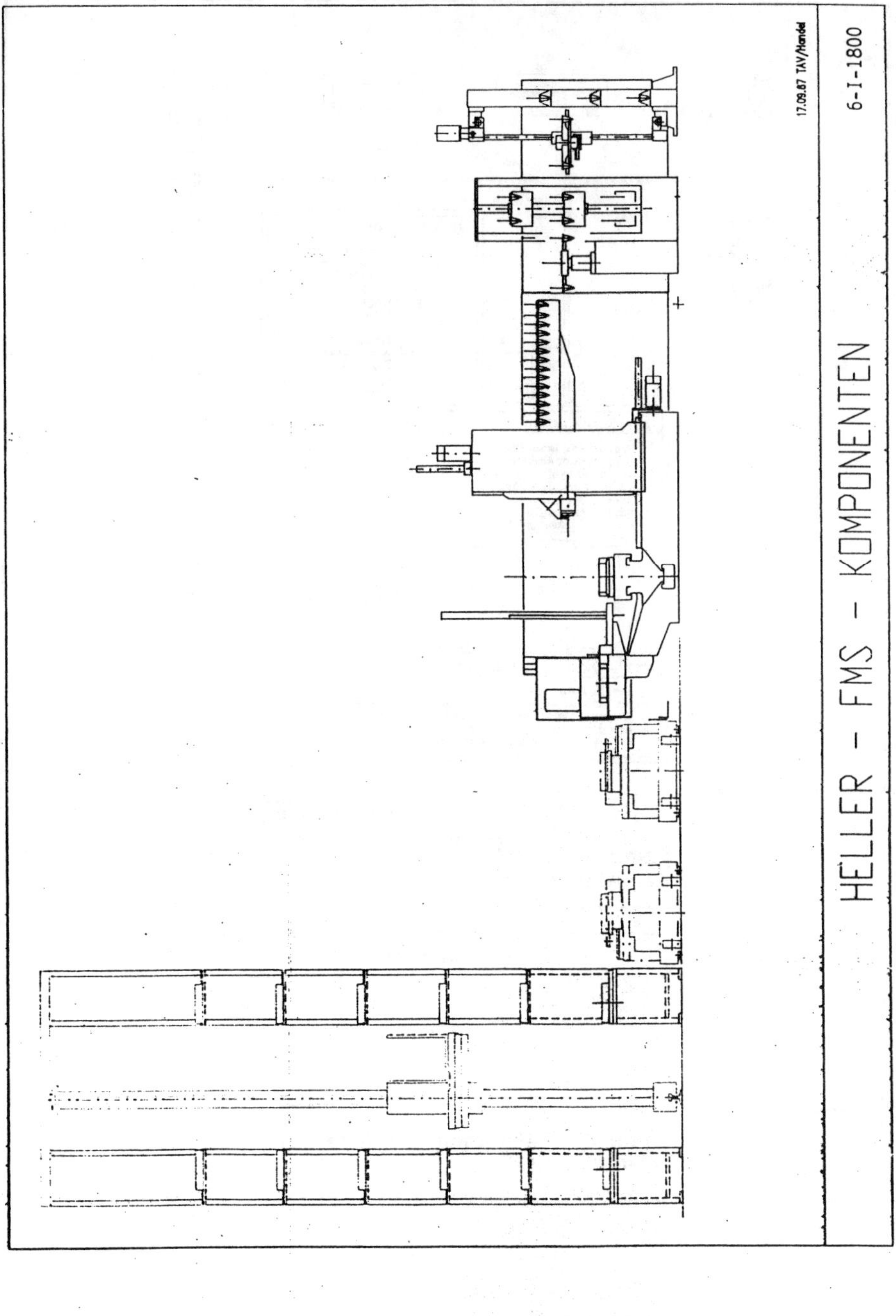
17.09.87 TAV/Handel
6-I-1800
HELLER - FMS - KOMPONENTEN

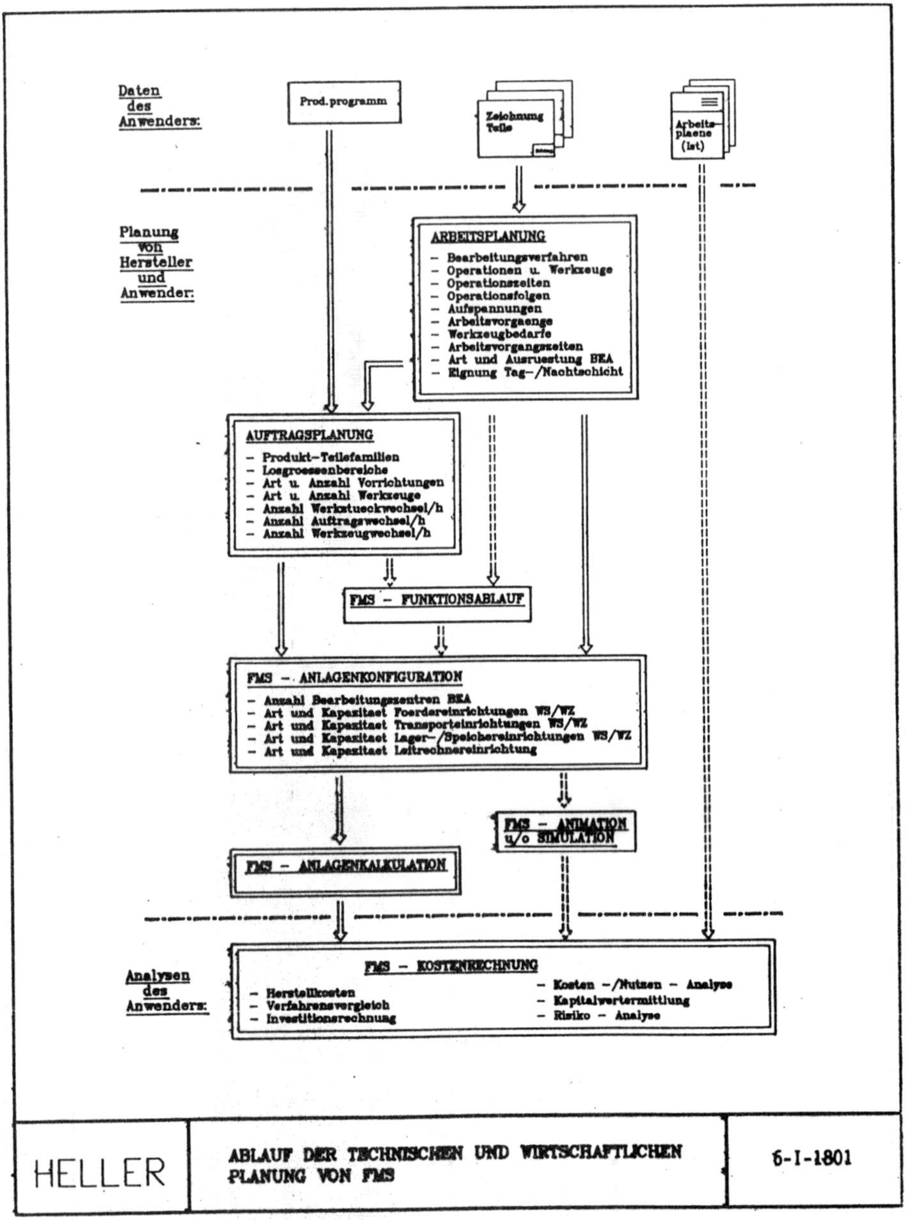
Daten des Anwenders:
Prod.programm
Zeichnung Teile
Arbeitsplaene (Ist)
Planung von Hersteller und Anwender:
ARBEITSPLANUNG
– Bearbeitungsverfahren
– Operationen u. Werkzeuge
– Operationszeiten
– Operationsfolgen
– Aufspannungen
– Arbeitsvorgaenge
– Werkzeugbedarfe
– Arbeitsvorgangszeiten
– Art und Ausruestung BEA
– Eignung Tag–/Nachtschicht
AUFTRAGSPLANUNG
– Produkt–Teilefamilien
– Losgroessenbereiche
– Art u. Anzahl Vorrichtungen
– Art u. Anzahl Werkzeuge
– Anzahl Werkstueckwechsel/h
– Anzahl Auftragswechsel/h
– Anzahl Werkzeugwechsel/h
FMS – FUNKTIONSABLAUF
FMS – ANLAGENKONFIGURATION
– Anzahl Bearbeitungszentren BEA
– Art und Kapazitaet Foerdereinrichtungen WS/WZ
– Art und Kapazitaet Transporteinrichtungen WS/WZ
– Art und Kapazitaet Lager–/Speichereinrichtungen WS/WZ
– Art und Kapazitaet Leitrechnereinrichtung
FMS – ANIMATION u/o SIMULATION
FMS – ANLAGENKALKULATION
Analysen des Anwenders:
FMS – KOSTENRECHNUNG
– Herstellkosten
– Verfahrensvergleich
– Investitionsrechnung
– Kosten –/Nutzen – Analyse
– Kapitalwertermittlung
– Risiko – Analyse
HELLER
ABLAUF DER TECHNISCHEN UND WIRTSCHAFTLICHEN PLANUNG VON FMS
6-I-1801

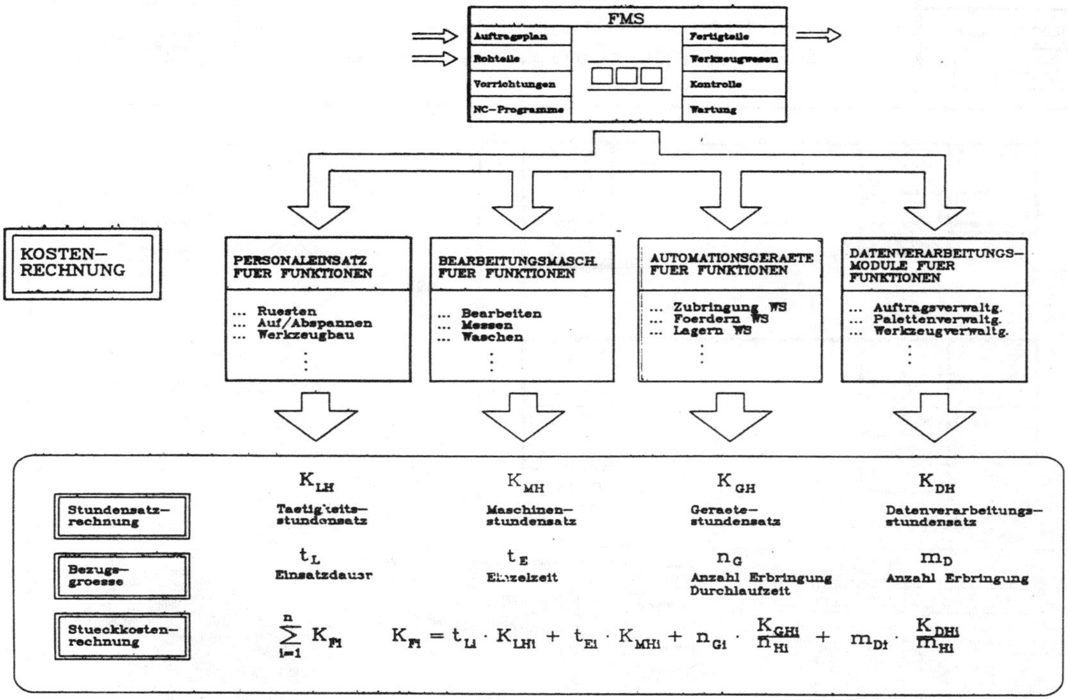

HELLER	DIFFERENZIERTE KOSTENKALKULATION AUF DER BASIS VON FMS – FUNKTIONEN	6-I-1802

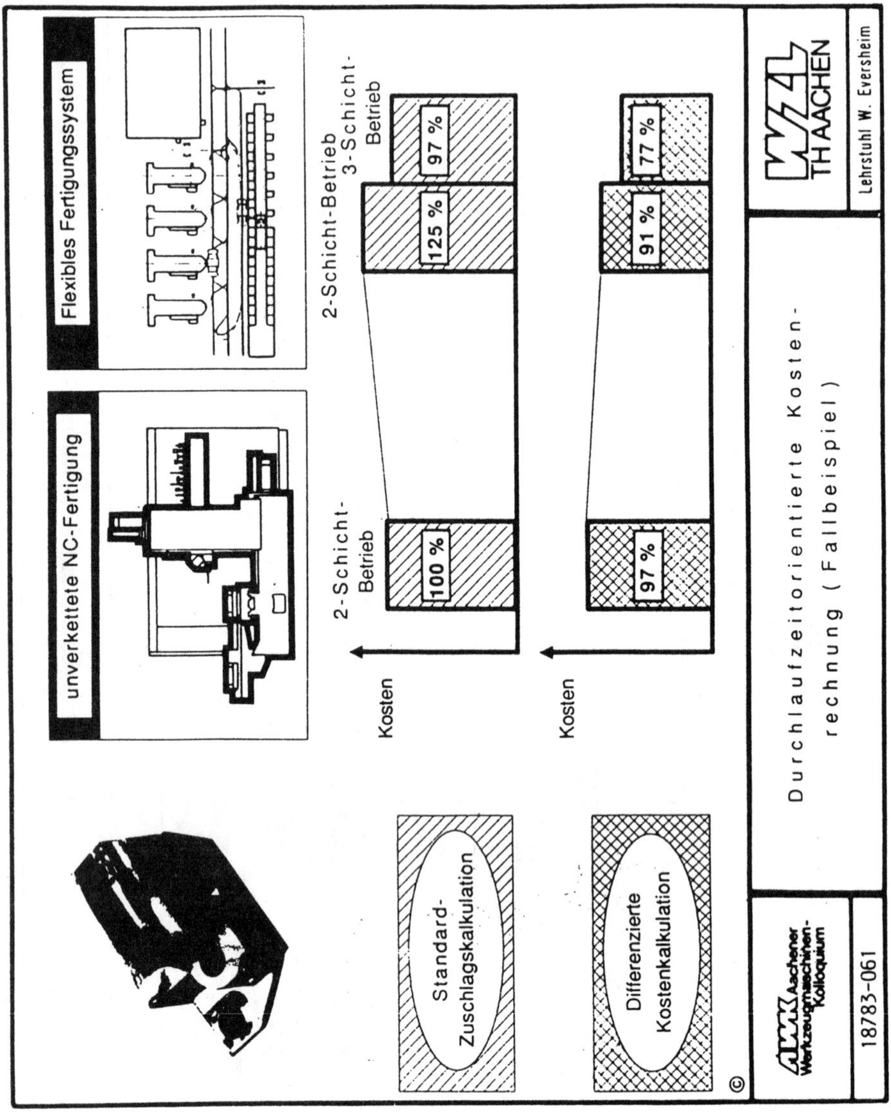
unverkettete NC-Fertigung
Flexibles Fertigungssystem
Standard-Zuschlagskalkulation
Differenzierte Kostenkalkulation
Kosten
Kosten
2-Schicht-Betrieb
2-Schicht-Betrieb
3-Schicht-Betrieb
100 %
125 %
97 %
97 %
91 %
77 %
Durchlaufzeitorientierte Kostenrechnung (Fallbeispiel)
AWK Aachener Werkzeugmaschinen-Kolloquium
18783-061
WZL TH AACHEN
Lehrstuhl W. Eversheim
©

6-I-1803

Bild 10.1

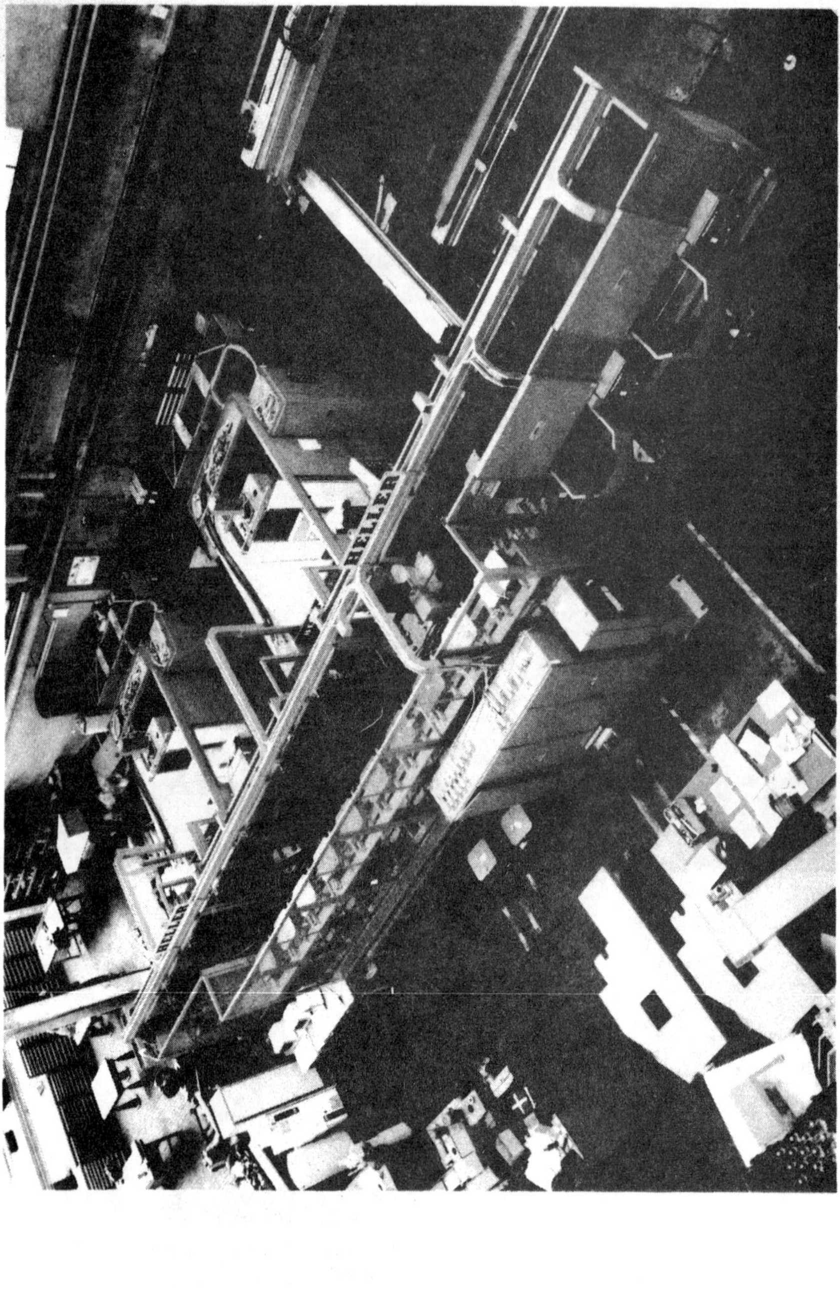

14016/2

Bild 10.2

Bild 10.3

13319/9

gfmt

PUBLIKATIONEN

STRATEGISCHE INVESTITIONSPLANUNG FÜR NEUE TECHNOLOGIEN IN DER PRODUKTION

2. Fertigungswirtschaftliches Kolloquium der Universität Passau 1986

Prof. Dr. Horst Wildemann u.a.

Tagungsbericht:

Praxisfälle: Audi AG, Bizerba-Werke W. Kraut GmbH & Co.KG, BMW AG Robert Bosch GmbH, FAG Kugelfischer G.Schäfer KGaA, Fichtel & Sachs AG, Ford-Werke AG, Carl Freudenberg, Gebr. Heller GmbH, Hottinger-Baldwin-Messtechnik GmbH, IBM Deutschland GmbH, Keiper Recaro GmbH & Co. Klöckner-Humboldt-Deutz AG, Friedrich Krupp GmbH Loher GmbH Elektromotorenwerke, MBB, MTU, Optyl Holding GmbH & Co., Rheinmetall GmbH, Siemens AG, SKF Kugellagerfabriken GmbH, Steyr-Daimler-Puch AG Andreas Stihl, VDO A. Schindling AG, Zahnradfabrik Passau GmbH.

Investitionsentscheidungen für neue Technologien sind für Unternehmer und Führungskräfte von besonderer Tragweite. Wer die falsche Technologie wählt, verliert Wettbewerbsvorteile und muß zahlen. Eine methodische Planung künftiger Ressourcen ist daher wichtiger denn je.

Ziel dieses Kolloquiums war es, Lösungsansätze für eine

STRATEGISCHE INVESTITIONSPLANUNG.

für neue Technologien in der Produktion darzustellen und über Anwendererfahrungen zu berichten.

Es werden die Ergebnisse eines zweijährigen Forschungsprojektes vorgestellt, die in enger Zusammenarbeit mit 25 Unternehmen erarbeitet wurden. Neben mehr theoretischen Grundsatzreferaten werden von Unternehmensleitern Führungskräften Fallstudien vorgestellt, die die Anwendung der Methoden exemplarisch zeigen. Ergänzend werden Professoren und Unternehmensberater aus Deutschland und den USA Organisationskonzepte, Technologiebewertungsansätze und Vorgehensweisen zur Reorganisation von Unternehmen bei Einsatz neuer Technologien insbesondere **Computer Integrated Manufacturing** vorstellen.

Es werden übertragbare Lösungsansätze gezeigt, die zur strategischen Beurteilung unterschiedlicher neuer Technologien - auch in kleinen und mittleren Unternehmen - angewandt werden können, zum Abbau von Innovationshemmnissen beitragen und Fehlinvestitionen vermeiden helfen.

1033 Seiten
PREIS: DM 185,50 inkl. MWST.
zzgl.Porto

PRODUKTIONSSYNCHRONE BESCHAFFUNG
Einführungsleitfaden
Horst Wildemann

In der Automobil-, Elektro und Hausgeräteindustrie gilt die **produktionssysnchrone Beschaffung** nach Just-in-Time Prinzipien als ein effizientes Werkzeug zur Lenkung der Kosten. Viele Zulieferanten sehen darin eher ein Instrument zur Überwälzung von Lagerhaltungs- und Qualitätssicherungskosten sowie zur Ausschöpfung von Rationalisierungspotentialen. Um diese kontroversen Behauptungen zu versachlichen, werden die Bausteine einer **produktionssynchronen Beschaffung**

- o Vertragsgestaltung,
- o Teileauswahl,
- o Lieferantenbewertung- und -auswahl,
- o Analyse des Informationsflusses zwischen Lieferant und Abnehmer und der einsetzbaren Kommunikationstechnologien,
- o Analyse des Materialflusses und der Läger,
- o Speditions- und
- o Qualitätssicherungskonzept

hinsichtlich ihrer Ausgestaltungsformen und betriebswirtschaftlichen Konsequenzen analysiert und bereits praktisch erprobte Wege zur Einführung aufgezeigt.
Die Grundlage dieses Berichtes bilden die Forschungsergebnisse, die während der letzten Jahre bei der Erarbeitung und Einführung der **produktionssysnchronen Beschaffung** in über 180 europäischen Unternehmen gesammelt werden konnten.

Es wird verdeutlicht, daß eine Just-in-Time Beschaffung auf der Basis eines partnerschaftlichen Verhältnisses zwischen Lieferant und Abnehmer nicht nur betriebswirtschaftliche Vorteile (Bestandssenkungen bis 80%, Flächeneinsparungen bis 60%, Handlingskostensenkungen bis 50% und Frachtkostenreduzierung bis 15%) sondern auch volkswirtschaftliche Wirkungen wie mehr Beschäftigung und sinnvollere Arbeitsteilung an sich zieht.

DIE MODULARE FABRIK
Kundennahe Produktion durch Fertigungssegmentierung
Horst Wildemann

In der Praxis zeigt sich, daß eine drastische Senkung der Durchlaufzeiten nur durch Strukturveränderungen im Produktionsbereich herbeigeführt werden kann, die eine Entflechtung der Produktionsbeziehungen mit dem Ziel einer stärkeren Produktorientierung beinhalten.

Diese Strukturveränderungen führen zu Fertigungssegmenten. Unter Fertigungssegmenten werden produktorientierte Organisationseinheiten der Produktion verstanden, die mehrere Stufen der logistischen Kette eines Produkts umfassen und mit denen eine spezifische Wettbewerbsstrategie verfolgt wird. Darüber hinaus zeichnen sich Fertigungssegmente auch durch die Integration planender und indirekter Funktionen aus und sind in der Regel als Cost-Center organisiert.

Aufbauend auf der empirischen Untersuchung von 32 Fertigungssegmenten und einer theoretischen Analyse werden in diesem Buch Gestaltungsprinzipien und Einführungsempfehlungen formuliert.

Es wird gezeigt, daß bei der Realisierung des Fertigungssegmentierungskonzeptes Durchlaufzeitreduzierungen von 60% die Regel sind. Weiterhin ermöglicht das Konzept Bestandsreduzierungen im Umlaufvermögen von durchschnittlich 40% und die Senkung der Qualitätskosten zwischen 20 und 25%.

Wildemann faßt im vorliegenden Buch die Forschungsergebnisse zusammen, die er während der letzten 6 Jahre bei der Erarbeitung und Einführung der Fertigungssegmentierung in 32 europäischen Unternehmen sammeln konnte.

JUST-IN-TIME PRODUKTION + ZULIEFERUNG
Erfahrungsberichte - 2 Bände
Herausgeber: Horst Wildemann 1986

Konkurrenzdruck, Kostenentwicklung und die Forderung des Marktes nach Flexibilität zwingen zur Ausschöpfung vorhandener Rationalisierungsreserven. Mehr als 100 Anwendungen von Just-in-Time-Prinzipien in der Produktion und Beschaffung zeigen, dass mit dieser Methode Potentiale wie

o Reduzierung der Durchlaufzeiten um 60,0 - 90,0%,
o Reduzierung der Bestände um 50,0%,
o Reduzierung der Lager- und Transportkosten,
o Steigerung der Qualität,
o hohe mengenmässige Flexibilität und
o Produktivitätssteigerung von mehr als 25,0%

kurzfristig erschlossen werden können. Diese Potentiale lassen sich nicht nur in der Serienfertigung, sondern auch in der Einzelfertigung realisieren. Dazu erforderlich sind eine Veränderung der Planungs- und Druchsetzungssysteme in der Auftragsabwicklung, Strukturveränderungen im Layout und bei den Zulieferunternehmen sowie eine eine Konzentration auf den Wertschöpfungsprozess am Produkt.

Auszug aus dem Inhalt:

JIT Produktion + Zulieferung als Wettbewerbsfaktor: Einsatzschwerpunkte, Wirtschaflichkeit, Entwicklungstendenzen
H. Wildemann, Universität Passau

Möglichkeiten der JIT Philosophie in der Automobilindustrie
H. Stübig, Audi AG

JIT Fertigungsstrategie im Maschinenbau
F. Herrmann, AGIE AG

JIT-Produktion und Beschaffung aus der Sicht des Marketings in der Textilindustrie
H. H. Kunstmann, ERBA AG

JIT-Anwendung beim Grossmaschinenbau
A. Wyss, WIFAG Maschinenfabrik

Flexibilität in der Produktion zur Erreichung einer JIT-Produktion
R. Deck, BBC AG

JIT Auftragsabwicklung und Vertriebslogistik der Avon Cosmetics GmbH
G. Bauer, Avon Cosmetics GmbH

Die logistische Versorgung unterschiedlicher Absatzkanäle durch ein Unternehmen der Kosmetikindustrie
K. Horstmann, Dralle GmbH

Kontinuierlicher Fertigungsfluss und komplexe Prozesse
W. Lenz, IBM Deutschland GmbH

...

(Fortsetzung)

JIT-Beschaffung als Probelmlöser: Aufbau- und Ablauforganisation, Informationsübermittlung, Verpackung, Qualitätssicherung, Transportsteuerung, Lieferantenstruktur und -standorte
D. Strauch/F. Klement, Siemens AG

Organisation modularer Logistiksysteme am Beispiel des Fertigungsdispositions- und Beschaffungssystems der VW AG
H.-L. Abmeier, VW AG

JIT mit Fortschrittszahlen
W. Heinemeyer, Daimler Benz AG

Integriertes Anlieferungskonzept vom Lieferanten zum Verbraucher am Beispiel der Adam Opel AG, Werk Rüsselsheim
F. Dieck, Adam Opel AG

JIT prägt neue PPS-Lösungen: Beispiel aus Mechanik- und Elektronik-Fertigung
K. Shah, Siemens AG

Papierarme Steuerung einer Serienfertigung von Automobilaggregaten mit EDV vom Lieferanten bis zum Kunden unter Einsatz von KANBAN-Prinzipien und Fortschrittszahlen
W. Popp, Barmag AG

JIT Produktion durch Fertigungsleittechnik
H.-H. Beier, BBC AG

Beschaffungslogistik - bedarfsgerechte Versorgungskonzepte für die Automobilindustrie
R. Jünemann, Universität Dortmund

Fertigungssynchrone Anlieferung von Zulieferteilen im Automobilbau
P. Zeilinger, BMW AG

JIT als Lösung des logistischen Problems einer expandierenden, variantenreichen und kurze Lieferzeiten fordernden Industriemöbelproduktion
H. Knürr, Knürr AG

JIT durch effizientere Informationsverarbeitung und Fertigungesegmentierung in einem Unternehmen der Elektroindustrie
K. Haager, Friedrich Merk Telefonbau GmbH

JUST-IN-TIME PRODUKTION + ZULIEFERUNG Tagungsbericht
- Vernetzung im Werksverbund mit Zulieferanten
- Quality-Engineering im JIT
- JIT-Controlling
Herausgeber: Horst Wildemann 1988

Auszug aus dem Inhaltsverzeichnis:

Reorganisation von Produktion + Zulieferung zur Einführung von JIT
H. Wildemann, Universität Passau

Kundennähe und Variantenreichtum - eine Herausforderung an die Kommunikationstechnik * G. Börnecke, Siemens AG

Qualitätsstrategie Lieferant/VW AG im Rahmen von JIT * C. Borgward, VW AG

JIT Produktion eines Zulieferanten aus weltweiter Sicht * F. Baur, ZF AG

Neuordnung der logistischen Kette eines Unternehmens - Planung, Durchführung, Ergebnisse * H. Schreitmüller, Optyl Holding GmbH

JIT bei Ford - Initiativen im Werk Saarlouis * H. Demann, Ford AG

Strategie zur Erhaltung der Flexibilität bei weltweitem Einkauf im Produktionsverband * F. M. Diek, Adam Opel AG

JIT-Verfahren bei Volkswagen und Audi * H.-L. Abmeier, VW AG

Produktionsverbundsteuerung mit Fortschrittszahlen * W. Heinemeyer, Daimler Benz AG

JIT Produktion + Zulieferung Kostenkontrolle und logistische Leistungssteigerung * P. Riedlinger, Knorr-Bremse AG

JIT als Bestandteil der Werksentwicklungsplanung * G. Bachmann/
H. Hohenstein, Flachglas AG

Das kundenorientierte JIT Konzept von Klöckner-Moeller * M. Schleyer, Klöckner-Moeller GmbH

Auswirkungen von Dispositionssystemen grosser Abnehmer auf mittelständische Zulieferunternehmen * J. Schulz, Jellinghaus GmbH + Co KG

JIT als Mittel zur Effizienzsteigerung in der Produktion eines Zulieferunternehmens - INA als Zulieferant * E. Von Woedke, INA-Schäffler-Wälzlager KG

JIT Konzeption eines Automobilzulieferers mit zentraler Programmplanung, dezentraler Montageplanung und - steuerung im Produktionsverbund stehender Produktionswerk * H. Scholz, VDO Schindling AG

...

624 Seiten/29 Fallbeispiele
DM 146,00 inkl. MwSt. zzgl. Versandkosten

Flexible Werkstattsteuerung durch Integration von KANBAN-Prinzipien

2. Auflage, München 1989

Herausgeber:

Prof. Dr. Horst Wildemann

Schnelle Verfügbarkeit von Führungsinformationen, niedrige Bestände, hohe Flexibilität und Effizienz in der Auftragsabwicklung durch kurze Durchlaufzeiten und Transparenz des Betriebsgeschehens sind die Forderungen an zeitgemäße Planungs- und Steuerungssysteme. Neue Wege zur Erfüllung dieser Forderungen werden im japanischen KANBAN-System beschritten.

In diesem Buch werden die KANBAN-Prinzipien und Methoden aus japanischen Produktions-Managements analysiert und über Erfahrungen bei ihrer Anwendung in 22 europäischen Unternehmen berichtet. Bei der Darstellung der Forschungsergebnisse und Erfahrungsberichte wurde besonderer Wert auf Grafiken Checklisten gelegt, um dem Leser eine direkte Umsetzung der Prinzipien und Methoden zu erleichtern.

Aus dem Inhalt

Einführungsstrategien für neue Technologien

Tagungsbericht

Herausgeber: Prof. Dr. Horst Wildemann

3. Fertigungswirtschaftliches Kolloquium 1989

Inhaltsverzeichnis

Band 1

Inhaltsverzeichnis

Band 1 (Fortsetzg.)

Band 2

DIE MODULARE FABRIK
Fallsammlung - Tagungsbericht
Herausgeber: Horst Wildemann

Um das Potential einer modularen Fabrik wirkungsvoll zu nutzen, stehen in diesem Buch folgende Problemkreise im Mittelpunkt:

o Klärung der praktischen und theoretischen Voraussetzung zur effizienten Planung des organisatorischen und technologischen Wandels zur Einführung einer modularen Fabrik

o Einführungsstrategien, die es ermöglischen, die Kosten- und Flexibilitätspotentials gezielt und firmenspezifisch zu nutzen sowie die Mitarbeiter auszubilden

o Erfahrung von Unternehmern und Wissenschaftlern mit dem Konzept und dessen Anwendungsmöglichkeiten, die unmittelbar Ansätze für betriebsindividuelle Lösungen bieten können.

Inhalt:

- Kundennahe Produktion durch Fertigungssegmentierung
- Activity Accounting - Produktionskalkulation für die Moderne Fabrik
- Realisierungsstufen eine flexiblen Fertigungssystems
- Die logistische Kette vom Absatzmarkt bis zu den Lieferanten, dargestellt am Beispiel eines führenden europäischen Herstellers für elektrische Hausgeräte
- Beispiel einer modularen Fabrik: Kundenorientiertes Produktionsmanagement in der Autoelektronik
- Strategie Investitionsplanung für CIM-Lösungen
- Integrationsaufgaben und Integrationstechniken
- Integrierte Werkstattsteuerung als CIM-Komponente
- Alternative Bezugsartenstrukturen
- Qualität als Voraussetzung einer kundennahen Produktion
- Personelle und organisatorische Aspekte bei einer Fertigungssegmentierung in Teilefertigung und Montage
- Kontrolle, Diagnose und Analyse einer EDV-gestützten Werkstattsteuerung
- Segmentierung in einem Maschinenbauunternehmen, dargestell am Beispiel der Teilefertigung und Lackiererei
- Modulare Konfiguration von flexiblen Fertigungssystemen

387 Seiten/14 Fallbeispiele
DM 108,00 inkl. MwSt. + Versandkosten

EXPERTENSYSTEME IN DER PRODUKTION
Tagungsbericht
Hrsg. Horst Wildemann

Expertensysteme als ein Teilgebiet der KI-Forschung haben bereits den Schritt aus den Laboratorien in die industrielle Anwendung vollzogen.
Ein Überblick über mögliche Einsatzgebiete und Anwendungen von Expertensystemen in den Bereichen, wie

- o Produktentwicklung,
- o Qualitätssicherung und Prozeßüberwachung,
- o Instandhaltung und Schwachstellendiagnose,
- o Krisenmanagement bei Produktionsunterbrechung,
- o Produktionsplanung und -steuerung
- o Auftragsabwicklung und -überwachung,
- o Arbeitsplangenerierung,
- o Logistik-Controlling,
- o Projektmanagement,
- o Layout-Planung,
- o Lieferantenauswahl,
- o Integration von CA-Technologien sowie
- o DV-Controlling

verdeutlicht die Perspektiven, die diese Technologie im Hinblick auf eine CIM-Realisierung eröffnet.

AUS DEM INHALT:

+ Expertensysteme als CIM-Bausteine: Betriebswirtschaftlich technologische Anforderungen an wissensbasierte Systeme in der Produktion

+ Künstliche Intelligenz in der Produktion

+ Expertensysteme in den betrieblichen Funktionsbereichen

+ Wissensverarbeitung - eine Herausforderung für die Produktionstechnik

+ Expertensysteme (ES) in Produktionsplanung und -steuerung (PPS) unter CIM-Aspekten
  ...

513 Seiten
DM 120 inkl. MwSt., zzgl. Versand

CIM-Komponenten zur Planung und Steuerung
Tagungsbericht
Hrsg.: P. Mertens, H.-P. Wiendahl, H. Wildemann

Die Planung und Steuerung der Produktion als Instrument zur Umsetzung von bedarfsgerechten Kundenanforderungen in der Produktion (JIT) sowie als Kristallisationspunkt für eine integrierte Datenverarbeitung in der Auftragsabwicklung (CIM) erhält eine Aktualität durch

- o Expertensysteme
- o neue Software und
- o Steuerungsprinzipien
- o Auftragsabwicklungs- und
- o Controllingkonzepte sowie
- o Leitsysteme und
- o CIM-Bausteine.

Insbesondere gilt es, Chancen und Risiken des Einsatzes von Expertensysteme in diesem Bereich frühzeitg zu erkennen und für das eigene Unternehmen nutzbar zu machen.

Vor diesem Hintergrund wurden die neuen wissenschaftlichen Erkenntnisse über diese neuen Instrumente und die damit gemachten Praxiserfahrungen vorgestellt.

Anhand von Fachvorträgen, Fallstudien aus der Praxis und Demonstrationen wurde Anwenderwissen aus erster Hand vermittelt, das es möglich macht, unternehmensspezifische Einsatzmöglichkeiten zu erkennen, geeignete Instrumente auszuwählen und die Entwicklung in Gang zu setzen, die eine Verbesserung bestehender Systeme erlaubt.

fmt - Report 3 - Führungskräfte-Information
Management und Technologie
Hrsg.: Prof. Dr. Horst Wildemann

ROSTZEITMINIMIERUNG UND DURCHLAUFZEITVERKORZUNG

Technisch-organisatorische Konzepte und Fallbeispiele

Inhalt:

Teil 1: Rüstzeitreduzierung und Bestandssenkung in der Praxis
Dipl.-Ing. Dieter W. Kaiser, Ingersoll GmbH, Düsseldorf

Teil 2: Rüstzeitanalyse - Voraussetzung für eine systematische Rüstzeitreduzierung
Dipl.-Ing. Friedhelm Nyhius, Universität Hannover

Teil 3: Konzepte zur Verkürzung von Rüst- und Durchlaufzeiten durch Ingration des KANBAN-Systems
Prof. Dr. Horst Wildemann, Universität Passau

Teil 4: Umrüstkonzepte für die Einzel- und Serienfertigung
Dr.-Ing. Wolfgang Junghanns, Gebr. Heller Maschinenfabrik GmbH, Nürtingen

Teil 5: Rüst- und Durchlaufzeitreduzierung am Beispiel eines Werkzeugmaschinenherstellers
Ing. Hans-Jürgen Sattler, Trumpf GmbH & Co., Ditzingen

Teil 6: Umrüstkonzepte im Flugzeugbau
Dr.-Ing. Engelbert Westkämper, MBB, München

Teil 7: Durchlaufzeitverkürzung am Beispiel einer autonomen Fertigungszelle
Ernest Gauderon, Gebr. Sulzer AG, Winterthur

Teil 8: Auftragssteuerung und Durchlaufzeitenverkürzungen durch gruppentechnologische Methoden
Dr.-Ing. H. Dähnert, Winterthur

200 Seiten
PREIS: DM 55,65 inkl. MWST.
zzgl. Porto

fmt - Report 4 - Führungskräfte-Information
Management und Technologie
Hrsg.: Prof.Dr.Horst Wildemann

RECHNERUNTERSTÜTZTE INFORMATIONSSYSTEME IN DER

QUALITÄTSSICHERUNG - CAQ

Technisch-organisatorische Konzepte und Fallbeispiele

INHALT:

1. Qualität steigern - Kosten senken
   Prof. Dr. Horst Wildemann

2. Qualitätsinformationssysteme - Qualitätsmanagement
   Prof. Dr. J.P. Bläsing

3. Aufbau des Qualitätsdatenerfassungssystems SIQUIS
   Dipl.-Ing. P. Strohbach

4. Integrierte EDV-gestützte Qualitätssicherung
   Dipl.-Phys. Dr. H.P. Clieves

5. Computerunterstützte Sprachverarbeitungssysteme in der Qualitätssicherung
   Hansjörg Mohr

6. CAQ in einer flexiblen Fertigungskette für Blecheinzelteile (CIAM-Forming)
   H. Schöningh

7. Qualitätssicherung in der Entwicklungsphase von Rechnerkomponenten
   Dipl.-Ing. S. P. Grabowski

8. Rechnereinsatz in der Koordinatenmeßtechnik
   Dipl.-Ing. K. Herzog

9. Bildverarbeitungssysteme für die automatisierte Qualitätsprüfung
   Dipl.-Ing. E.J.Schmidberger

10. Software für die Qualitätssicherung
    Prof.Dr. J.P. Bläsing

177 Seiten
PREIS: DM 55,65 inkl. MWST.

fmt - Report 6 - Führungskräfte-Information
Management und Technologie
Hrsg.: Prof. Dr. Horst Wildemann

DIALOGORIENTIERTE PRODUKTIONSPLANUNG UND STEUERUNG

MIT ON-LINE BETRIEBSDATENERFASSUNG

Praxis-Fälle: Barmer Maschinenfabrik AG,
Friedrich Flender,
Gebr. Heller,
Klöckner-Humboldt-Deutz
Zahnradfabrik Renk

I N H A L T:

On-Line Betriebsdatenerfassung

Einsatz und Erfahrungen mit einem Betriebsdatenerfassungssystem in der Teilefertigung und (Vor-)Montage.

Planung und Steuerung von Kapazitäten, Terminen und Mengen im Dialog mit Modularprogrammen

Dialogorientierte Fertigungssteuerung unter Einbeziehung von KANBAN-Prinzipie

Auftragszentrum und EDV-gestützte Fertigungssteuerung mit Betriebsdatenerfassung bei einem Zulieferunternehmen mit Serienfertigung

EDV-gestützte Gesamtauftragssteuerung in einem Unternehmen der Einzel- und Kleinserienfertigung und deren Auswirkung auf Vertrieb, Konstruktion und Montage

fmt - Report 7 - Führungskräfte-Information Management und Technologie Hrsg.: Prof. Dr. Horst Wildemann

FAHRERLOSE TRANSPORTSYSTEME (FTS)

Konzepte und Fallbeispiele zur Ver- und Entsorgung der Produktion

Bosch, Jungheinrich, MBB, Porsche, Schindler Digitron, Ernst Wagner KG

Wissenschaftl. Begleitung: Universität Duisburg, Fachhochschule Hamburg

I N H A L T:

Fahrerlose Transportsysteme für den integrierten Materialfluß

Steuerungskomponenten von Fahrerlosen Transportsystemen

Erfahrungen mit Fahrerlosen Transportsystemen und gegenwärtiger Entwicklungsstand

Einsatzbeispiele für Fahrerlose Transportsysteme

Robotfahrzeuge - voll integriert in die flexible Fertigung

Das flexible Fließliniensystem in der Fabrik mit Zukunft

Reorganisation des innerbetrieblichen Materialflusses mit Fahrerlosen Transportsystemen

Der rechnerunterstützte Informations- und Materialfluß am Beispiel eines integrierten Pufferlagers für die Fertigung

Einsatz von Fahrerlosen Transportsystemen in der Airbusuntergruppenfertigung

Technische Einrichtungen des automatisierten Materialflusses und der Instandhaltung

155 Seiten
PREIS: DM 55,65 inkl. MWST.
zzgl. Porto

fmt - Report 8 - Führungskräfte-Information Management und Technologie Hrsg.: Prof. Dr. Horst Wildemann

DISKONTINUITÄTEN BEI FERTIGUNGSTECHNIKEN

Eine empirische Studie zur Bewältigung von technologischen Diskontinuitäten

Dr. Uwe J. Lebens

INHALT:

- Ursachen von Diskontinuitäten
- Fertigung als Objektbereich von Diskontinuitäten
- Determinanten für Fertigungstechniken
- Darstellung von ausgesuchten Modellen zur Beschreibung von Ursache-Wirkungszusammenhängen bei technologischen Diskontinuitäten
- Auswahl eines Modells zur Darstellung von Diskontinuitäten bei Produktionstechniken
- Empirische Studie zu Diskontinuitäten bei Fertigungstechniken
- Instrumente zur Bewältigung von technologischen Diskontinuitäten in der Fertigung
- Grenzen und Verlaufsanalysen

Seit Jahren ist zu beobachten, daß sich der technologische Fortschritt in den Fertigungsverfahren nicht kontinuierlich, sondern zu einem großen Teil in Diskontinuitäten vollzieht. Diese diskontinuierliche Entwicklung tritt z. Zt. besonders stark durch die flexibe Automatisierung des Informations- und Materialflusses in CIM-Konzepten hervor, wobei sich die Diskontinuitäten nicht nur auf die Leistungssteigerung der Fertigungstechniken, sondern auch in den Produktionskosten niederschlagen. Diese Entwicklungen werden von den Herstellern positiv bewertet. Bei den Anwendern dieser Fertigungstechnologien herrscht ein allgemeines Unbehagen über diesen Zustand. Dieses Unbehagen äußert sich vor allem in der Befürchtung einer Überforderung durch die Hersteller und ein im Planungsstadium Nicht-abschätzen-können der Chancen und Risiken dieser Technologien sowie ihre Wettbewerbswirkungen.

381 Seiten
PREIS: DM 55,65 inkl. MWST.
zzg. Porto

fmt - Report 9 - Führungskräfte-Information Management und Technologie Hrsg.: Prof.Dr. Horst Wildemann

ÜBERPRÜFUNG DER EFFIZIENZ VON QUALITÄTSSICHERUNGSSYSTEMEN

unter besonderer Berücksichtigung der Fertigungsqualität

Dr. Therese Mahr

INHALT:

1. Aufgaben der Qualitätssicherung
   Qualitätsplanung / Qualitätsprüfung / Qualitätssteuerung und -förderung / Qualitätskostenüberwachung

2. Strategien der Qualitätssicherung (Qualitäts-Portfolio)
   Strategische Ziele der Qualitätssicherung / Festlegung der strategischen Position / Festlegung von Strategien

3. Maßnahmen der Qualitätssicherung

5. Beurteilung der Maßnahmen
   Qualitätsplanung / Qualitätsprüfung / Qualitätssteuerung und -förderung / Qualitätskostenüberwachung

6. Einfluß von Strukturmerkmalen aus der Auswahl der Qualitätssicherungsmaßnahmen
   Betriebsgröße / Fertigungstyp / Organisationstyp der Fertigung / Steuerungssystem / Produktstruktur / Beschaffungsart und -menge

Die Qualität der Produkte wird als ein wichtiges Erfolgspotential der Unternehmung angesehen. Ausgehend von dieser Erkenntnis wird in der vorliegenden Arbeit die Effizienz von Qualitätssicherungssystemen im Sinne eines Optimalproblems analysiert. Hieraus ergibt sich die Forderung nach Analyse der Maßnahmen, die die Effizienz des Qualitätssicherungssystems durch Qualitäts- und Kostenveränderungen beeinflußen können. Dabei ist es erforderlich, von einer weiten Fassung des Qualitätsbegriffes (Entwurfsqualität, Qualität des Vormaterials, Fertigungsqualität, Servicequalität und Produktqualität werden betrachtet) auszugehen und das Qualitätssicherungssystem als Untersuchungsgegenstand zu definieren.

273 Seiten
PREIS: DM 55,65 inkl. MWST.
zzgl. Porto

fmt - Report 10 - Führungskräfte-Information Management und Technologie Hrsg.: Prof. Dr. Horst Wildemann

FLEXIBILITÄT IN DER AUFTRASGSABWICKLUNG

Dr. Heinz-Peter Hoffmann

INHALT:

1. Flexibilität in der Auftragsabwicklung
   Lagerorientierte Fertigung / Produktionsplan als Grundlage der Auftragsabwicklung

2. Flexibilitätssanforderungen an die Auftragsabwicklung

3. Analyse der flexibilitätsrelevahten Einflußgrößen auf die Auftragsabwicklung

4. Instrumente zur Steigerung der Flexibilität in der Auftragsabwicklung
   Gesamtauftragssteuerung / Zeitnahe integrierte Informationsverarbeitung / Integration unterschiedlicher Methoden zur Auftragsabwicklung / Online Betriebsdatenerfassung / Dialogverarbeitung von Planungs- und Steuerungsinformationen / Aktionsorientierte Datenverarbeitung / Materialflußorientierte Logistik

5. Steuerungskonzepte

6. Fertigungssegmentierung

Die Auftragseinplanung in industriellen Unternehmen erfolgt immer unter Unsicherheit. Dieser Unsicherheit kann entweder durch die Einführung genereller organisatorischer Regelungen oder durch die flexible Gestaltung von Elementen des Auftragsabwicklungssystems begegnet werden, wobei es eine eindeutige Organisationsstruktur für die Auftragsabwicklung nicht gibt. Vielmehr muß diese nicht nur unternehmenspezifisch, sondern auch ständig situativ neu angepaßt werden. Dabei ist entscheidend, welche Instrumente zum Einsatz gelangen und wie diese miteinander verknüpft sind. Inwieweit Anpassungsmöglichkeiten bei diesen Instrumenten bestehen und wie diese zu nutzen sind, damit befaßt sich diese Untersuchung.

388 Seiten
PREIS: DM 55,65 inkl. MWST.
zzgl. Porto

fmt - Report 11 - Führungskräfte-Information
Management und Technologie
Hrsg.: Prof Dr. Horst Wildemann

KOSTENANALYSE BEI FLEXIBEL AUTOMATISIERTEN FERTIGUNGSSYSTEMEN

Höhere flexible Automatisierung bedeutet zwangsläufig höhere Kapitalkosten. Diese Kosten beziehen sich auf die Anschaffungsaufwendungen, sowie auf die Einführung und Installation dieser komplexen Systeme. Die Abgrenzung der Systemgrenzen und damit des Kapitaleinsatzes bei flexibel automatisierten Fertigungssystemen ist mit Schwierigkeiten verbunden. Darüber hinaus verursacht die verlängerte Nutzungszeit (zumindest über die Marktperiode der darauf gefertigten Produkte) zusätzliche Probleme hinsichtlich der Daten- bzw. der Prognosesicherheit. Dies wird besonders bei der Investitionsentscheidung und bei der späteren Kostenkontrollrechnung deutlich. Bislang vernachlässigte Kostenarten gewinnen an Bedeutung. Konventionelle Investitions- und Kostenrechnungsverfahren erfassen und berücksichtigen diese Aufwendungn nur unvollkommen.
Der fmt-report hat das Ziel, die Kosten bei dieser innovativen Fertigungstechnologie zu analysieren und einen Betrag zur effizienten Gestaltung angepaßter Kostenrechnungssysteme zu leisten.
Aufbauend auf Literaturaussagen entwickelt der Verfasser eine logisch strukturierte Vorgehensweise, die sich auf die Datenerhebung in zwei Unternehmen zu einer flexibel automatisierten Fertigung und bei 23 Unternehmen, die FFS im Einsatz haben bzw. deren Einsatz planen, erstreckt. Darüber hinaus stützt sich der fmt-report auf Experteninterviews.

I N H A L T:

ca. 350 Seiten
PREIS: DM 55,65 inkl. MWST.
zzgl. Porto

STATISTISCH ORIENTIERTE FERTIGUNGSSTEUERUNG

Bericht des IFA, Institut für Fabrikanlagen der Universität Hannover, Leitung: Prof. Dr. H.-P. Wiendahl

Grundlagen - Systeme - Anwendungserfahrungen

Hrsg. Prof. Dr. Hans-Peter Wiendahl

Bisher übliche Verfahren der Fertigungssteuerung erfüllen trotz großem Aufwand häufig nicht die an sie gerichteten Erwartungen. Das ist darauf zurückzuführen, daß in den Verfahren deterministische Zusammenhänge der Fertigungsabläufe angenommen werden, während sie tatsächlich statistischen Gesetzmässigkeiten unterliegen. Daher werden in letzter Zeit vermehrt neue Ansätze zur Fertigungssteuerung diskutiert.

Vor diesem Hintergrund hat sich das Institut für Fabrikanlagen der Universität Hannover die Aufgabe gestellt, die Fertigungsabläufe grundsätzlich zu analysieren und daraus statistisch orientierte Verfahren der Fertigungssteuerung zu entwickeln. Das vorliegende Buch beschäftgigt sich im ersten Teil mit den grundsätzlichen Gesetzmässigkeiten zwischen den elementaren Größen der Fertigungssteuerung und leitet daraus die Verfahren der belastungsorientierten Auftragsfreigabe ab. Neben einer ausführlichen und detaillierten Nachstellung dieses Lösungsansatzes werden Fallbeispiele aus Unternehmen vorgestellt, in denen erste Erfahrungen und die Integration in bestehende EDV-Systeme zur Fertigungssteuerung vorgestellt werden.

Der zweite Teil dieses Buches beschäftigt sich mit der Durchlaufzeit- und Bestandsanalyse als Voraussetzung für Rationalisierungsmaßnahmen in den Fertigungsabläufen. Neben der Methodik und der praktischen Anwendung wird ein Konzept eines neuartigen Kontrollsystems zur Überwachung der Fertigungsabläufe vorgestellt.

Das besondere Anliegen dieses Buches ist es, dem Leser die grundlegenden Zusammenhänge in der Produktionssteuerung vorzustellen und ihm so eine Basis für eigenständige Bewältigung der betriebsspezifischen Probleme zu geben.

PRAXIS DER BELASTUNGSORIENTIERTEN FERTIGUNGSSTEUERUNG

Tagungsbericht des IFA, Institut für Fabrikanlagen der Universität Hannover, Leitung: Prof. Dr. H.-P. Wiendahl

Hrsg.: Prof. Dr. Hans-Peter Wiendahl

Bisher übliche Verfahren der Fertigungssteuerung reichen nicht aus, eine Fertigung mit kurzen Durchlaufzeiten bei niedrigen Beständen und hoher Termintreue zu gewährleisten. Als wesentliche Kritikpunkte an diesen Verfahren können genannt werden: Zu starke Abweichungen der realisierten Termine von den Planvorgaben; zu geringe Flexibilität bei unterschiedlichen Auftrags- und Kapazitätsituationen, sowie zu geringe Transparenz des gesamten Fertigungsprozesses trotz hoher Datenmengen.

Der Fachbericht gibt praxisorientierte Hinweise zur Konzipierung, Einführung und Nutzung der belastungsorientierten Auftragsfreigabe.

Produktionsplanung und -steuerung in der Fabrik

Von der belastungsorientierten Auftragsfreigabe zur durchlauforientierten Fertigungssteuerung

Voraussetzungen zum Einsatz der belastungsorientierten Auftragsfreigabe

Kontroll- und Planungssystemen zur belastungsorientierten Fertigungssteuerung im Dialog - Konzept und Realisierung des Systems KPS-F

Zwei Jahre belastungsorientierte Auftragsfreigabe bei Fa. Hilti

Erfahrung mit der belastungsorientierten Auftragssteuerung ABS bei Siemens

Bestand- und Durchlaufzeit-Probleme und Ansätze zu ihrer Lösung

Aufbau eines Fertigungssteuerungssystem zur Kapazitäts-, Durchlaufzeit- und Bestandsplanung
-Terminorientierte Kapazitätsplanung
-Belastungsorientierte Auftragsfreigabe

Die belastungsorientierte Fertigungssteuerung für mechanische Fertigung in der BMW AG

Die belastungsorientierte Auftragsfreigabe als COPICS-Baustein

Untersuchungen zum Einsatz der belastungsorientierten Fertigungssteuerung in flexiblen Fertiungssystemen

und Projekterläuterungen aus Forschungsergebnissen des Instituts für Fabrikanlagen der Universität Hannover (Leitung Prof. Dr. H.-P. Wiendahl)

251 Seiten
PREIS: DM 103,50 inkl. MWST.
zzgl. Porto

BELASTUNGSORIENTIERTE FERTIGUNGSSTEUERUNG BOS-F
Tagungsbericht
Hrsg. H.-P. Wiendahl, IFA - Hannover

Der Ansatz **Belastungsorientierte Auftragsfreigabe**-des Instituts für Fabrikanlagen (IFA) der Universität Hannover hat sich als neue Denkrichtung in der Fertigungssteuerung bewährt und wird heute von zahlreichen Unternehmen mit Erfolg eingesetzt.
Es kommen in erster Linie Unternehmen der Branchen Feinwerktechnik, Maschinenbau, Elektrotechnik und Fahrzeugtechnik zu Wort, die über praktische Erfahrungen bei der Konzipierung, Einführung und Nutzung der **Belastungsorientierten Auftragsfreigabe** verfügen. Darüberhinaus wird vom IFA und einigen Anbietern über ergänzende Verfahrensbausteine berichtet, die sich teilweise bereits im Einsatz befinden.

INHALT:

382 Seiten
DM 116,00 inkl. MwSt., zzgl. Versand

BELASTUNGSORIENTIERTE FERTIGUNGSSTEUERUNG
Tagungsbericht
Hrsg. Prof. Dr. Hans-Peter Wiendahl * IFA - Hannover

Mittlerweile haben mehrere namenhafte Softwarehäuser das Original-IFA-Verfahren der Belastungsorientierten Auftragsfreigabe im Rahmen von Fertigungssteuerungsprogrammen auf Großrechnern oder PC's realisiert und bieten diese am Markt an. Darüber hinaus war dieses Verfahren auch Grundlage für weitere Fertigungssteuerungsprogramme, in denen es modifiziert zu Anwendung kommt. In diesem Fachseminar haben Anwender und Softwarehäuser verstärkt die Möglichkeit gehabt ihre Praxiserfahrungen und Weiterentwicklungen vorzustellen. In erster Linie kommen Unternehmen der Branchen Feinwerktechnik, Maschinenbau und Elektrotechnik zu Wort, die über prakt. Erfahrungen bei der Konzipierung, Einführung und Nutzung der BOA verfügen.

<u>Inhalt:</u>
Grundlagen und Entwicklungsstand der Belastungsorient. Fertigungssteuerung

Elektronischer Leitstand und Werkstattsteuerung

Terminüberwachung mit Methoden der Qualitätssicherung

PROFIS-Schichtenmodell zur simult. Ressourcenplanung + Arbeitsgangfreigabe

BOA dargestellt am Beispiel der Fa. Optyl

Integration der BOA in ein FS-System bei einem Unternehmen der Luftfahrtindustrie

Zukunftsorientierte Materialflußkonzepte und deren dispositive Steuerung

ABS-MX - System der Auftragsfreigabe mit Belastungsschranke für mehrplatzfähige Abteilungsrechner der SINIX-Linie

Der CIM-Leitstand - eine Ergänzung zur BOA

Der CIM-Leitstand im Einsatz bei Faber Castell

Anwendung der BOA in Gießereibetrieben

Erfahrungen bei der Implementierung der BOA

Einführung und Nutzen eines neuen Werkstattsteuerungsverfahrens

BOA graphischem Leitstand auf der Basis einer Workstation

Realisierung eines Leitstandes auf der Basis einer Workstation

Werkstattnahes Feinsteuerungssystem für die Klein- + Mittelserienfertigung

Die Problemstellung bei der Einführung der rechnerunterstützten Fabrikatic und Produktion in einem mittelständischen Unternehmen

PSK 2000 und CIM in der mittelständischen Industrie

BOA in einem integrierten PPS-System

Realisierungsweise ist entscheidend für die Anwendbarkeit

569 Seiten
DM 123,00 inkl. MwSt. + Versand

NUTZUNGSVERBESSERUNG AUTOMATISCHER MONTAGEANLAGEN

T A G U N G S B E R I C H T

Hrsg.: Prof. Dr. Hans-Peter Wiendahl

Automatische Montageanlagen benötigen zum Anlauf und zur Aufrechterhaltung des geplanten Nutzungsgrades häufig weitaus mehr Personal als bei der Wirtschaftlichkeitsrechnung zugrunde gelegt wurde. Die Ursache hierfür sind häufige, kurzdauernde Störungen, die vom Bedienungspersonal in der Regel bei laufendem Anlagenbetrieb behoben werden. Sie sind daher einer automatischen Erfassung schwer zugänglich und werden häufig mit den Begriffen "Bedienen und Überwachen" zusammengefaßt. Viele Anlagen arbeiten aus diesem Grunde unwirtschaftlich.

Vor diesem Hintergrund hat es sich das Institut für Farbrikanlagen der Universität Hannover (Leitung: Prof. Dr. H.-P. Wiendahl) zur Aufgabe gemacht, das Störverhalten automatischer Montageanlagen detailliert zu erfassen und zu beschreiben, konkrete und gezielte Maßnahmen zur Erhöhung des Nutzungsgrades anzuleiten und in dem Buch vorzustellen.

Ein zweiter Schwerpunkt dieses Buches liegt in der Vorstellung von Erfahrungen, die mehrere Anwender aus unterschiedlichen Branchen mit Ergebnissen von Schwachstellenanalysen gemacht haben.

Stand und Tendenzen der automatischen Montage

Grundlagen der Zuverlässigkeit und Systematik der Stördatenerfassung und -analyse

Verfügbarkeitsverbesserung an einer Montageanlage in der Elektroindustrie

Die Gleitförderung als zuverlässigkeitssteigernde Alternative zur Mikrowurfförderung in Schwingzuführsystemen

Methodik zur Entwicklung alternativer Zuführtechniken

Betriebsverhalten automatischer Montageanlagen und Strategien zur Leistungssteigerung

Verfügbarkeitsverbesserung an einer Montageanlage in der KFZ-Zulieferindustrie

Verfügbarkeitsverbesserung an einer Montageanlage in der Feinwerktechnik

Anlagenoptimierung durch stördatenbezogene Pufferdimensionierung und Störtaktabgleich

Steigerung der Anlagennutzung in der Anlaufphase

Fallbeispiele von:
E.G.O. Elektrogerätebau, KEIPER-RECARO, SIEMENS und Projekterläuterungen aus Forschungsergebnissen des IFA-Instituts für Fabrikanlagen der Universität Hannover (Leitung Prof. Dr. H.-P. Wiendahl)

270 Seiten
PREIS: DM 105,50 inkl. MWST.
zzgl. Porto

NUTZUNGSVERBESSERUNG FLEXIBEL AUTOMATISIERTER MONTAGEANLAGEN
Tagungsbericht
Hrsg. Prof. Dr.-Ing. H.-P. Wiendahl, IFA - Hannover

Der Betrieb von **flexibel automatisierten Montagenalagen** ist heute von unterschiedlichen Erwartungshaltungen gekennzeichnet. Zum einen verlangt das Investitions-Controlling eine hohe Anlagennutzung in bedienarmen Schichten, zum anderen fordern die Kunden eine flexible Lieferbereitschaft.

INHALT:

299 Seiten
DM 112,00 inkl. MwSt., zzgl. Versand

ARBEITSBERICHT 1
Hrsg. H.-P. Wiendahl/IFA-Institut für Fabrikanlagen
RÜSTZEITVERKÜRZUNG - DEUTSCH-JAPANISCHES SYMPOSIUM
1a: Deutsche Beiträge
1b: Japanische Beiträge (deutsche Fassung)

Seit 1985 fördert das Bundesministerium für Forschung und Technologie der Bundesrepublik Deutschland ein Verbundvorhaben, das die nachhaltige Verkürzung der Rüstzeiten im Produktionsablauf zum Ziel hat. Neben technischen Maßnahmen sind weitere Schwerpunkte auf das organisatorische Umfeld sowie auf personelle Aspekte gerichtet. An diesem Vorhaben arbeitet eine Gruppe von 14 Industriebetrieben, Hochschulinstituten, Verbände und Unternehmensberater zusammen.

Aufgrund der weltweit anerkannten Erfolge der japanischen Industrie auf diesem Gebiet führten die Projektpartner 1986 einen Erfahrungsaustausch mit Firmen und Forschungsinstituten in Japan durch. Neben Informationsveranstaltungen und Besichtigungen in japanischen Firmen wurde ein Seminar veranstaltet, auf dem die Projektpartner ihre bis dahin vorliegenden Lösungsansätze und Ergebnisse vorstellten. Japanische Sachverständige aus Forschung und Industrie trugen mit ihren Fachberichten zu einem erfolgreichen Verlauf des Seminars bei.

ARBEITSBERICHT 2
Hrsg. H.-P. Wiendahl, IFA - Hannover
KOSTENERFASSUNG UND -ANALYSE IM LAGERBEREICH
- Grundlagen, Methoden, Hilfsmittel -
H.-R. Greim/M. Brinkmann

Mit dem vorliegendem Handbuch wird eine Methode zur Kostenerfassung und -analyse vorgestellt, die speziell für den Einsatz im Gemeinkostenbereich 'Lager' entwickelt wurde. Die Besonderheit dieser Methode liegt in dem konsequenten Leistungsbezug bei der Kostenbehandlung. Der Anwender wird in die Lage versetzt, mit vertretbarem Zeitaufwand,die für jede Rationalisierungsmaßnahme unabdingbar erforderliche Transperenz in den Kosten-Leistungs-Beziehungen des Lagerbereichs zu schaffen; ein Eingriff in das bestehende Kostenrechnungsystem ist nicht erforderlich.

Bei der Konzeption der Methode wurde besonderer Wert auf die Anwendbarkeit durch kleinere und mittlere Unternehmen gelegt. In Anbetracht des Zieles der Allgemeingültigkeit ist die Methode dabei als Handlungsschema aufzufassen; sie bedarf im konkreten Anwendungsfall einer Modifizierung entsprechend den betriebsindividuellen Gegebenheiten. Die Praxistauglichkeit der Methode wurde im mehreren Betriebsuntersuchungen sichergestellt.

92 Seiten
DM 38,75 inkl. MwSt., zzgl Versand

ERFOLGREICHES MATERIALMANAGEMENT
Zukunftsorientiertes Einkaufsmanagement
Marktorientierte Logistiksysteme

Dokumentation zum 15. Deutschen Kongreß für Materialwirtschaft, Einkauf und Logistik

Hrsg.: BME - Bundesverband Materialwirtschaft und Einkauf e.V.

Z U M   T H E M A :

Kennzeichen einer zeitgemäßen Materialwirtschaft sind:

- Hohe Flexibilität im Wettbewerb durch integrierte Logistik
- Steigende Internationalisierung der Beschaffungs- und Absatzmärkte
- Effiziente Materialfluß- und Informationsautomatisierung mit dem Ziel einer Erhöhung der Wetztbewerbsfähigkeit

Mit dem 15. Deutschen Kongress für Materialwirschaft, Einkauf und Logistik stellte der Bundesverband Materialwirtschaft und Einkauf unter dem Leit--thema

erfolgreiches Materialmanagement - Einkauf und Logistik in der Praxis

Lösungen als Bausteine einer integrierten Materialwirtschaft vor.

I N H A L T:

Zukunftorientiertes Einkaufsmanagement
Fallbeispiele von: F.-J. von Laffert, Metallgesellschaft AG, Frankfurt; Dr. W. Hug, Hoesch AG, Hohenlimburg; P. Schmitt/ W. Liesenfeld, SkF, Schweinfurt; H.T. Truchsess, IBM Stuttgart; Dr. G. Werntze, MAHO, Pfronten;

Just-in-Time-Logistik
Fallbeispiele von: Dr.R.Höschen, Klöckner Humboldt Deutz AG, Köln; Prof. Dr.B.E.Meyer, ACTIS GmbH, Heilbronn, R.Hansen, Gebr. Happich GmbH, Wuppertal, D. Türke, Zahnradfabrik Friedrichhafen, W. Freitag, Hottinger Baldwin Meßtechnik, Darmstadt

Marktorientierte Logistiksysteme
Fallbeispiele von: F. Krups, R. Krups Stiftung & Co.KG, Solingen; J. Diercks, SEL, Stuttgart; D. Schertel, BROSE Coburg; M. Berner, General Electric, Hürth-Efferen; R. Klier, Andreas Stihl KG, Waiblingen; W. Hartwig, Osram München

530 Seiten
DM 98,-- inkl. MwSt.
zzgl. Porto

ZUKUNFTSORIENTIERTES MATERIALMANAGEMENT
Vorsprung im Wettbewerb
Dokumentation zum 16. Deutschen Kongress für Materialwirtschaft, Einkauf und Logistik
Hrsg. BME - Bundesverband für Materialwirtschaft und Einkauf e.V.

Angesichts des härter werdenden weltweiten Preis- und Leitungswettbewerbs auf zum grösseren Teil gesättigten Märkten ist das Materialmanagement der Zukunft geprägt durch

- Internationalisierung der Warenströme

- steigende Informations- und Materialflussautomatisierung

- Informationsvernetzungen der Kunden- und Lieferantenstrukturen

- erhöhte Flexibiliätsanforderungen an das Liefersystem

- sinkende Fertigungstiefe bei steigendem Zukaufsanteil und

- hohe Produktinnovation bei kurzen Produktlebenszyklen.

Auf dem 16. Kongress des BME wurden dazu Lösungsansätze und Konzepte aus allen Bereichen einer integrierten Materialwirtschaft vorgestellt.

In den parallelen Themenkreisen

- Beschaffungsmarketing
- Controlling
- Materialfluss
- Wertanalyse mit Lieferanten
- Qualitätssicherung
- Organisation
- Produktionslogistik und
- Umwelt

wurden realisierte Beispiele aus der Unternehmenspraxis vorgestellt und diskutiert.

461 Seiten
DM 88,00 inkl. MwSt
zzgl. Versand

SIMULATIONSTECHNIK UND LOGISTIK/Tagungsbericht
Hrsg. ASIM - Arbeitsgemeinschaft für Simulation in der Fertigungstechnik

---

Die der Fachtagung zugrundliegenden Beiträge setzen sich mit zwei aktuellen Themen gleichzeitig auseinander, weil sie in der praktischen Nutzung untrennbar sind:
die Logistik benötigt die Simulationstechnik als optimierendes und quantifizierendes Instrumentarium, die Simulation wiederum ist ohne fachspezifische Fragestellung für die Praxis kaum nützlich.

INHALT:

SIMULATIONSTECHNIK UND FABRIKBETRIEB
Tagungsbericht 1988
Hrsg. ASIM - Arbeitskreis für Simulation in der Fertigungstechnik

---

Der Ausbau der innerbetrieblichen Informationssysteme und die Vernetzung mit automatisierten Komponenten der Fertigung ermöglichen eine sensible Steuerung des gesamtbetrieblichen Ablaufs. Zur Entwicklung der für diese Steuerung notwendigen Strategien, zur Bewertung der Funktionalität der komplexen Prozesse ist die Simulationstechnik ein wesentlkiches, wenn nicht das einzige Werkzeug.

AUSZÜGE AUS DEM INHALT:

SIMULATION UND FLEXIBLE FERTIGUNGSSYSTEME
Simulation - Flexible Fertigungssysteme
Prof. Dr.-Ing. K. Feldmann, Dipl.-Ing. K. Schlüter, Lehrstuhl für Fertigungsautomatisierung und Produktionssystematik Universität Erlangen-Nürnberg
...

SIMULATION - FLEXIBLE MONTAGESYSTEME
Anforderungen an die Simulation flexibler Montagesysteme
Dr.-Ing. W. Dangelmeyer, Fraunhofer-Insititut für Produktionstechnik und Automatisierung Stuttgart
...

SIMULATION - LOGISTIK
Simulation logistischer Systeme
Prof. Dr.-Ing. A. Kuhn, Dipl.-Ing. R. Schmidt, Fraunhofer-Institut für Transporttechnik und Warendistribution Dortmund
...

SIMULATION - FABRIKPLANUNG
Simulation-Fabrikplanung - das integrierte Planungssystem MOSYS
Dr.-Ing. G. Seliger, Fraunhofer Institut für Produktionstechnik und Konstruktion Berlin
...

SIMULATION - WIRTSCHAFTLICHKEIT UND AKZEPTANZ
Wirtschaftlichkeit und Akzeptanz von integrierten Produktionssystemen
Prof. Dr. rer. pol. H. Wildemann, Universität Passau
...

SIMULATION - FERTIGUNGSSTEUERUNG
Simulation in der Entwicklung von Steuerungssoftware - Voraussetzung bei der Leittechnik von Fertigungssystemen
Prof. Dr.-Ing. A. Storr, K. Brantner, Institut für Steuerungstechnik, Universität Stuttgart
...

527 Seiten
DM 156,00 inkl. MWSt., zzgl. Versand

LOG '88 - Tagungsbericht
Hrsg. DGfL - Deutsche Gesellschaft für Logistik

Im Zuge des Wechsels zum Käufermarkt mit dynamischem Nachfrageverhalten und harter Konkurrenz kompensierten viele Unternehmen ihre fehlende Flexibilität mit hohen Lager- und Umlaufbeständen an fertigen und unfertigen Erzeugnissen. Die Lieferbereitschaft wurde über hohe Kapitalbindungen und überhöhten organisatorischen Aufwand erkauft. Rationalisierungspotentiale, die es heute auszuschöpfen gilt, liegen deshalb überwiegend im Abbau von Beständen und in der Erhöhung der Produktionsflexibilität bei garantierter Lieferbereitschaft sowie in der Verkürzung der Durchlaufzeit.

AUSZUG AUS DEM INHALT:

INNERBETRIEBLICHE MATERIALFLUSSKONZEPTE
Konzept eines automat. Materialflu systems in der Kleinserienfertigung...
BERTRIEBSMITTELLOGISTIK
Transportkette mit Behältern für Kleinteile: VDA-KLT-System...
INFORMATION: PRODUKTIONSFAKTOR IN DER LOGISTIK
Lagerautomatisierung im Nachschlag...
SIMULATION UND LOGISTIK
Erfahrungen bei der Absicherung von Logistikkonzepten mit Hilfe der Simulation...
LOGISTIK UND WELTWEITER EINKAUF
Die VW-Logistik im internationalen Verbund...
AUSLAGERUNG LOGISTISCHER DIENSTLEISTUNGEN
Für und Wider der Auslagerung logistischer Funktionen in der Tiefkühldistribution...
PRODUKTIONSLOGISTIK
Optimierung der Kundenauftragsbearbeitung als Voraussetzung einer qualifizierten Logistik...
FABRIKLAYOUTPLANUNG UND LOGISTIK
Logistiksysteme in der Fabrik der Zukunft...
WARENFLÜSSE: ZENTRAL UND DEZENTRAL
Erschlie t ein Güterverkehrszentrum (GVZ) zusätzliche Rationalisierungsreserven in der Verteilung?...
LOGISTIKORIENTIERTE ABLAUFORGANISATION
Schnellere Durchlaufzeiten und zuverlässige Termine durch log. orient. Ablauforganisation...
ERSATZTEILLOGISTIK
Ersatzteilwirtschaft in der Anlagentechnik eines Chemieunternehmens...
PERSONALENTWICKLUNG IN DER LOGISTIK
Schulung und Training bei der Realisierung von Logistik-Konzeptionen...
ERFOLGSFAKTOREN DER LOGISTIK
Neue Technologien und Logistik...

891 Seiten
DM 156,00 inkl. MwSt., zzgl. Versand

FLEXIBILITÄT UND WIRTSCHAFTLICHKEIT NEUER TECHNOLOGIEN IN DER PRODUKTION. STRATEGISCHE KONZEPTE FÜR DIE FLEXIBLE UND WIRTSCHAFTLICHE FABRIK IN DER ZUKUNFT

Hrsg. Prof. Dr.-Ing. Dieter Elbracht, Universiät Duisburg
Prof. Dr. Horst Wildemann, Universität Passau

Die in den letzten Jahren zum Teil stürmisch voranschreitende Automatisierung unserer Fabriken gerät ins Stocken. Einer der Gründe hierfür ist, daß über Automatisierungsinvestitionen häufig entschieden werden muss, obwohl die traditionellen Wirtschaftlichkeitsrechnungen versagen. Der Ausweg, über ganze Systeme als "strategische Investitionen" zu entscheiden, von denen wir einen zukünftigen Kapitalrückfluß erhoffen, heißt, Wechsel auf die Zukunft zu ziehen, die eines Tages eingelöst werden müssen.

- Können wir die Verantwortung für unser heutiges Handeln auch langfristig tragen?

- Gibt es andere Wege zur computerintegrierten Fabrik der Zukunft?

- Welche strategische Konzepte für die wirtschaftliche Automatisierung der Fabrik der Zukunft werden international verfolgt?

In diesem Symposium haben namhafte Vertreter der Wirtschaft und Wissenschaft zu diesen Fragen Stellung genommen, ihre Konzepte für die neunziger Jahre vorgelegt und zur Diskussion gestellt.

<u>I N H A L T:</u>

-Anthropomatik, eine technisch-wirtschaftliche Strategie zur kapitalsparenden flexiblen Automatisierung
-Automatisierte Produktion - Promotor oder Hemmschuh der Produktinnovation und -entwicklung. Tendenzen im kommenden Jahrzehnt.
-Fertigungsstrategien in der Kleinserienfertigung als Schrittmacher der rechnerintegrierten teilautomatisierten Fertigung.
-Der Beitrag der Wissenschaft und Forschung zur Entwicklung strategischer Konzepte für die Fertigungstrukturen von morgen
-Die rechnergeführte teilautomatisierte Automobilfertigung - Entwicklungstendenzen für die neunziger Jahre
-Flexible Automatisierung in der Fabrik mit Zukunft
-Wettbewerbswirkungen neuer Technologien
-Wirtschaftliche Automatisierung in Europa: Technische und organisatorische Lösungen bei SKF
-Die wirtschaftliche Automatisierung der Kleinserienfertigung aus der Sicht des Maschinenbaus
-Flexible Automation in den USA
-Personalwirtschaftliche Auswirkungen flexibler Fertigungsautomatisierung
-Der Einsatz von CIM im Werkzeugmaschinenbau zur Gewinnung von Wettbewerbsvorteilen.

261 Seiten
Preis DM 96,-- inkl. MWST
zuzügl. Porto

PLANEN UND STEUERN DER PRODUKTION IM CIM

BAUSTEINE FÜR EINE COMPUTERGESTÜTZTE FERTIGUNG

Tagungsbericht:

Bis zu 20 % des Umsatzes werden zur Erfüllung der Planungs-, Steuerungs- und Kontrollaufgaben vom Zulieferunternehmen, über die Fertigung und Montage bis zur Verteilung der Produkte an den Kunden aufgewendet.

Die hohe Fixkostenbeteiligung durch automatisierte Anlagen und die Kapital- und Handlingskosten des Anlagevermögens erfordern ebenfalls effizientere, der spezifischen Unternehmensituation angepaßte PPS-Systeme.

Differenzierte PPS-Systeme, die unterschiedliche Lösungsansätze integrieren, müssen in ganzheitliche Organisationskonzepte eingebettet sein, damit ablauforganisatorische Schnittstellen den Informationsfluß nicht trennen.

Das Ergebnis der Verkettungsaufgabe soll die

computergestützte Fertigung
COMPUTER-INTEGRATED-MANUFACTURING (CIM)

sein. Um dies wirtschaftlich zu erreichen, muß der "Werkzeugkasten" verfügbarer Lösungen schon heute genutzt werden.

Diese Publikation stellt in der Forschung entwickelte und in der Industrie erprobte Bausteine und Strukturmodelle für integrierte CIM-orientierte Datennetze an Hand von Fallbeispielen dar.

FALLBEISPIELE: BBC, Bosch, Daimler-Benz, Elring, Ford, Gould IBM, Jungheinrich, MAN, MTU, Siemens, Softlab Trumpf und Voith

Als Tagungsbericht einer Veranstaltung der gfmt - Gesellschaft für Management und Technologie - im Mai 1986 zusammengefaßt, werden neue Software- und Organisationskonzepte zur Planung und Steuerung in flexibel automatisierten Fertigungs- und Montageanlagen durch Erfahrungsberichte von Entscheidungsträgern vorgestellt.

Die Vorträge und Fallbeispiele aus diesem Werk bieten Ansätze zur Nutzung des Rationalisierungspotentials und zur Steigerung der Flexibilität im Unternehmen.

514 Seiten
PREIS: DM 143,50 inkl. MWST.
zzgl. Porto

PERSONALHANDBUCH
Personalentwicklung für neue Technologien in Produktion und Büro
Hrsg. Rolf Bühner

Neue Technolgien in Produktion und Büro lassen das Personal zu einem strategischen Wettbewerbsfaktor werden. Qualifikation und Motivation entscheiden zunehmend über Bestand und Entwicklung von Unternehmen. Notwendig werden damit zukunftsorientierte Konzepte der Personalentwicklung, die einen aktiven Beitrag zum Aufbau und zur Erhaltung von verteidigungsfähigen Wettbewerbspositionen leisten.
Dieser Band zielt darauf ab, Orientierung und Hilfestellung bei der Entwicklung von erfolgsversprechenden Personalentwicklungskonzepten und deren praktische Umsetzung zu geben. Vorangestellt wird die Beschreibung von grundlegenden Konzepten, die als Handlungsrahmen Orientierung geben sollen. Die daran anschliessenden vielfältigen Beiträge aus der betrieblichen Personalentwicklungspraxis geben Einblick in praktische Erfahrunger von Erstanwendern neuer Technologien wie CAD/CAM, FFS, CIM, Just-in-Time. Damit werden aus unterschiedlichen Branchen realisierbare Lösungen und Konzepte vorgestellt, die das strategische Potential neuer Technologien erkannt und wirtschaftlich eingesetzt haben.

Inhalt:

EINFÜHRUNG IN QUALITY ENGINEERING

Dr. Genichi Taguchi; Deutsche Übersetzung: Prof. Dr. Walter Schweitzer

Das Buch „Einführung in Quality Engineering" beschreibt spezifische Qualitätssicherungsmethoden, bei denen der Verantwortungsbereich für Qualitätsprobleme auf all jene übertragen wird, die sich mit Fragen des Marketings, des Engineerings sowie der Produktherstellung beschäftigen. Es wird betont, daß diese Bereiche die Überlegungen zur Qualitätskontrolle mit einbeziehen müssen. In diesem Buch werden die durch Qualitätsmängel verursachten Verluste quantifiziert, indem die Abweichungen spezifischer Kennwerte von entsprechenden Sollwerten analysiert werden. In diesem Zusammenhang werden effiziente Methoden der statistischen Versuchsplanung dargestellt, mit denen diese Verluste minimiert werden können.

Im Gegensatz zu anderen Schriften, die sich mit statistischen Testverfahren für die Qualitätskontrolle beschäftigen und diesen Themenkreis beschränkt auf spezielle Bereiche abhandeln, werden hier alle Aktivitäten einer Unternehmung unter dem Gesichtspunkt betrachtet, die durch Qualitätsmängel verursachten Verluste zu reduzieren. Die einzelnen Kapitel führen jeweils in den betreffenden Problemkreis ein; sie bauen auf die vorangegangenen Punkte auf. Bei jedem Abschnitt folgt nach einer Einführung und der Darstellung der Methoden eine konkrete Fallstudie. Die vorgestellten Verfahren sind sehr leistungsfähig und trotzdem einfach anzuwenden; sie verlangen keine besonderen Kenntnisse in Statistik oder Vorkenntnisse aus anderen Bereichen.

INHALTSVERZEICHNIS

*Alle Kapitel mit Aufgaben und Diskussion

DM 89,00 inkl. MwSt + Versandkosten

PRAXISHANDBUCH QUALITÄTSSICHERUNG
Band 1
Schwerpunkt: CAQ-Computer Aided Quality Control
Hrsg: Prof. Dr.-Ing. Jürgen P. Bläsing

Z u m   T h e m a

Überzeugende Qualität ist die wirksamste Waffe des Unternehmens, den Herausforderungen des Marktes heute und in der Zukunft gerecht zu werden.

Mit dem Praxishandbuch "Qualitätssicherung" bekommt der Führungskreis im Unternehmen ein unentbehrliches Werkzeug in die Hand, um Rationalisierungsmöglichkeiten durch eine geeignete Qualitätssicherung zu nutzen, auf dem Stand der Technik zu arbeiten, die eigene Arbeit effizienter und zukunftsorientiert zu gestalten und die Wettbewerbsfähigkeit des Unternehmens zu sichern. Jeder der zahlreichen Beiträge ist hierfür ein wertvoller Baustein.

B e i t r ä g e   d e s   1.   B a n d e s

-CIM und Qualitätssicherung - Qualitätssicherungsysteme und Qualifizierung des Unternehmens - Stand der Produkthaftung - CAQ-Computer Aided Quality Control - Aufbau von CAQ-Systemen - CAQ-Gesamtkonzept im Fahrzeugbau - Erfahrungsbericht CAQ-Einführung - Zuverlässigkeitsmanagement - Zuverlässigkeitssicherung im Fahrzeugbau Umweltsimulation - Automatisierte Sichtprüfung - PC-Einsatz in der Qualitätsstelle - Qualitätssicherung in der Flachbaugruppenfertigung - Qualitätssicherung für SMD - Expertensysteme in der Qualitätssicherung - Qualitätssicherung in Ein- und Verkauf - Qualitätsgruppenarbeit - Qualitätszirkel - Aus- und Weiterbildung und weitere Beträge

A u t o r e n   d e s   1.   u n d   2.   B a n d e s

Prof.Dr.-Ing. J.P. Bläsing, Ulm - Dipl.-Ing. E.J. Schmidberger, Stuttgart - Dipl.-Ing. H. Beier, Mannheim - Dipl.-Ing. J. Sondermann, Wolfsburg - Dr. Ing. K. Petrick, Berlin - Obering. H. Raddatz Ulm - Prof. Dipl.-Math. S. Backes, Ulm - Dr. F.J. Brunner, Turin W.Reuber, München - Prof. Dr.Ing. K. Roschmann, Konstanz - Dr. J. Schmidt-Salzer, Hannover - Dr. W. Beumelburg, Mannheim - C.A. Fischer, Rheinach - A. Girschweiler, Bern - Dipl.-Ing. U. Goutier Karlsruhe - E. Keller, Ennetbaden - Dr. W. Seßler, München - Dr. D. Endemann, München - H. Joksch, Sindelfingen - M. Strohbach, Erlangen - Dipl.-Ing. M. Preising, Aachen - K. Rautenberg, Mönchengladbach - M. Vogeley, München - Dr. rer.nat.H.-M. Korff, München E. v. Wasielewski, München - Prof.Dr. Wevelsiep, Krifftel und weitere Autoren.

Das Werk wird dem Besteller nach dem jeweils neuesten Stand geliefert und kann durch laufende Ergänzungslieferungen aktualisiert werden.
Widerruf der Fortsetzung ist jeder Zeit, ohne Einhaltung einer Frist möglich.

ca. 1000 Seiten
PREIS: Grundwerk DM 191,-- inkl. MWST.
zzgl. Porto

PRAXISHANDBUCH QUALITÄTSSICHERUNG
BAND 2
Schwerpunkte: Qualitätssicherungsmanagement/Qualitätssicherungssysteme
Hrsg: Prof.Dr.-Ing. Jürgen P. Bläsing

B e i t r ä g e   d e s   2.   B a n d e s

- QS-Systeme und der Nachweis der Qualitätsfähigkeit
- Einrichten eines QS-Systems nach DIN ISO 9000 bis 9004
- Zertifizierung von QS-Systemen
- Qualität als Werbeargument
- Qualitätsarbeit im Verkaufsbereich
- Q-Vereinbarung als Bestandteil des Liefervertrages
- QS-Strategie in mittelständischen Unternehmen
- Qualität und Betriebswirtschaft
- CIM und QS im Beispiel
- Bedeutung des Rechnereinsatzes in der QS
- Planung und Realisierung eines CAQ-Systems in einem datenbankorientierten Gesamtsystem
- Q-Fähigkeit von Fertigungsprozessen
- Sicherung von Qualität und Zuverlässigkeit an Kfz-Elektronik in der Vorserienphase
- Prinzipien der Software-QS im Beispiel
- QDE-Systeme für attributive Merkmale
- Einführung in die Methode der FMEA
- Anleitung für die Konstruktions-FMEA
- Anleitung für die Prozeß-FMEA
- Qualitätszirkel in der Praxis
- Ausbildung der Mitarbeiter in der Qualitätssicherung
- Systematik in der integrierten Qualitätsmethodik

ca. 1000 Seiten
DM 191,00 inkl. MwSt, zzgl. Versand

PRAXISHANDBUCH QUALITÄTSSICHERUNG BAND 4
Quality Engineering
Herausgeber: Prof. Dr.-Ing. Jürgen P. Bläsing

Beiträge des 4. Bandes:

+ Qualitätspolitik
+ Unternehmensweite Qualitätsverbesserung, Total Quality Control
+ Total Quality Commitment
+ Design und Qualität
+ Q-Sicherungselemente der DIN ISO 9001 und der DIN ISO 9004
+ Taguchi-Methode des Parameter-Designs
+ Statistische Versuchsmethodik
+ Quality Function Deployment QFD
+ Instandhaltung zur Sicherung der Produktqualität
+ QS-Systeme, Voraussetzung der CAQ-Einführung
+ CAQ im Beispiel: QUEEN
+ EDV-Vernetzung, Voraussetzung für CAQ
+ Statisitk als strategisches Erfolgspotential
+ Statistische Prozeßregelung, SPC-Checkliste
+ Rechnerunterstützung beim Messen und Prüfen
+ Softwarequalität-Checklisten
+ QS in der logistischen Kette eines PkW-Herstellers
+ Prüfsysteme in automatischen Fertigungslinien
+ CAQ im technischen Kundendienst
+ QS-System für Kernkraftwerke
+ FMEA-Strategie in der Praxis
+ Expertensysteme im Motorenprüffeld
+ Expertensysteme im Beispiel: QUEX
+ Integration neuer Mitarbeiter
+ Kleingruppenarbeit; ein Vergleich zwischen Deutschland und Japan
+ Haftung für mangelnde Qualität, Gewährleistungs- und Produkthaftung

PRAXISHANDBUCH QUALITÄTSSICHERUNG BAND 5
Integriertes Qualitätsmanagement
Herausgeber: Prof. Dr.-Ing. Jürgen P. Bläsing

Beiträge des 5. Bandes:

Abschnitt A - Trends der Qualitätsarbeit
* A1 Total Quality Management
  Process Improvement
  Schritt für Schritt zu besten Prozessen
* A2 Zukunftsaufgaben: Qualitätsförderung und -revision
* A3 Entwicklungs- und Produktqualität
* A4 Qualitätspolitik im Mittelpunkt
* A5 Qualitätsmanagement im internationalen Wettbewerb

Abschnitt B - Methoden der Qualitätstechnik
* B1 Total Quality Management
  Qualität im Service
* B2 Qualitätsmanagement bei Dienstleistungen
* B3 Taguchi-Methoden - Anwendung in der Praxis
* B4 CAD/-CAQ-Kopplung

Abschnitt C - CAQ-Rechnerunterstützte Qualitätssicherung
* C1 CAQ im Beispiel: INQUAMESS
* C2 Systematische Auswahl von CAQ-Systemen
* C3 CAQ im Beispiel: Integrierte Qualitätssicherung
  in Betrieben mit mehrstufiger Fertigung

Abschnitt D - Qualitätsprüfung
* D1 Das Continental-SPC-Modell
* D2 SPC als Bestandteil der Fertigungssteuerung
* D3 Konventionelle Mehrstellenmeßtechnik

Abschnitt E - Qualitätsdatenerfassung und -verarbeitung
* E1 Qualität und Kosten - eine ganzheitliche Betrachtung
* E2 Qualitätskosten erfassen und bewerten
* E3 Qualitätskosten analysieren und optimieren

Abschnitt F - FMEA
* F1 Methodenbausteine qualitätsorientierter Prozeßplanung
* F2 DV-gestützte Fehlermöglichkeits- und Einfluß-Analyse (FMEA)
* F3 FMEA-Fehler-Möglichkeits- und Einfluß-Analyse

Abschnitt G - Qualitätsförderung
* G1 Problemlösungsgruppen
* G2 Lernstatt auf dem Weg von der problemlösenden
  Gruppe zur Organisationsentwicklung
* G3 Die Haftung für mangelnde Qualität
* G4 Die betriebliche Aus- und Weiterbildung als
  Qualitäts-Regelkreis
* G5 Der Beitrag des Verbesserungsvorschlagwesens
  zur Qualitätsverbesserung im Systemzusammenhang

ca. 1000 Seiten
DM 191,00 inkl. MwSt. zzgl. Versand

PRAXISBERICHTE 1 QUALITÄTSSICHERUNG

RECHNERUNTERSTÜTZTE PRÜFMITTELÜBERWACHUNG
PC EINSATZ IN DER QUALITÄTSSTELLE
IM SCHWERPUNKT: USQS-MODUL 7

Hrsg.: Prof. Dr. Ing. Jürgen P. Bläsing

Qualitätssicherung im Unternehmen ist nicht nur eine technisch-organisatorische, sondern auch eine betriebswirtschaftliche Herausforderung für das Manangement.
Etwas 7-13 % der Herstellkosten müssen heute für Ausschuß, Nacharbeit, Gewährleistung und notwendige Prüfungen bereitgestellt werden.

Inhalt:

1. Die Prüfmittelüberwachung wird als wichtige Funktion des Qualitätssicherheitssystems gefordert.
2. Integration der Prüfmittelüberwachung in das zentrale EDV-Umfeld des Unternehmens ist oft nicht zweckmäßig.
3. USQS-Ausbildung unterstützt die Qualitätsstelle beim Aufbau der dezentralen rechnerunterstützten Prüfmittelüberwachung.
3.1 PC-Standardsoftware kann für die Prüfmittelverwaltung eingesetzt werden.
3.2 Anwendungssoftware für die Prüfmittelverwaltung selbst erstellen oder in Auftrag geben.
3.3 Prüfmittelüberwachung als fertiges PC-Programm des PSQS-Paketes einsetzen.
4. Zusammenfassung
5. Schrifttum
6. USQS-Ausbildungskonzept für Leiter und Mitarbeiter der Qualitätsstelle
7. Anforderungen an die Prüfmittelüberwachung in den einschlägigen Normen und Richtlinien
8. Prüfanweisungen zur Prüfmittelüberwachung
9. USQS-Modul 7: Pflichtenheft und Funktionsbeschreibung
10. Grundlagen der Datenbanktechnik am Beispiel USQS 7
    Einführung und Programmierbeispiele
11. USQS-Modul 7: Masken des Programms
12. USQS-Modul 7: Liste der Prüfmittel
13. USQS-Modul 7: EDV-Programm

PRAXISBERICHTE 2 QUALITÄTSSICHERUNG
FMEA - Failure Mode and Effects Analysis
Analyse potentieller Fehler und Folgen

Hrsg. Jürgen P. Bläsing

Neue gesetzliche Auflagen und gestiegene Kundenerwartungen erfordern immer größere Anstrengungen, um zuverlässige und sichere Erzeugnisse herzustellen.
Die Analyse potentieller Fehler und Fehlerfolgen ist ein wirksames Hilfsmittel Risiken zu vermeiden, bzw. zu mindern. Hierbei werden potentielle Fehler methodisch analysiert und hinsichtlich ihrer Bedeutung, der Wahrscheinlichkeit des Auftretens und der Wahrscheinlichkeit entdeckt zu werden, bewertet.

INHALT:

- Einführung in die Methode der FMEA; Übersichtsteil und Folienvorlagen
- FMEA - Einführung, Durchführung, Wirtschaftlichkeitsrechnung, Rechnereinsatz
- Anleitung zur Erstellung der Konstruktions-FMEA nach FORD Q101
- Anleitung zur Erstellung der Prozeß-FMEA nach FORD Q101
- Anleitung zur FMEA nach VDA 4 (1986)
- Erfahrungsbericht zur Anwendung der FMEA (Anwenderbericht)
- Methoden und Normen der Risikoanalysen (Auswahl)
- Allgemeine Leitsätze für das sicherheitsgerechte Gestalten technischer Erzeugnisse
- Produkt- und Produzentenhaftung; Einführung und Grundlagen
- PC-unterstützte FMEA; Bildschirmkopien des Programms FMEA 2.0
- PC-unterstützte FMEA; Arbeitsbeispiele und Auswertung
- Anhang
- Übungsaufgaben

QUALITÄTSSICHERUNG BEI HOCHAUTOMATISIERTER FERTIGUNG UND MONTAGE
Qualitätsfachtagung
Hrsg. J.-P. Bläsing

Automatische Fertigung- und Montagesysteme lassen die Qualitätssicherung nicht überflüssig werden. Sie erfordern aber eine veränderte strategische und technische Ausrichtung der Qualitätsarbeit im Unternehmen.
Maschinennahe und linienintegrierte Meß- und Prüftechnik, vorbeugende Instandhaltung, enge Zusammenarbeit mit den Zulieferern, Selbstprüfung, SPC, automatisierungs- und qualitätsgerechte Qualitätsarbeit in den Produkt- und Produktionsentwicklungen sind Schlagworte dieser neuen Qualität der Qualitätssicherung.

INHALT:

+ Vorstellung der Deutschen Technischen Akademie
  K.-A. Schiller, DTA Helmstedt

+ Strategien der Qualitätssicherung unter dem Eindruck steigender Qualitätsanforderungen durch Montagesysteme
  J.-P. Bläsing, Transferzentrum Qualitätssicherung Ulm

+ Qualitätssicherung als Managementaufgabe
  W. Müller-Wilderink, Volkswagen AG, Wolfsburg

+ Mechanisierung Halle 54 - Herausforderung und Chance
  P. Sudeck, Volkswagen AG, Wolfsburg

+ Überwachung von Produktionslinien mit integrierten Prüfsystemen - Erfahrungen, Probleme und Lösungsansätze -
  E. Stegmeier, Volkswagen AG, Braunschweig

+ Qualitätssicherung in einer mechanisierten Motormontage
  R. Bein, Volkswagen AG, Salzgitter

114 Seiten
DM 45,00 inkl. MwSt., zzgl. Versand

QUALITÄTSICHERUNG IN DER FABRIK MIT ZUKUNFT

Fallbeispiele: BBC AG Brown Boveri & Cie., TQU, SCS, Dornier GmbH, Daimler Benz, SEL, IBM, Hoechst AG, BMW AG, Fraunhofer-Inst., Volkswagen AG, IPA, AEG AG, HILTI AG, Carl ZEISS, Philips, IVECO-FIAT

- Qualität, eine Mangementaufgabe
- Qualitätsinformationssysteme
- Rechnereinsatz in der Qualitätsstelle CAQ
- Qualitätszirkel im Brennpunkt

ZUM THEMA:

Welche Aufgaben muß die Qualitätsstelle schon heute anpacken, um für die Zukunft der Fabrik gerüstet zu sein?

Ehrgeizige unternehmerische Zielsetzungen bezüglich der Qualität von Produkten und Ingenieurleistungen können nicht mehr nur mit den traditionellen Techniken der Qualitätssicherung erfüllt werden. Mehr als bisher müssen auf die Veränderungen in den technisch organisatorischen Bereichen des Unternehmens wirkungsvolle mittel- und langfristige Antworten gefunden werden.

Beispiele dieser Antworten sind:

- Setzen von Qualitätszielen,
- Aufbau von Qualitätsinformationssystemen,
- verstärkter Rechnereinsatz in CAQ-Systemen,
- Industrieroboterensatz in der Qualitätsprüfung,
- Automatisieren der Sichtprüfungen
- Aufbau von Qualitätsexpertensystemen in den CA-Techniken,
- Fördern des Qualitätsbewußtseins in allen Ebenen,
- Nutzen des Qualitätspotentials bei den Mitarbeitern,
- Kunden- und Umweltorientierung der Qualitätsarbeit,
- Transparenz nach innen und außen schaffen.

Qualitätssicherung, eine Mangementaufgabe! Ehrgeizige Zielsetzungen können nur durch ein Maßnahmenbündel erreicht werden. Schwerpunkt der zukünftigen Führungsaufgabe wird die präventive Arbeit erhalten. CAQ-Informations- und Expertensysteme ermöglichen die notwendige Transparenz des Qualitätsgeschehens. Die CA-Technologien erfordern neue integrierte QS-Werkzeuge. Topmanagement und qualifizierte Mitarbeiter aller Ebenen müssen organisationsübergreifend in ihrer Qualitätsverantwortung gestärkt und motiviert werden. Sie müssen Qualität "vorleben". Das kundenorientierte Denken ist der Schlüssel zum Qualitätserfolg!
Qualität nach außen kann nur durch ehrliche und offene innere Qualität erreicht werden.

565 Seiten
PREIS: DM 143,50

CAQ - COMPUTERUNTERSTÜTZE QUALITÄTSSICHERUNG
Tagungsbericht zum 5. Qualitätsleiterforum
Hrsg. Jürgen P. Bläsing

Regsingnation oder Panik im Angesicht des immer enger werdeneden Wettbewerbsfeldes und der gestiegenen Qualitätsforderungen der Abnehmer ist nicht notwendig.
Qualitätskompetenz als Unternehmenskultur und CAQ - Computer Aided Quality Control können die Schlüssel dür die zeitgemäße und zukunftsfähige Qualitätsarbeit sein.

CAQ-Arbeit umfaßt:
o SPC - Statistische Prozeßregelung
o Dynamisierte Prüfabläufe
o Fertigungsnahe und Inprozeß-Meßtechnik
o Kundenorientierte Online-Information
o QS-Systeme bei der EDV-Softwareentwicklung
o QS-Systeme im Hochtechnologiebereich
o Koppelung zum EDV-Umfeld im Unternehmen
o PC-Einsatz als Problemlösungsinsel
o Qualitätsexpertensysteme für CAE/CAD

Der rechtzeitige Einstieg in die rechnerunterstützte Qualitätssicherung schafft mittelfristig Raum für beherrschte Qualität, höhere Produktivität, geringere Kosten und höhere Transparenz der Qualitätsarbeit nach Innen und nach Außen. Dieser Einstieg ist unabhängig von der Unternehmensgröße oder der Branche für alle Unternehmen schon heute notwendig. Langfristig gesehen ist ein funktionierendes Qualitätsinformationssystem die wichtigste Voraussetzung für die CIM-Zukunft des Unternehmens.

Im Mittelpunkt des Qualitätsleiterforums steht die realisierte Problemlösung und der Erfahrungsaustausch aus erster Hand, zwischen Praktikern der Qualitätssicherung über alle Branchen hinweg.

794 Seiten
DM 156,00 inkl. MwSt. zzgl. Versand

INTEGRIERTES PRODUKTIONS- UND QUALITATSMANAGEMENT
Tagungsbericht zum 6. Qualitätsleiterforum
Hrsg. Jürgen P. Bläsing

Produktivitätsreserven nutzen durch:
o Risikoorientiertes Entwicklungsmanagement
o Verzahnte Produktions- und Qualitätsplanung
o Integration von CAQ- und PPS-Systemen
o Statistische Prozeßregelung SPC
o Kontinuierliches Verbessern der Qualitätsfähigkeit
o Meßbarmachen von Produktivität und Qualität
o Produktionskompetenz durch beherrschte Fertigungen
o Qualitätskompetenz durch Spitzenleistung

Nur die Unternehmen, die Produktivität und Qualität als gemeinsames Ziel begreifen und durch integriertes Managment beide Bereiche zusammen optimieren können, werden diese und weitere Herausforderungen meistern können. Produktivitäts- und Qualitätskompetenz können zusammen der Schlüssel zur Zukunft des Unternehmens sein.

Diese Kompetenz kann durch Festhalten an gewachsenen Strukturen, zufallsabhängigen Produktionsergebnissen und dekoratives Qualitätsmanagement nicht erreicht werden. Produktivitäts- und Qualitätsreserven nutzen, bedeutet risikobewußte Entwicklungsarbeit, fähige Maschinen und Anlagen einzusetzen, Durchlaufzeiten senken, Ausschuß und Nacharbeit reduzieren, Qualitätsbewußtsein in allen Stufen und an allen Arbeitsplätzen und vorhandenen Recourcen besser nutzen.

Band 1
490 Seiten
DM 188,00 inkl. MwSt. zzgl. Versand

QUALITY MANAGEMENT
Tagungsbericht zum 7. Qualitätsleiterforum
Herausgeber: Prof. Dr.-Ing. Jürgen P. Bläsing

Strategische Zielsetzung

Die rasche Entwicklung und die Dynamik der Märkte zwingen in der derzeitigen wirtschaftlichen Situation die Unternehmen in allen Unternehmensbereichen, effizient zu arbeiten und flexibel auf Veränderungen zu reagieren.

Der Wissensstand und permanente intensive Weiterbildung der Mitarbeiter hat bei der Lösung dieser Probleme eine zentrale Bedeutung.

Wissen und Erfahrungen sind somit grundlegend für die Sicherung des Unternehmenserfolges.

Aufgrund der Komplexität des zu vermittelnden Stoffes sind geeignete Aus- und Weiterbildungsmethoden entscheidend für die betriebliche Umsetzung. Die Information ist in nicht unerheblichem Maße abhängig von der Kommunikation.

Neue Technologien und gestiegene Anforderungen in den flexiblen Produktionen bedeuten die Übernahme einer höheren Verantwortung der Mitarbeiter.

Damit verbunden ist ein anspruchsvolles Qualitätsbewußtsein. Gefordert sind geeignete Methoden, um den Know-how-Transfer in die Unternehmen zu gewährleisten. Die Zielsetzungen lassen sich durch anwendungsbezogene Aus- und Weiterbildungsveranstaltungen verwirklichen.

Praxisorientierte Wissenschaftler und erfahrene Praktiker können Hilfestellung für die Realisierung zukunftsorientierter Lösungen geben.

ca. 1140 Seiten / 2 Bände
DM 198,00 inkl. MwSt. zzgl. Versand